# THE CLASH CITY

Marie Garenet

# THE CLASH CITY

Roman

Édition : BoD - Books on Demand, info@bod.fr
Impression : BoD – Books on Demand, In de Tarpen 42, Norderstedt (Allemagne)

Impression à la demande

Couverture : Agathe Loubière

ISBN : 978-2-3224-6880-5
Dépôt légal : Mars 2023

*À ma mère, pour ta patience et ton soutien immense.*

# CHAPITRE I
## Les deux hommes en costume

*Chicago, décembre 1939.*

Vingt-deux heures neuf. Deux paires de chaussures de ville masculines patientaient sur un trottoir enseveli sous un épais tapis de neige. Leurs propriétaires, deux hommes proches de la quarantaine, se tenaient côte à côte, tournés en direction d'un bâtiment prestigieux. À leurs pieds, quelques mégots souillaient la couverture de glace virginale, un indice témoignant de leur longue présence dans cette rue dépeuplée. Un pied s'impatienta. Il battit la mesure. Sans doute celle d'une chanson entendue la veille dans un bar populaire du centre-ville. L'un des hommes portait un costume gris, assez chic mais dépourvu de détails superflus, ainsi qu'un long manteau brun en laine, des gants en cuir et un chapeau feutre havane cousu d'un liseré de la même couleur, bien que plus clair pour distinguer les deux parties. Un ensemble tout à fait commun pour tout homme de cette époque où la convenance et l'élégance primaient. L'autre était vêtu d'un costume trois pièces dans les tons bleu foncé. Sans pour autant être spécialiste, on pouvait identifier l'estampille d'une marque britannique reconnue pour son excellence et son savoir-faire incomparable. L'homme portait des gants et un pardessus d'hiver, couleur bleu marine. Il possédait aussi un couvre-chef, mais assorti à son costume et plus large que celui de son confrère.

L'impatience le gagna. Une envie subite de griller une cigarette le submergea. D'un geste maîtrisé, il sortit un paquet de cigarettes de la poche intérieure de sa veste, réservée aux objets de première nécessité. Il était rouge et frappé d'une tête de chat noir en figure de mascotte. Le signe probable d'un mauvais présage pour prévenir ses consommateurs de son usage à sens unique. D'un côté de la tête du félin, il était noté « *Cork* » et de l'autre « *Tipped* ». Les cigarettes étaient sans filtre, mais leur bout était entouré d'une fine bande de liège. Au centre, la mention « Craven A » était inscrite en lettres noires, et un peu plus bas, en lettres blanches, « Virginia Cigarettes ». Tout comme son costume, son paquet était originaire du pays de la Reine mère. Il extirpa une cigarette, la plaça entre ses lèvres fines et invita silencieusement son associé à partager sa douceur amère. Il échangea ensuite son paquet contre un Zippo métallique gravé des initiales « T. W. ». Il ôta le capuchon et activa la pierre du briquet en glissant son pouce sur la petite roulette. Une gerbe d'étincelles, suivie d'une flamme, jaillit du réservoir. Il l'écrasa contre le bout du bâtonnet qui rougit à son baiser incendiaire, et tendit son briquet à son collègue. Une brise s'éleva. L'homme au costume gris approcha son visage de la flamme dansante dans le froid hivernal et l'enveloppa de ses mains prenant la forme d'une coupe pour la protéger du souffle du vent. Cigarettes allumées, ils se redressèrent et tirèrent en même temps une bouffée. L'homme au costume bleu releva la manche de son manteau et dévoila le cadran d'une montre en argent à son poignet : vingt-deux heures quatorze. Encore trop tôt. La trotteuse entama un nouveau tour. Ils continuèrent de se repaître de leur plaisir éphémère. Quand la fine aiguille atteignit le chiffre douze, l'homme au costume gris donna un coup de coude à son voisin pour lui désigner le grand immeuble d'en face. C'était un hôtel, plus précisément un palace, dont les portes étaient férocement défendues par deux portiers. Le genre d'établissement qui vous offrait tout ce dont vous rêviez, même si le soleil était couché. D'énormes lettres lumineuses rouges rayonnaient sur le toit pour composer les mots : « Congress Hotel ».

Les deux hommes en uniforme hôtelier quittèrent leur poste et se retirèrent à l'intérieur du palace. Un signal à destination des deux complices. Ceux-ci s'élancèrent d'un même pas et marchèrent à un rythme soutenu. Au bord de la chaussée, l'homme au costume gris agrippa l'avant-bras de son collègue pour l'empêcher de traverser. Ce dernier lui jeta un regard interrogateur. D'un hochement de tête, l'autre lui indiqua le feu tricolore autorisant les voitures à circuler. La voie pourtant dégagée, l'homme au costume bleu, docile, se ravisa et patienta avec son collègue. Ils jouissaient de leurs sucettes d'hommes mûrs. Une seule voiture était passée sous leurs yeux rivés sur le dispositif lumineux. C'est seulement après son passage que le feu permit enfin leur traversée. Ils rejoignirent sans tarder le trottoir d'en face. À deux pas de l'entrée principale, ils jetèrent leurs mégots et poussèrent les grandes portes battantes du luxueux bâtiment.

Une fois à l'intérieur, ils s'immobilisèrent. Ils observèrent le grand hall, appréciant sa chaleur réconfortante. Des lustres dorés faisaient ressortir les peintures des arches et les veines des murs en marbre. Le mobilier coûteux était de bon goût, les objets décoratifs l'étaient tout autant. Un style volontairement pompeux, au vu de l'atmosphère élitiste que l'hôtel revendiquait. Le personnel et la clientèle opulente allaient et venaient dans une euphorie conventionnelle. Des embrassades et de grands sourires feints s'échangeaient comme dans une réaction en chaîne. Dès que l'on croisait un congénère fortuné, on le saluait, même si on le désapprouvait. Un savoir-vivre non négociable, si vous souhaitiez que votre réputation ne termine pas sa trajectoire comme la courbe du krach de 1929.

Tout se passa très vite. En un éclair, le tandem traversa la grande salle pour gagner les ascenseurs. Les portiers aperçus plus tôt s'éclipsèrent par une porte de service. Au même moment, le réceptionniste de jour passa le relais à son collègue de nuit. Les deux hommes en costume déjouèrent leur vigilance, se payant même le luxe de défiler devant un agent de sécurité, dont l'attention fut détournée par un paquet de cigarettes glissant à ses pieds, qu'il ramassa pour sa prochaine pause. Ils atteignirent leur objectif avec un air d'indifférence et appelèrent un ascenseur. Un *ding !* retentit. Les portes s'ouvrirent, ils entrèrent. L'homme au costume gris appuya sans hésitation sur le bouton du onzième étage, l'appareil initia son ascension. Une douce musique jazzy, instrumentale, avait envahi le petit espace. Les deux hommes fixèrent les portes closes de la boîte de métal. Le plus nerveux d'entre eux, l'homme au costume bleu, tapota convulsivement de son index contre ses mains jointes. Soudain, l'ascenseur s'arrêta brusquement. Au cinquième étage, un jeune groom chargé de bagages apparut derrière les portes automatiques. Il salua respectueusement les usagers, entra et leur tourna le dos. Les passagers clandestins se jetèrent un regard entendu, puis les portes se refermèrent.

Au onzième étage, les portes s'ouvrirent de nouveau. Mais il ne restait plus que deux voyageurs dans l'habitacle. Le groom avait apparemment disparu sans laisser de trace… L'homme au costume gris quitta l'ascenseur. Celui en bleu l'imita, mais se figea lorsqu'un bras glissa avec paresse du plafond de la cabine pour venir chatouiller son nez sensible. Avec une grande aisance, il attrapa le membre inanimé, le remit précautionneusement à sa place le long du corps du groom et suivit les pas hâtifs de son collègue. Ils enchaînèrent plusieurs couloirs au sol revêtu d'une moquette bleue qui assourdissait chacun de leurs pas déterminés. Ils ne rencontrèrent aucun client ni employé sur leur chemin jusqu'à la prochaine intersection. Le grincement des roues d'un chariot de linge, poussé par une femme de chambre, aiguillonna leurs oreilles vigilantes. Sans se concerter, ils se séparèrent et se plaquèrent simultanément contre un mur adjacent. L'employée surmenée traversa le couloir sans les voir. Ils attendirent sagement sa retraite définitive avant de poursuivre leur progression. Vingt-deux heures vingt-six. Faute impardonnable. Ils venaient de perdre une minute sur leur programme. Il fallait maintenant rattraper leur retard.

À trois chambres de là, un client important profitait de sa suite présidentielle. George Clayton, la cinquantaine passée, une calvitie naissante sur le haut du crâne, était un politicien dans l'âme, considéré comme un fin opportuniste, mais pas comme un brillant stratège. Il se révélait un peu abrupt. Ses opposants ne le craignaient pas et se souciaient peu de sa personne ou de ses ambitions diplomatiques. Une image dont il usait pour évoluer dans l'ombre. Il avait appris que l'obscurité pouvait devenir sa plus fidèle alliée si l'on savait la dompter. Clayton soignait depuis toujours ses relations avec le monde de l'argent. L'homme avait fait fortune dans une entreprise de métallurgie. Pas épargné par la crise, il s'était lancé dans la politique après avoir investi dans l'import-export. Un véritable serpent, empoisonnant ses victimes à coups de promesses et de paroles vaines. À force de serrer des mains, il avait conquis son électorat et grimpé les échelons du pouvoir dans le but de devenir le maire de Chicago. Un titre qu'il s'apprêtait à remettre en jeu après quatre ans de *bons et loyaux* services.

Après une soirée éprouvante, Clayton avait dénoué sa cravate, ouvert le col de sa chemise, puis s'était écroulé sur un canapé du salon de la suite. Dans peu de jours seraient annoncés les résultats des élections. La victoire était proche. Les documents éparpillés sur une table basse lui confirmaient, entre diagrammes, chiffres et statistiques, cette belle prévision. La gorge sèche du fait d'interminables allocutions publiques, il étancha sa soif avec un verre de whisky additionné d'un glaçon et arbora un sourire prétentieux.

— Hannah, écoute ça.

Il parlait à une femme vêtue d'une robe de chambre qui dissimulait sa sublime plastique. En arrière-plan, elle se déplaça d'un bout à l'autre de la pièce et dévoila par mégarde le galbe ferme de ses jambes parfaites entre les pans de son déshabillé en soie. Elle s'assit devant une coiffeuse et démaquilla chaque partie de son visage, révélant progressivement les traits d'une femme mature. Elle ôta sa paire de boucles d'oreilles ainsi que sa parure de diamants portées à l'occasion d'un dîner mondain. Elle les rangea précieusement dans le coffret en velours pourpre d'un éminent joaillier et dit :

— Je suis tout ouïe, mon amour.

— Ma chérie, sers-nous des coupes de notre meilleur champagne ! La population de Chicago va devoir me supporter quatre ans de plus : d'après mon chef de cabinet, je suis en bonne voie pour voir mon mandat renouvelé.

— Les élections ne sont-elles pas dans une semaine ?

George s'affala paresseusement entre les coussins capitonnés.

— Exact, mais au vu des derniers sondages, il y a peu de chances pour que mon adversaire me rattrape.

— En ce cas, je ne connais qu'une seule manière de fêter dignement cette victoire, susurra Hannah à son oreille.

Elle avait surgi, sans faire de bruit, contre le dossier du canapé. Elle entoura amoureusement le cou de George et embrassa sa joue.

— Je vais prendre une douche. Tu te joins à moi ?

Une indécente proposition qui curieusement ne motiva pas le politicien. L'homme vantard était bien trop absorbé par sa future victoire.

— Accorde-moi encore un petit instant et je serai tout à toi.

Elle se détacha de lui et souffla avec désir :

— Ne tardez pas trop, monsieur le maire, ou il risque de ne plus y avoir d'eau chaude…

Hannah s'éloigna langoureusement. En cours de route, son négligé glissa mollement le long de sa fine taille. Plus rien ne cachait ses courbes féminines. Clayton ne daigna toutefois pas détourner son regard de ses résultats. À croire que ses chiffres avaient plus de force que ses pulsions primaires. La tentatrice ne réclama pas son dû et s'enferma dans la salle de bains.

On frappa à la porte de la chambre. Clayton ne bougea pas. On insista. Il consulta, exaspéré, une pendule de cheminée : vingt-deux heures vingt-neuf. Qui pouvait le déranger à une heure pareille ? Rien n'avait été commandé au *room service*, et aucun invité n'était attendu. La grande aiguille passa à trente. On frappa encore. Il poussa un soupir et délaissa ses documents.

— Voilà, du calme, j'arrive ! Bon Dieu, y a pas lieu de s'énerver comme ça.

Il retira un cigare cubain refroidi, étiqueté d'une fleur de lys, du bord d'un cendrier et le plaça dans sa bouche aux effluves de liqueur.

— C'est plus ce que c'était, le service d'étage. Il pourra se le mettre là où je pense, son pourboire.

Clayton se redressa du canapé, difficilement en raison de sa longue position assise. Il prit d'abord le soin de faire craquer son dos endolori et alla ouvrir la porte de sa suite. Devant lui se tenaient deux hommes en costume : l'un en gris, l'autre en bleu foncé.

— Oui, c'est pour quoi ?

Pas de réponse. Clayton afficha une expression de perplexité, qui se transforma en terreur lorsque l'homme au costume bleu présenta l'embout d'un pistolet muni d'un silencieux. Deux balles furent tirées dans son thorax. Entre la vie et la mort, le politicien ne vit pas sa vie défiler devant ses yeux, ni le visage de la charmante Hannah pour dernière représentation de son existence, mais le trop gros pourboire offert au groom pour que la blanchisserie repasse sa chemise maintenant tachée d'hémoglobine. Il se pétrifia momentanément, une main cramponnée sur sa poitrine en sang. Ses lèvres remuèrent. Quelque chose semblait vouloir sortir de sa bouche en manque d'air. En s'attardant sur celles-ci, on pouvait entendre un léger souffle, ou plutôt une supplique : « Nettoyage à sec… » Puis il s'effondra lourdement en arrière, comme une armoire qu'on aurait balancée dans un escalier.

Sous la douche, Hannah se délectait de l'eau chaude qui coulait délicieusement sur ses épaules. Pas une seule seconde elle ne suspecta ce qu'il se tramait dans la pièce attenante. Le bruit continu du jet d'eau tapant contre les parois de la douche couvrait son audition. Elle avait même dû élever la voix pour tenter de se faire entendre de son amant, insensible à ses multiples invitations provocatrices.

— George ! Que fais-tu ? J'ai presque fini et je commence déjà à avoir froid sans toi.

À côté, les deux hommes rassemblaient méthodiquement toutes les affaires personnelles du défunt : chapeau, porte-documents, dossiers… L'homme au costume bleu, prévenant, récupéra sur un fauteuil la veste du politicien pour recouvrir sa dépouille. Hannah ferma l'eau, enroula son corps dans une serviette et héla une nouvelle fois George. Cette exclamation n'affola pas les compères, qui continuèrent leur tâche avec une singulière sérénité et une rare efficacité. Lors de la phase finale, ils emmaillotèrent Clayton et ses affaires dans un tapis du salon qu'ils transportèrent par les deux bouts en dehors de la suite. La porte claqua. Hannah revint dans le salon, appela George. Personne ne souffla mot.

Les deux hommes en costume descendirent le corps avec adresse par une cage d'escalier impratiquée. Au rez-de-chaussée, ils tombèrent sur une porte de service verrouillée. Ils posèrent le cadavre au sol. L'homme au costume gris sortit une clé appartenant au groom de l'ascenseur, et l'inséra dans la serrure. L'obstacle franchi, ils déplacèrent leur charge jusqu'à une voiture anglaise qui les attendait au parc de stationnement des employés. C'était une Riley Kestrel 1½ de 1938. Sa carrosserie, à la fois rectiligne et arrondie par endroits, était d'un beau vert nuancé de reflets sombres. L'intérieur cuir était couvert d'un toit noir. Les lignes symétriques de son capot se rejoignaient en une parfaite adéquation sur son imposante calandre, constituée d'une grille de radiateur en lamelles. Un ensemble qui faisait d'elle une vraie splendeur mécanique, une diva sur quatre roues que son propriétaire cajolait été comme hiver.

L'éclairage du parking était presque inexistant, mais cela suffisait pour leur affaire. Le temps que l'homme au costume bleu puisse ouvrir le coffre, le second fut sollicité pour retenir le corps. Ils se délestèrent lourdement de leur fardeau à l'intérieur. Les suspensions de la Riley rebondirent à cette macabre offrande, comme si elle refusait de transporter cette chose répugnante, de peur de salir sa ravissante robe olive. L'homme au costume gris s'installa sur le siège passager, son collègue au costume bleu ferma le coffre. Il s'apprêtait à rejoindre son collègue quand un détail l'arrêta. Une petite tache de sang s'étalait sur le capot. Son poing se serra. Tel un magicien, il tira un mouchoir de sa poche et effaça d'un geste la trace disgracieuse. Il contourna l'automobile et prit place derrière le volant. La voiture démarra. Elle remonta une avenue et passa de justesse un feu vert pour s'éloigner derrière un écran de neige.

Après un périple éreintant de plusieurs heures, la neige s'était volatilisée et avec elle les basses températures. Les deux hommes avaient délaissé leur manteau pour leur veste de costume. La voiture roulait à vitesse constante sur la route la plus célèbre des États-Unis d'Amérique, la route 66. Un long corridor traversant plusieurs États du pays et offrant de multiples décors aux voyageurs qui l'empruntaient. Le Missouri avait été atteint depuis un moment déjà. Ils étaient seuls. Il n'y avait que les phares allumés et le vrombissement du moteur de leur voiture pour manifester leur présence dans cette nuit funèbre. Puis, comme sur un coup de tête, la voiture bifurqua sur un parking d'une vingtaine de places peu rempli. Cinq voitures y étaient stationnées. Les deux hommes y abandonnèrent leur véhicule et marchèrent en direction d'un motel dédié aux courts séjours où ils passèrent la nuit.

À l'aube, l'homme au costume bleu, adossé contre le flanc de la Riley, sortit son paquet de Craven A. Avec un jeu de mains routinier, il alluma une cigarette et tira une bouffée. Son regard se tourna vers la porte du motel, poussée par l'homme au costume gris. Celui-ci rangea dans sa veste son portefeuille, qui avait servi à régler la note, et retrouva sa place près de son collègue, sur le siège passager. L'aiguille de la jauge d'essence indiquait que le réservoir était presque vide. Un arrêt à une station-service s'imposait. La voiture démarra et reprit la route.

Plus tard, ils dépassèrent un panneau indicatif : « ARIZONA ». Le bitume usé ondulait sous leurs roues. Une illusion d'optique créée de toutes pièces par la forte chaleur qui tapait fiévreusement sur l'asphalte, atteignant les soixante-dix degrés. Tandis qu'il conduisait, l'homme au costume bleu eut l'étrange sensation d'être suivi. Il jeta un œil dans son rétroviseur et repéra une voiture de police. Elle roulait à la même allure, mais restait soigneusement en retrait. Elle continua ainsi sur cinq kilomètres, puis effectua un appel de phares. La voiture anglaise se déporta sans délai sur le bas-côté. L'homme au costume bleu coupa le contact de son véhicule. Dans le reflet, il étudia le policier solitaire quittant sa voiture de fonction et mettant son chapeau sur sa tête dangereusement exposée au soleil brûlant du désert. Il portait des lunettes de pilote, un uniforme de shérif avec une arme à feu rangée dans son holster en cuir, prête à servir. Tout l'attirail du parfait flic natif de l'État. L'air peu engageant, il s'avança posément jusqu'à la voiture étrangère. Le cliquetis des menottes et du trousseau de clés à son ceinturon appuyait l'alternance de ses pas dans la poussière. L'homme au costume bleu commença à tapoter nerveusement de son index sur le volant. Le policier longea la Riley. Il l'inspecta brièvement, s'arrêta au niveau de la portière conducteur et frappa à celle-ci à deux reprises avec le cartilage de son index replié. Le conducteur abaissa lentement sa vitre, à la limite de l'exaspération. Le policier inclina légèrement son couvre-chef et dit avec un accent des environs :

— 'Jour, messieurs.

Ils ne répondirent pas. Un mutisme qui n'affecta pas le fonctionnaire.

— Eh bien, dites-moi, c'est un bel engin que vous avez là.

Un fort enthousiasme se percevait dans sa voix. Les mains sur les hanches, il se cambra légèrement en arrière afin d'observer le devant de la voiture clouée sur place.

— C'est une Riley, c'est ça ?

Il n'obtint aucune réponse. Le policier recula d'un pas et contempla la voiture dans son ensemble. Il la scruta sous toutes ses coutures avec le même respect que pour le tableau d'un grand maître.

— C'est pas commun de voir des bagnoles de ce genre dans l'coin.

Il se déplaça ensuite vers l'arrière et effleura le coffre de sa main.

— C'est la première fois de ma vie que j'pose mes mirettes sur une anglaise.

Dans son rétroviseur, l'homme au costume gris regarda anxieusement le policier se tenant à proximité du coffre. Mauvais signe. Sa main attrapa instinctivement la crosse de son pistolet fixé à sa taille, alors que le tic de son acolyte s'était machinalement amplifié. Le policier revint sur ses pas. Étrangement, la puanteur du corps, qui macérait depuis plusieurs kilomètres dans l'espace confiné, n'était pas parvenue à son piètre odorat. Ou bien l'avait-il confondue avec celle des voyageurs ?

— Pour tout vous dire, commença-t-il, amusé, quand j'l'ai aperçue, j'ai bien cru avoir pris un coup d'soleil sur la caboche.

Avec un aplomb peu ordinaire, il s'accouda à la vitre du conducteur pas vraiment ravi de cette audace.

— Eh ben, j'dois avouer que vous avez un sacré bon goût.

Une étincelle jaillit derrière ses verres teintés dans ses yeux baladeurs qui venaient de cibler sur le tableau de bord un paquet de cigarettes posé sur une brochure touristique de l'Arizona.

— Dites, ce sont des Craven A ? J'en ai jamais fumé.

L'homme au costume bleu fixa son paquet. Il le prit et s'aperçut en l'ouvrant qu'il ne restait plus qu'une cigarette. La route avait été longue. Dommage, il aurait bien voulu la garder pour plus tard. Il passa son bras par la vitre et tendit sa drogue en papier au policier.

— Oh, non. J'vous la laisse, elle est à vous.

L'homme au costume bleu réitéra son offre.

— Bon… Si vous insistez.

Le policier prit la dernière cigarette avec un large sourire.

— Vous savez, ma mère m'a toujours dit de n'jamais refuser les cadeaux qui nous sont offerts. Le meilleur conseil que j'aie pu recevoir dans ma vie. Pour sûr, les bouteilles de vin maison qu'on lui refilait sous le manteau du temps de la prohibition ne l'ont pas aidée à vivre longtemps, mais Dieu sait qu'elle en a bien profité. Paix à son âme…

L'homme au costume bleu replia son bras pour le faire réapparaître avec un briquet actionné.

— Merci, le mien est resté au poste.

Le policier approcha son visage de la flamme. Il embrasa sa cigarette en se redressant pour l'évaluer. L'homme au costume bleu referma brusquement son briquet et retira son bras. Du genre connaisseur, le flic pinça le bâtonnet fumant entre son pouce et son index. Il expira une traînée grise et dit :

— Pas mal, pour des anglaises.

Un bras posé sur le toit, il s'appuya distraitement contre la portière.

— Alors ? Que font des *British* dans c'trou perdu de notre grand pays ?

L'homme au costume bleu tapota la brochure touristique.

— Du tourisme, hein ?

Il reprit une autre bouffée.

— Si vous voulez voir d'aut' choses dans l'coin, y a l'Arizona State Museum. Ou si vous êtes du genre à pas trop rester sur place, y a le Slide Rock State Park. Vous verrez, c'est un endroit magnifique. Des kilomètres de roche comme vous en avez jamais vu de vot' vie. Mère Nature fait de belles choses. Ouais ! De splendides rochers…

Les deux hommes restèrent muets. Le soleil était à son zénith et frappait durement les protagonistes. De la sueur dégoulinait du front de l'homme de loi, mais pas des voyageurs au comportement incroyablement stoïque. Le policier les regarda attentivement. La main de l'homme au costume gris se resserra sur la crosse de son arme. L'instant s'était figé comme la bobine d'un film qu'on aurait mis sur pause. Ils étaient parés à toute éventualité. Avec un peu d'organisation et d'imagination, le coffre pouvait accueillir un chargement supplémentaire. Rien de bien méchant, quelques incisions par-ci par-là. Comme pour un puzzle, il suffisait de faire coïncider les pièces dans le bon ordre et le tour était joué.

L'agent de police interrompit leur rêverie en donnant un coup sec sur le toit de la voiture avec la paume de sa main. Les deux hommes ne tressaillirent pas.

— Bon, c'est pas tout, mais faut que j'vous laisse. J'ai des voyous à flanquer sous les verrous.

Il se détacha de la voiture et épongea son front transpirant avec un vieux mouchoir.

— En tout cas, ça m'a fait plaisir d'avoir pu causer avec vous, les gars.

Il inclina une fois de plus son chapeau.

— Soyez prudents sur la route. Y a des coyotes dans les parages.

L'homme au costume gris desserra la pression sur son arme, alors que l'homme au costume bleu suivait du regard le policier qui rentra dans son véhicule pour faire un demi-tour complet. Il leur fit un signe de la main à travers la vitre et fila vers le fin fond du décor aride. Dans la foulée, la Riley redémarra et s'engagea sur la route ardente. Elle roula à peine cent mètres pour s'arrêter à une station-service perdue au milieu de nulle part. Il n'y avait pas l'ombre d'un client, seulement le responsable du commerce qui, affalé derrière sa caisse, feuilletait lentement les pages d'un magazine illustré. L'homme au costume bleu entra dans la station et posa lourdement son portefeuille sur le comptoir pour se faire remarquer du patron fasciné par sa lecture. Le pompiste, pris sur le fait, tressauta et flanqua sa revue dans un tiroir. À son teint cramoisi, on devinait que l'ouvrage n'était sans doute pas consacré aux dernières nouvelles économiques du pays, mais plutôt à de plantureuses jeunes femmes dans des poses suggestives. Les rencontres amoureuses devaient être restreintes, par ici. Sans faire le moindre commentaire, le client acheta un paquet de Craven A et demanda un plein d'essence ainsi que le remplissage d'un petit bidon d'acier.

En présence des deux hommes attentifs, le pompiste embarrassé introduisit le pistolet de la pompe à essence dans le réservoir de la Riley. Lorsqu'il pressa la gâchette, les chiffres du compteur de la machine s'accélérèrent puis s'arrêtèrent dès qu'il atteignit la quantité de carburant désirée. Il passa ensuite au remplissage du bidon et annonça d'une petite voix le coût final de la prestation.

La facture réglée, l'homme au costume bleu s'installa derrière le volant, tandis que l'homme au costume gris posait le bidon rempli d'essence sur la banquette arrière. Le pompiste les regarda attentivement s'en aller, puis il attendit une bonne minute après leur départ pour reprendre le cours de sa lecture coupable.

En toute quiétude, les deux hommes retrouvèrent leur itinéraire. Ils roulèrent avec monotonie, pendant plusieurs minutes, à travers un grand reg sous un large ciel bleu. Ils quittèrent subitement la route goudronnée pour emprunter un chemin de traverse caillouteux sans marquage. Le véhicule s'ébranla au contact des pierres sous ses roues et s'arrêta à quelques mètres d'un interminable gouffre. Ils étaient enfin arrivés… Le Grand Canyon. Le lieu le plus touristique d'Arizona, mais abandonné par les visiteurs sur cette partie du site.

Les portières avant claquèrent à l'unisson. Les deux hommes déchargèrent du coffre le cadavre enveloppé dans le tapis qu'ils acheminèrent jusqu'à la lisière du précipice. Ils le déposèrent sur ce belvédère naturel de manière à ce qu'il soit exactement parallèle avec la ligne d'horizon. L'homme au costume gris resta sur place, allumant une nouvelle cigarette. L'autre était reparti au véhicule pour apporter le bidon d'essence. Il s'apprêtait à verser tout son contenu sur le cadavre quand son collègue l'interrompit d'un geste de la main, s'accroupissant à hauteur du corps. Il fouilla les poches de sa veste, trouva un portefeuille avec vingt dollars dont il s'empara. Il se redressa et autorisa d'un signe de tête l'homme au costume bleu à verser toute l'essence sur le cadavre. L'association originale de carburant et de putréfaction créa un relent indescriptible. Pas de quoi toutefois les faire dégobiller, ils avaient le cœur bien accroché.

Les deux hommes se placèrent à chaque extrémité du corps, puis savourèrent leur cigarette face au vide et au paysage désertique. C'était une nature si vaste et si harmonieuse qu'un seul mot risquait de l'enlaidir. Les lits d'anciennes rivières, aujourd'hui asséchées et remplacées par une miraculeuse végétation capable de s'adapter aux climats les plus extrêmes et jaillissant du sol poussiéreux, formaient des cavités sinueuses. Un long silence s'installa. On entendait uniquement le sifflement du vent s'engouffrant entre les dunes rocheuses ocre de ce lieu sauvage. Il reproduisait les notes d'une ballade mélancolique, interprétée par un vagabond solitaire, racontant les blessures et les espoirs d'une vie meilleure. Leur cigarette à moitié fumée, ils s'en débarrassèrent d'une chiquenaude sur le tapis qui s'embrasa à ce contact. Le tissu s'enflamma vivement, et ils s'imposèrent une distance de sécurité en reculant d'un pas pour faire face au corps en proie aux flammes. Spectateurs de la première heure, ils restèrent captivés par ce morbide tableau. Les habits d'abord dévorés, la chair rongée puis les os apparents du squelette grignotés dans un doux crépitement.

L'homme au costume bleu revint à la raison. Pas le temps de s'éterniser. Il était l'heure de reprendre la route. Il posa son pied sur un morceau de chair calciné et poussa d'une pression le cadavre dans le précipice. Le corps en feu roula et entama une chute sans fin, virevoltant dans l'air comme un avion de chasse en piqué. Les deux hommes n'attendirent pas la conclusion de la scène finale pour revenir à leur voiture et rebrousser chemin jusqu'à leur point de départ…

# CHAPITRE II
## La sixième chaise

*New York, novembre 1958.*

Il était plus de onze heures et demie du soir. Cinq hommes demeuraient reclus dans une pièce de douze mètres carrés depuis plus de trois heures. Ces messieurs jouaient au poker autour d'une table ronde, laissant une sixième chaise vacante. Derrière elle, un tableau était accroché, *Waterloo*, signé de Coolidge, une peinture qui rappelait étrangement la scène qui se déroulait en ce moment même. L'endroit était enfumé par les cigares et les cigarettes des joueurs. Une fenêtre à guillotine donnant côté rue était ouverte à mi-parcours pour leur éviter une asphyxie accidentelle. Les bruits ambiants de la ville s'insinuaient à travers elle pour s'accorder avec la musique jazz qui s'échappait du bar-restaurant adjacent.

La tension entre les joueurs était palpable. Ils se jaugeaient du regard, leurs cartes en main, alors qu'une mise importante était au centre de la table. Plus de mille dollars avaient été amassés lors des diverses parties. Cette somme avait été récoltée en grande majorité par un joueur chanceux qui avait empilé tous ses jetons en colonne pour afficher son ostensible triomphe.

Cigare en bouche, cet homme aux cheveux gris, la soixantaine, portant des lunettes noires à monture browline, jubilait de garder le suspense. Tous attendaient fébrilement qu'il étale enfin son jeu. À sa gauche, un homme noir, quadragénaire, le regardait tout en faisant glisser une pièce en argent, estampée de la tête d'un aigle sur l'avers, entre les articulations de ses doigts. Un chapeau melon noir ballottait sur le dossier de sa chaise. Un homme du même âge, brun et trapu, fixait avec hargne l'homme aux lunettes. Plus jeune de dix ans, ce joueur au visage angélique attendait lui aussi le résultat final, une cigarette entre ses doigts. Le dernier, frôlant la cinquantaine, était brun, grand et athlétique. Il fumait un cigare en dévisageant impassiblement le maître du jeu qui tardait à dévoiler sa stratégie. Le doyen regarda un à un ses adversaires. Un fin sourire se dessina sur ses lèvres dissimulées derrière ses cartes en éventail. Il cessa de les faire languir plus longtemps. D'un seul coup, il abattit son jeu sur le tapis vert où était déjà disposée une river, et révéla à la vue de tous sa main gagnante. Les quatre autres joueurs se penchèrent pour examiner les cartes et, stupéfaits, découvrirent une paire. L'homme aux lunettes venait, contre toute attente, de remporter la partie. À ce coup de théâtre, l'homme trapu se renversa, complètement désabusé, dans sa chaise.

— Merde, putain, mais c'est pas vrai ! s'écria-t-il.

Des cartes s'envolèrent du plateau de jeu sous son accès de rage. Ravi, le gagnant ramassa tous ses gains.

— Tu apprendras, Clyde, qu'il faut toujours se méfier de l'eau qui dort, plaisanta le vainqueur.

Clyde Lyon. Rustre et opiniâtre étaient les deux mots qui définissaient le mieux l'individu. Il était brun, ramassé et râblé. Il avait le visage d'un homme suscitant à la fois confiance et réticence. Tout dépendait de qui et de la manière dont on l'abordait. Un Écossais pur malt, comme il aimait à se décrire. Fier de ses racines, il ne manquait jamais d'en vanter les mérites. Un peu bourru sur les bords, la délicatesse n'était pas son fort. Il avait le sang chaud et ne faisait rien dans la finesse. Riche ou pauvre, éduqué ou simple d'esprit, il vous traitait de la même manière, quelles que soient vos origines. D'un naturel impatient, il n'aimait pas gaspiller son temps avec des broutilles. Telles les formules de politesse : « Bonjour, comment allez-vous ? », ou bien : « Quel beau temps aujourd'hui, madame Robinson. » C'était sûrement une des raisons pour lesquelles son banquier repoussait son prêt depuis plusieurs mois. Il va sans dire que commencer un entretien par : « Signez-moi ce foutu papelard pour que j'puisse bouffer aut' chose que de la pâtée pour chien » n'était pas la meilleure des entrées en matière. Son franc-parler lui avait causé pas mal d'ennuis par le passé, ainsi que plusieurs séjours dans une miteuse cellule avec un pot de chambre malodorant pour lui tenir compagnie. Malgré ses défauts, ou qualités pour certains, il avait ce quelque chose en plus, ce je-ne-sais-quoi qui le rendait attachant aux yeux des gens.

Clyde n'en revenait toujours pas de s'être fait avoir de la sorte. Agacé, il s'indigna, avec un geste las de la main :

— Fait chier, putain ! J'y crois pas, t'avais qu'une paire.

— Un peu de classe, mon cher, s'empressa de le rappeler à l'ordre son adversaire. Nous sommes entre gentlemen. Et puis, tu sais ce que l'on dit, ce sont les petits ruisseaux qui font les grandes rivières.

Clyde fusilla du regard l'homme aux lunettes.

— En tout cas, intervint l'homme noir, parler de toute cette eau me donne soif. Jim, sers-m'en un autre, s'te plaît.

Il agita son verre vide vers le grand homme brun.

Jim Nash. Discrétion et force tranquille. Grand, costaud, des cheveux de jais parfaitement coiffés. Ses joues étaient creuses et ses sourcils, plus bas qu'à l'ordinaire, renforçaient son regard sérieux et distant. Des tatouages décoraient la peau de son torse et de ses bras camouflés par ses habits, à l'exception de la pointe d'une dague qui dépassait sur son cou où une ancienne cicatrice marquait une partie de son larynx. Joli garçon, on le confondait souvent avec un jeune acteur de cinéma. Il présentait constamment cette même expression, celle de l'impassibilité, parfois confondue avec de l'indifférence. Ceux qui ne voyaient pas la différence étaient nûment ignorés. Jim était un homme réservé qui savait parfaitement cacher ses émotions à ses semblables. Il était l'ami loyal sur lequel on pouvait compter dans les moments difficiles. Le genre de personne dont vous n'aviez pas peur de composer le numéro à trois heures du matin pour une fuite d'eau inondant tout votre appartement. En comparaison, celui de Clyde était en fin de liste du répertoire de Lloyd pour ce type de services. Il était grand mélomane et la musique lui tenait lieu de mots, communiquait en notes ses pensées. Tous aimaient sa qualité d'écoute, mais surtout sa capacité à ne pas répondre.

Jim prit son verre ainsi que celui de son voisin. Il se dirigea vers une table sur laquelle étaient alignées des bouteilles d'alcool, puis arrosa généreusement les deux verres de scotch.

Le plus jeune joueur en profita pour étirer ses bras et congratuler au passage le vainqueur de la soirée :

— Troisième partie et troisième fois que tu gagnes, Lloyd. Je sais pas si tu as corrompu ton ange gardien, mais ce soir, tu es un homme béni des dieux. La chance semble avoir été de ton côté, j'te tire mon chapeau.

L'intéressé posa une main sur sa poitrine pour signifier que ce compliment lui allait droit au cœur.

Lloyd Steadworthy. Intelligence et élégance résumaient l'homme aux lunettes. Il avait une figure rayonnante, un nez long, une large bouche et de grands yeux pétillants. Il possédait une haute stature longiligne qui, remarquable et remarquée, dépassait le mètre quatre-vingt-dix, et dominait toutes les personnes qui se trouvaient autour. Il était né dans une ville appelée Norwich située dans l'est de l'Angleterre, non loin des côtes de la mer du Nord qui léchait les plages et les falaises rocheuses bordant le territoire insulaire. Une autre partie de lui, par sa mère, était française. Entre rébellion et retenue, il n'était pas en reste pour exprimer ses opinions. Il avait une voix chantante et chaque mot prononcé devait être une note exécutée à la perfection. Un intellectuel qui pouvait dévorer une dizaine de livres par semaine. Poésie, théâtre, littérature… tout y passait. Sa curiosité, comme ses discours, était infinie. L'art vestimentaire n'avait pour lui aucun secret. Un vrai dandy qui connaissait par cœur toutes les règles du parfait gentleman. Aux antipodes, Clyde n'aimait pas ses manières sophistiquées et s'empressait, dès qu'il en avait l'occasion, de se moquer de l'esthète. Les deux hommes étaient comme chien et chat. Ils s'envoyaient des piques perpétuelles dans l'espoir qu'un jour, l'un d'eux déclarerait forfait sur son lit de mort. Les paris étaient lancés.

Lloyd sourit et dit :

— La chance n'a rien à voir avec ça, mon cher Antonin. Je suis tout simplement un maître du camouflage.

Antonin North. Jeunesse et inventivité. Surnommé « Tony » par ses amis, il était le plus jeune de la bande. Celui qu'on aimait préserver des contraintes de la vie, mais à qui on aimait aussi faire observer sa beauté derrière sa perversité. De taille moyenne et pas très musclé, le jeune homme à la tignasse blonde et aux yeux bleus usait plus de son imagination pour se dépêtrer des pires situations que de son physique bien trop vulnérable pour un violent combat. Plein de fougue, il ne s'avouait pas facilement vaincu. Chaque jour représentait un nouveau défi, une nouvelle occasion de prouver ses capacités à faire partie de ce monde.

Clyde ingurgita une grande lampée d'alcool puis, d'un revers de la main, il essuya les résidus du liquide sur sa bouche.

— Camouflage mon cul, protesta-t-il en reposant son verre avec force.

Jim rendit le verre rempli à son propriétaire et retourna s'asseoir pour assister, fatigué, à l'absurde conflit.

— Vous devez appeler un chat un chat, cita Lloyd avec une pointe de suffisance. Et ce soir, on peut dire que vous êtes faits comme des rats.

— Moi, j'dis que ce soir, tout c'que t'as eu, c'est une putain de veine de cocu.

— Pour l'amour du Ciel, Clyde ! C'est avec cette bouche-là que tu embrasses ta femme ?

— Moi au moins, j'en ai une.

— Mieux vaut être seul que mal accompagné.

Clyde foudroya le dandy du regard à cette nouvelle agacerie.

— D'un autre côté, Clyde n'a pas tout à fait tort, soutint l'homme noir.

— Aaah, bah voilà ! Qu'est-ce que j'viens de dire ? Même Archibald est d'accord avec moi, dit Clyde en désignant son voisin de table d'un geste désinvolte.

Archibald Day, dit « Archie ». Réfléchi et farceur. Assez grand, Archie était un homme séduisant qui bénéficiait d'une bonne musculature. Un physique avantageux dont il usait parfois pour charmer celles qu'il ne laissait pas indifférentes. Et lorsqu'il arborait son sourire ravageur, qui faisait craquer bon nombre de demoiselles, des fossettes apparaissaient au creux de ses joues et le rendaient encore plus irrésistible. Même arrivé à l'âge adulte, il avait gardé l'air mutin du gamin prompt à faire une bêtise, notamment du fait de ses grands yeux noirs expressifs. Archie aimait faire rire et cultivait souvent son goût pour la comédie afin de se faire accepter là où il n'avait pas pied. Il était un Afro-Américain originaire de la Louisiane, un État du Sud entre le Texas et le Mississippi. L'enfant chéri du bayou n'avait pas peur de prendre des coups et avait appris très tôt à se défendre si nécessaire. Quoi qu'il en soit, il faisait profil bas et évitait les frappes inutiles, au-delà de certaines limites. Clyde était devenu, au fil des ans, son meilleur ami. Ils n'étaient pourtant pas destinés à une longue amitié, mais ils avaient vécu ensemble plusieurs aventures, dont leur première rencontre, qui les avait à jamais liés, pour ne plus se quitter. Ils veillaient l'un sur l'autre comme des frères. Pudiques, ils évitaient toujours néanmoins de parler de ce lien indéfectible.

— Je dis juste que sans Teddy à la table, tu as eu une chance en plus de gagner, dit Archie. Et toi, appelle-moi encore une fois par mon prénom et j'te fais avaler tous ces billets et pas par l'endroit le plus agréable, ajouta-t-il sévèrement en pointant Clyde du doigt et en esquissant un rictus.

Archie détestait être appelé par son prénom complet et préférait l'utilisation de son diminutif. Une erreur que l'Écossais s'abstiendrait de répéter.

— Il est vrai que Ted est le meilleur d'entre nous pour manier les cartes, renchérit Lloyd en aspirant une autre bouffée de son cigare. Peut-être aurais-je eu le loisir de le battre, s'il avait eu la décence de nous faire l'honneur de sa présence.

— Conneries ! rugit Clyde. Il t'aurait éjecté de la table dès le second tour.

— Je n'ai qu'une seule chose à dire : la critique est aisée, mais l'art difficile.

— C'est qu'il continue, ce p'tit con ! Arrête tes cantiques, le ratichon, ou j'te fais un exorcisme maison que même une bonne sœur aurait du mal à déguster.

Au rendu puissant de son alcool ambré, Archie grimaça légèrement.

— Au fait, pourquoi Teddy n'est pas là ce soir ? demanda-t-il en indiquant la place vide avec son verre.

— Demain, il est en passeri, répondit Antonin. Il préférait rentrer chez lui pour être en forme.

— Ah, le chœur de l'aube ! s'exclama Lloyd tout sourire. N'existe-t-il pas de plus beau chant au monde que celui…

— De ces oiseaux du soleil levant ? terminèrent Archie et Clyde, railleurs.

— Quelle belle harmonie, messieurs, à quand un quartette ?

Antonin eut un rire en écrasant sa cigarette dans le cendrier, puis Clyde rassembla toutes les cartes pour en faire un tas. Il divisa le paquet en deux et les mélangea en les intercalant. Malgré ses défaites répétées, il n'avait pas dit son dernier mot et se jura de ne pas rentrer chez lui les poches vides. Plus que son argent, sa dignité était en jeu.

— Bon, prêt pour une autre partie ? C'te fois, j'vais tous vous liquider jusqu'aux dernières de vos primes. Oh ! et Archie, j'veux voir tes billets dépliés sur la table. Pas question que tu nous fasses encore le coup du billet de dix en cent dollars.

Archie eut un air fâché et s'exécuta sans grand enthousiasme.

— Ça sera sans moi les gars, annonça Antonin.

— Pourquoi ? Ta matrone t'attend ? plaisanta Archie.

— Très drôle… Le patron veut que je m'occupe d'un nouveau, demain.

— Tu vas devoir jouer les instructeurs ?

— Ouais, le pire, c'est qu'avant, j'ai une migration à faire.

Le jeune homme se leva et enfila paresseusement son manteau.

— J'ai enchaîné des contrats toute la semaine. Je sais même pas si je vais réussir à lui apprendre quelque chose.

— Pour c'que tu sais… le taquina Clyde.

Antonin réprimanda son ami, fier de sa boutade, par une petite tape derrière la tête. Archie rit de cet échange et enchaîna sur un ton narquois :

— C'est vrai que ce mois-ci, tu n'es pas sur le podium. Continue de trébucher et tu finiras dernier. Ou pire, comme Gary…

— Comparé à vous, je suis plutôt bien placé, répliqua Antonin.

— Le mois n'est pas encore fini, dit Archie avec une œillade furtive.

Clyde distribua les cartes, mais Lloyd les refusa.

— Navré, dit-il en se levant à son tour, mais il est aussi l'heure pour moi de quitter la table et d'aller rejoindre les bras de Morphée. J'ai l'impression que plus je vieillis, plus il m'est difficile de tenir le rythme. Profitez bien de votre soirée, les enfants, car le jour viendra où vous finirez comme moi. Comme le disait ma chère mère, tôt ou tard, la vie vous fera payer l'impudence de notre jeunesse.

Le dandy se prépara à partir devant un Clyde médusé.

— Quoi ? Tu te fiches de moi ! s'indigna-t-il. Repose immédiatement tes miches sur cette chaise. Tu crois que j'vais te laisser te défiler sans prendre de revanche ?

— Je préfère me retirer en vainqueur, répondit Lloyd d'une voix ensommeillée.

— Dis plutôt que t'as les jetons que j'puisse te mettre la raclée de ta vie.

— L'avenir appartient à ceux qui se lèvent tôt.

— T'en veux une, d'expression ?

Clyde leva effrontément son majeur droit. Lloyd lâcha une longue plainte à cet odieux affront.

— Charmant… fit-il en plaçant son chapeau sur sa tête.

Par tous les temps, Lloyd portait un feutre qu'il enjolivait d'une petite plume sur le côté. Il s'amusait à la changer selon son humeur et sa tenue, une excentricité qui lui faisait parfois perdre de précieuses minutes lorsqu'il devait se préparer pour sortir.

— Sur ce, bonsoir messieurs, et évitez de rejoindre les vignes du Seigneur, déclara Lloyd en couvrant sa bouche de sa main pour masquer un bâillement disgracieux.

— J'fais que suivre ses préceptes, répliqua Clyde d'un haussement d'épaules.

L'Écossais leva théâtralement son verre de vin.

— Buvez-en tous, car ceci est mon sang, le sang de l'alliance, nouvelle et éternelle, qui est répandu pour plusieurs, pour la rémission des péchés.

Il avala cul sec son breuvage biblique et scanda :

— Eeeet amen !

Lloyd secoua la tête. Cet homme était irrécupérable. Il quitta l'arrière-salle avec Antonin et ils traversèrent ensemble un couloir débouchant sur un bar-restaurant rempli d'hommes et de quelques femmes buvant et fumant dans une ambiance festive. Un juke-box passait en boucle des chansons de jazz et de blues. Des groupes de musiciens venaient parfois remplacer la machine et jouaient un large catalogue pour la plus grande joie des clients en mal de sensations. Un grand comptoir rectangulaire fermé comme un enclos, sculpté en bois de chêne et équipé d'une main courante avec des repose-pieds en laiton, trônait au centre de la salle. Une étagère à alcools ainsi qu'un percolateur se trouvaient au milieu. Tout autour du bar, des tables avec des banquettes en cuir étaient dispersées. D'immenses baies vitrées faisaient office de papier peint et offraient une vision parfaite sur le croisement de deux rues. La comparaison avec une vitrine de magasin était pertinente. Une publicité ingénieuse pour le propriétaire des lieux contre ses concurrents conformistes. Le jour, elles procuraient un gain de lumière supplémentaire, mais permettaient aussi aux badauds d'avoir une vue prenante sur l'intérieur et d'oser pousser la porte d'entrée. Le soir, elles donnaient envie de participer au tourbillon tapageur entre danse, chant et musique. C'était le même principe que pour l'attirance d'un papillon de nuit par la chaleureuse lumière d'un réverbère, les êtres humains n'étaient pas si différents des insectes : ils grouillaient de partout en espérant ne pas se faire écraser par plus grand qu'eux. En fin de compte, une semelle de chaussure valait autant que le regard censeur de Dieu. C'était une simple question de point de vue. La devanture était en bois peint d'un vert mêlé de bleu. Une enseigne placardée au sommet spécifiait en lettres d'or : « The Devil's Pack ». Contrairement à ce que l'on pouvait croire, aucun démon ou esprit malfaisant ne venait y prendre le thé, une certaine joie de vivre y était même omniprésente. On pouvait venir boire un verre ou bien un café en lisant son journal, et encore déguster la spécialité : l'omelette aux champignons. Réputée dans toute la ville, celle-ci était servie légèrement baveuse, avec quelques épices pour rehausser le goût, à l'origine un peu trop commun pour le palais de ses admirateurs. Elle fondait sur votre langue comme du beurre sur une pile de crêpes encore chaudes. La rumeur disait que la recette avait traversé plusieurs pays et océans pour directement atterrir entre les vieilles casseroles et les plaques de cuisson graisseuses de l'arrière-cuisine de l'établissement. Et personne n'avait à cœur de percer le secret de ce plat descendu tout droit des fourneaux du paradis. Ici, la clientèle se révélait différente le jour et la nuit. Lorsque le soleil était levé, c'étaient les travailleurs des environs : commerciaux, ouvriers et même artistes. Et à son déclin, quelques hommes esseulés en quête de bonne compagnie ou venus se noyer les tripes au tord-boyaux. La bande aimait s'y réunir après le travail. Ils partageaient habituellement un verre ou deux autour d'une partie de poker, puis relançaient les dés pour renouveler l'expérience la semaine d'après.

Les deux amis s'approchèrent du robuste comptoir. Antonin y déposa l'argent de leurs consommations de la soirée. Un barman blond vint à leur rencontre et empocha la somme sans vérification préalable. C'était le tenancier du Devil's Pack, Neal pour les intimes et « Hé toi, le blondinet, ramène tes miches par ici » pour les soûlards. Il portait un uniforme blanc avec un calot en papier sur la tête. Armé d'un vieux torchon, il astiqua la surface du bar, maculée d'une trace liquide faite par un verre de whisky un peu plus tôt servi.

— Alors, qui est le grand gagnant ? leur demanda-t-il joyeusement.

— Le plus bavard, répondit Antonin en désignant son ami d'un signe de tête.

Neal tourna son regard étonné sur le dandy pour le féliciter. Lloyd l'en remercia chaleureusement.

— Qu'est-ce que tu vas faire de tes gains ? l'interrogea Neal sur le ton de la curiosité.

— Je ne le sais pas encore, répondit Lloyd pensivement, mais comme le disait notre estimé Benjamin Franklin : « La richesse, ce qui compte, ce n'est pas d'en disposer mais bien d'en profiter. » Et je compte bien suivre ce conseil à la lettre.

Neal eut un petit rire. L'espièglerie du dandy l'avait toujours amusé.

— Vous voulez boire autre chose ?

— Non, on va rentrer, déclina Antonin.

— Pas de problème. Bonne soirée, messieurs.

Ses deux clients lui souhaitèrent la même chose et ils s'éloignèrent vers la sortie. Alors que son ami poussait la porte de l'établissement, Lloyd en profita pour se retourner et scander :

— Neal ! Prends garde aux chapardeurs de comptoir. À cette heure, ils profitent des inconscients.

— Comme d'habitude !

Ils lui firent un signe de la main puis troquèrent la chaleur conviviale du bar contre la fraîcheur mordante de la nuit. Un couple d'amoureux un peu chancelant les suivit. L'homme retenait difficilement la femme, rieuse et quelque peu ivre, pour l'entraîner sur le chemin de leur domicile. Lloyd et Antonin se lancèrent un regard rieur. Certains avaient grandement surestimé leur résistance. Un vent âpre les frappa. Face à la devanture du bar, Lloyd enroula son écharpe autour de son cou sensible.

— Quelle nuit ! fit-il en frissonnant.

Antonin sortit un paquet de cigarettes, plaça l'une d'elles dans sa bouche et tendit le reste au dandy.

— Sans façon, refusa-t-il, je refrène ma consommation.

Antonin rangea son paquet avec stupéfaction.

— Toi ? Tu plaisantes ?

— Jamais avec la santé.

— T'as fumé des cigares toute la soirée, répliqua Antonin en allumant sa cigarette.

Lloyd haussa les épaules.

— Ce ne sont que des petits plaisirs de la vie dans une courte parenthèse de loisir. Rien de mal à ça.

— Si tu l'dis. J'peux savoir ce qui t'a fait changer d'avis ?

Ils entamèrent leur balade dans les rues de Manhattan. Un trafic continu perturbait le silence de la nuit. Sur leur route, ils croisèrent des habitants insomniaques. Les plus fêtards cherchaient encore un dernier bouge pour terminer leur soirée au creux des bras de la déesse des rêves, et avec un peu d'espoir avec le comptoir d'un bar comme oreiller. Lloyd tira profit de cette promenade pour exposer au jeune homme les dangers de la cigarette encore méconnus de la population.

— Je viens de lire un récent article affirmant que la consommation excessive de cigarettes serait nuisible à notre santé. Elle pourrait créer des cancers du poumon et nous entraîner vers une mort certaine.

Lloyd avait toujours eu le sens des mots, mais certainement pas celui du réconfort. Ne lui demandez surtout pas de vous remonter le moral après une dure rupture. En plus de vous accabler avec les vers les plus tristes de Walt Whitman, il vous citait inévitablement Flaubert et sa fin tragique de *Madame Bovary* pour vous expliquer la condition de la femme dans la société.

— C'est ça qui t'inquiète ? s'étonna Antonin. Franchement, avec c'qu'on fait, t'as plus de chance d'y passer à cause d'un fusil à pompe qu'en grillant une cigarette.

— Mourir par une balle ou par une cigarette, c'est la même chose, en ce qui me concerne.

— Alors, pourquoi tu veux arrêter ?

— En fait, j'ai surtout peur d'abîmer ma voix.

— Ta voix ?

— Eh bien oui, répondit-il, visiblement blessé. Comment veux-tu que je chantonne mes poèmes avec une voix de baryton comme celle de Clyde ? Ce serait d'une horreur incommensurable.

— Tu oublies qu'avec cette voix de crooner, tu pourrais toujours te reconvertir dans le jazz.

— Je te l'accorde. Bien que je ne possède pas le talent d'un Sinatra ou d'un Calloway pour interpréter ce genre musical. J'ai toujours considéré qu'il fallait avoir un vécu, ou du moins une forme de mélancolie naturelle, pour chanter du jazz ou du blues.

— Ce genre de musique peut être festif.

Lloyd freina ses pas pour solennellement réciter :

— La mélancolie, c'est le bonheur d'être triste.

Antonin jeta un regard lourd de sens au dandy.

— Merci, Confucius…

— Détrompe-toi, il s'agit de Victor Hugo, mais je peux comprendre ton erreur. Ils ont tous les deux voulu offrir leur vision du monde et résoudre les problèmes de leur temps.

Ils prolongèrent leur virée pour s'arrêter quelques mètres plus loin sur le pont George-Washington, un pont suspendu immense qui reliait le quartier de Washington Heights et celui de Fort Lee dans l'État du New Jersey. Voitures et piétons s'y côtoyaient sans risque sur deux routes différentes. Ils s'accoudèrent à une rambarde et contemplèrent silencieusement le panorama nocturne de la ville, avec sa splendide vue sur l'Hudson River et ses tours illuminées à rendre jalouses les étoiles. L'écho des sirènes d'urgence associé au va-et-vient des véhicules créait une harmonie unique. Un océan de sons et de lumières qui s'étalait à perte de vue. Certains s'y baignaient les yeux fermés, tandis que d'autres s'y noyaient sans parvenir à remonter à la surface. Lloyd observa avec un sentiment de bien-être le fleuve somnolent et dit :

— Tout comme eux, nous participons à l'écriture de notre monde.

— Du moins, on n'écrit pas l'histoire sur du papier.

— Je préfère dire qu'un homme avec une plume et quelques gouttes d'encre a autant d'influence dans ce monde qu'un autre avec un « Tommy Gun » et des balles sans fin. La liberté est la même, mais la manière dont on défend sa cause reste aussi dangereuse pour chacune des parties qui s'opposent.

Il s'autorisa une pause, comme pour méditer sur ses propres mots. Antonin perdit son regard meurtri dans l'horizon paisible. Quelque chose le tracassait en son for intérieur. Lloyd ne se rendait pas toujours compte de l'impact de ses discours sur les autres. Il avait ce pouvoir d'éveiller n'importe quel esprit et même de l'influencer. Pour lui, les phrases s'enchaînaient pour produire une belle mélodie. Un don de la rhétorique que beaucoup enviaient. Quand d'autres baissaient la tête, lui la relevait et dissertait jusqu'à obtenir ce qu'il revendiquait. C'était comme ça, il était né avec ce talent.

— Dis… Tu ne t'es jamais demandé comment tout ça finirait ? demanda Antonin d'un air interrogateur.

Lloyd étudia sérieusement la question du jeune homme.

— Je pense que l'être humain s'anéantira du seul fait de sa cupidité.

— Je voulais dire… pour nous ? répliqua Antonin en tournant son regard perplexe sur son ami.

— Bien, nous sommes les pionniers de cette démarche. Nous aidons le monde à faire le travail plus rapidement et plus proprement en chatouillant notre belle planète bleue.

Sa cigarette entre ses dents, Antonin étouffa un rire. Un silence confortable s'installa. Ils chérissaient tous deux cette halte, pendant laquelle le monde continuait à vivre sans eux. Cela était si rare. Les lumières des buildings aux alentours se miroitaient sagement dans l'eau calme de l'Hudson, alors qu'un léger vent venait battre contre leurs oreilles engourdies. Lloyd loua cet air frais vivifiant. Un soupir d'apaisement se libéra de sa bouche et se matérialisa dans l'air froid par une fuyante nuée blanche.

— J'aime me promener la nuit dans New York, dit-il, le nez levé au ciel. Avec ses passants divaguant, ses voitures, ses rivières et ses étoiles berçant nos songes d'une nuit. Une réalité si belle que nous pourrions presque nous croire dans une peinture de Rockwell.

— Il ne peint qu'un idéal. La vie est bien plus compliquée qu'un dîner de famille dominical.

— C'est juste, mais derrière tous ces sourires, il peut se cacher de bien sombres secrets.

— Et quoi ? Ça n'est pas un peu moralisateur de peindre les mensonges de la vie autour d'une dinde ?

— Nous sommes très mal placés pour l'en blâmer, rétorqua Lloyd avec un sourire malicieux.

En regardant l'eau du fleuve onduler, Antonin approuva, amusé, les paroles de son ami. Le philosophe lunaire fourra ses mains dans les poches de son paletot puis récita en affichant un air serein :

— Comme le dit Shakespeare, le monde entier est un théâtre. Et les hommes et les femmes ne sont que des acteurs, ils ont leurs entrées et leurs sorties.

— Dire que tu as le premier rôle.

— J'espère seulement qu'on me jettera des roses en fin de scène.

Antonin lâcha un nouveau rire. Les noctambules se détachèrent du pont et rebroussèrent chemin pour atteindre un point stratégique du trafic routier. Ils marchèrent le long d'un trottoir, puis Lloyd brandit sa main pour intercepter un taxi sur la chaussée. Il retint la portière et proposa à son ami de partager la course.

Antonin rejeta l'offre :

— Pas la peine, je vais rentrer à pied. Le grand air me fera du bien avec tout ce que j'ai bu ce soir. Je dois garder les idées claires pour demain.

— Sage décision, mon jeune ami.

Lloyd glissa sur la banquette arrière. La vitre abaissée, il ajouta :

— Oh ! et si tu as besoin d'aide pour ton… (il jeta un coup d'œil furtif au chauffeur) petit entretien, appelle-moi.

Antonin s'amusa de ces précautions.

— Compte sur moi.

Lloyd souhaita une bonne soirée au jeune homme et transmit son adresse au chauffeur. Antonin resta un instant sur place pour regarder la légendaire automobile jaune s'effacer dans le flux de la circulation. Soudain, une rafale glaciale, se faufilant entre deux bâtiments, lui brûla la peau. Encore une minute planté ici, et il finirait par attraper la crève. Passer toute une journée sous les couvertures le tenta, mais imaginer la tête que ferait son employeur en apprenant sa désertion le découragea. Les jours de repos, même en cas de maladie, n'étaient pas tolérés ces temps-ci. Fièvre ou pas, il allait devoir se pointer au travail, alors autant être en forme. Il releva résolument le col de son manteau et reprit sa valeureuse errance dans la métropole ronflante.

# CHAPITRE III
## L'Entreprise

*New York, novembre 1958.*

New York City. Entre rêve et réalité, cette ville ne vous accueillait à bras ouverts que si vous acceptiez de vous y perdre. Vous vouliez atteindre ses sommets ? Crier au monde votre succès ? Pour en devenir le roi, vous deviez avant tout conquérir sa reine. La Grosse Pomme était un fruit juteux, mais défendu à ceux qui tentaient à tout prix leur chance. C'est elle qui choisissait votre destination et vous n'aviez aucun droit sur le choix de l'itinéraire. Misez, perdez, recommencez. Il fallait se laisser transporter, s'abandonner jusqu'à perdre pied pour se prosterner, les bras levés au ciel, sur la scène illuminée par les projecteurs de Broadway. Gardez votre souffle, votre destin est déjà scellé. De Times Square à Wall Street, tout était affaire de grandeur et d'audace. Un vertige vous submergeait au pied de l'Empire State Building, quand vos yeux s'extasiaient devant les arts du Metropolitan Museum of Art. Toutes les saveurs du monde y étaient réunies et vous deviez toutes les goûter une par une. Dormir était fait pour les morts, les vivants croquaient la vie à pleines dents. C'est ainsi qu'on pouvait résumer cet art de vivre dans la ville qui ne dort jamais. Ouvrez les yeux et rêvez, la pomme est entre vos mains.

Aux premiers rayons du soleil, la ville s'éveilla avec ses habitants prêts à réanimer son cœur encore une fois. Son premier battement : l'ouverture de ses commerces par le lever des rideaux en fer. Ses veines : ses routes quadrillées sur lesquelles les voitures klaxonnaient à chaque mètre gagné. Son sang : celui des passants grouillant et zigzaguant sur les trottoirs bondés. Un tout nouveau jour s'annonçait. La roulette venait d'être relancée. « Rien ne va plus, les jeux sont faits ! », cria sa gardienne en acier en brandissant fièrement sa flamme de la Liberté.

Un jeune livreur se détachait de ce tableau animé. Il se trouvait dans l'Upper West Side. Un quartier résidentiel de Manhattan, à la fois tranquille et vivant, situé entre l'Hudson River et Central Park. Sur sa bicyclette, il pédalait à toute vitesse sur le bitume. Elle était d'un rouge flamboyant, avec un panier rempli de journaux attaché à l'avant. Le garçonnet rencontra plusieurs obstacles sur sa route. Jamais il ne s'arrêta, pas même à l'intersection d'une rue lorsqu'une voiture pila pour éviter de justesse un carambolage. Il écopa d'une remontrance du chauffeur qui brandit son poing fermé par la vitre descendue. Le gamin l'ignora et continua de pédaler, durement et sans relâche, narguant des piétons choqués. Le temps était compté. Dans sa folle course, les journaux penchèrent plusieurs fois périlleusement, évitant toujours le choc fatal. Il jeta un regard rapide à la grande horloge d'un bâtiment administratif. Huit heures moins cinq. Ses petites mains se serrèrent sur son guidon. Il accéléra la cadence. Tous les muscles de ses jambes furent sollicités. Pendant près de cinq minutes, il persista sur cette lancée jusqu'à s'arrêter le long d'une allée. Des arbres protégés par un corset métallique y avaient été acheminés afin d'embellir le secteur investi par ses rats des villes. En face se tenaient plusieurs maisons mitoyennes typiquement new-yorkaises, composées d'un escalier, d'une façade en grès couleur brun rougeâtre et d'une porte en bois. Ces constructions avaient pour nom *« brownstones »*. Il n'était pas rare d'en croiser dans les environs. Elles étaient bâties à la verticale, sur trois ou quatre étages, ce qui permettait un gain d'espace non négligeable. On accédait généralement à la porte d'entrée par un court escalier en pierre.

Le petit livreur n'eut pas le temps de souffler qu'il descendait déjà de son vélo en attrapant un journal. Avec un soin tout particulier, il porta le quotidien jusqu'au porche d'une des maisons. C'était la seule avec une porte noire, enjolivée d'une fente pour le courrier. Huit heures. Il déposa son colis au pied de celle-ci, puis frappa distinctement : *tap… tap tap*. Vite fait bien fait. Il enfourcha son vélo et reprit sa tournée en jetant ses journaux, avec indifférence, vers les porches voisins.

Une seconde après, la porte s'entrouvrit. La main d'un homme se glissa à travers le mince espace. Le journal disparut, comme par magie, sur un claquement de porte.

*« Tu me demandes qui est le Corbeau ? »*

Le journal dans une main, l'homme récupéra de l'autre un dossier sur son paillasson immaculé.

*« Normalement, personne ne pose cette question parce que tout le monde connaît déjà la réponse. Mais vu que t'es nouveau, je vais faire comme si je n'avais rien entendu. Alors, ouvre grand tes esgourdes, parce que je vais pas me répéter. »*

Il longea un couloir et entra sur sa gauche dans sa cuisine. Ce n'était pas la pièce la plus grande, mais elle était bien équipée. Il y avait une cuisinière à gaz, un réfrigérateur, des placards, une table et deux chaises. Tout y était rangé à la perfection. Chaque chose était à sa place, rien ne dépassait ni ne manquait pour concocter de bons repas, si tant est qu'on eût les compétences pour cet exercice.

*« Ce gars est le meilleur chasseur de la chaîne alimentaire. »*

Il posa son journal et son dossier sur une table où l'attendait déjà une bouteille de lait.

*« C'est le grand patron de la chasse. La différence entre lui et les autres, c'est qu'au moment de choisir l'arme avec laquelle il*

*va partir chasser, il sent un truc l'envahir. Une chose spéciale, instinctive, animale. Tu vois ? »*

Il ouvrit la porte de son réfrigérateur et chercha de la main les ingrédients dont il aurait besoin.

*« C'est un génie. Dans son esprit, rien n'est laissé au hasard. Il devine tout ce qu'il va se passer avant que cela ne se produise. Quand tu le vois en pleine action, c'est juste incroyable. »*

Instinctivement, il prit les deux derniers œufs ainsi que du bacon cru.

*« Ses armes, il en prend soin comme s'il s'agissait d'instruments de musique. »*

Il plaça avec minutie tous ses ingrédients et ustensiles sur la table pour la préparation de son petit déjeuner.

*« Hé, tu m'écoutes ? Te fiche pas de moi, j'vois bien que non. T'as le regard aussi vide qu'un thon suspendu à un hameçon. Concentre-toi. C'est bon ? OK, alors, écoute ça... Une fois, il a réussi à éclater la tête d'un gars qui courait à plus de cinquante mètres de lui. Je sais, c'est incroyable, hein ? »*

Il cassa les œufs avec précision dans un saladier, sans semer de coquilles.

*« Tous ses gestes sont d'une justesse et d'une efficacité inégalables. »*

Fourchette en main, il commença à battre les blancs et les jaunes avec rapidité et releva sa préparation d'épices.

*« C'est... l'enfant prodige de la gâchette. Le Mozart des suppressions. J'te jure, c'est comme si on venait lui souffler des instructions miracles dans son oreille. Personne ne lui arrive à la cheville. Y a pas plus fort que lui. Enfin peut-être, mais pas ici, ça, j'peux te l'assurer. »*

Il s'approcha de sa gazinière et versa la préparation dans une poêle préalablement chauffée.

*« Il a atteint une telle dextérité, que toi-même ne pourras jamais acquérir en dix ans de métier. Certains ont essayé de l'imiter, mais aucun n'a jamais réussi à l'égaler. Ou du moins, ils ont fini sur le gril. Si tu vois où j'veux en venir... »*

Il fit cuire ensuite deux tranches de bacon. La viande chanta au contact de la poêle brûlante tandis que la graisse porcine s'évaporait sous forme d'huile crépitante. Un parfum matinal dont s'entichait toujours le cuisinier en herbe.

*« Il peut faire plusieurs choses en même temps sans se planter. »*

Peu après, son mets atteignit la consistance parfaite. Ni trop mou ni trop ferme. Il déposa ses œufs brouillés ainsi que son bacon grillé dans une assiette. Un sifflet de vapeur s'éleva dans son dos. Il éteignit la plaque chauffante et retira la bouilloire provocatrice. Il s'installa à table, déplia une serviette et l'accrocha à son cou. Les taches indésirables étaient son pire cauchemar. Il n'y avait rien de tel pour le faire déprimer toute une journée, alors autant s'en préserver. Il versa lentement du thé dans une fine tasse en porcelaine poinçonnée de la mention *Made in England*. Il prit sa bouteille de lait et en versa une lichette dans sa boisson aromatique.

*« Ce type-là est capable de s'enfiler trois verres de vodka et d'aller supprimer un chef d'État dans la foulée. »*

Il hissa sa tasse fumante jusqu'à ses lèvres, huma son parfum et dégusta une gorgée avec délice. Le thé avait cette vertu de réveiller promptement son esprit, tel le coup de fouet d'un cocher sur la croupe d'un cheval. Comme chaque matin, il prit connaissance des dernières nouvelles dans son quotidien. Il évita la Une qui concernait un courtier de Wall Street, responsable d'importantes pertes de capital, et s'intéressa à la rubrique des faits divers. Un discret sourire se manifesta sur son visage à la lecture du titre : « *Un juge disparu pendant une croisière* ».

À la fin de sa lecture, il se désintéressa de son journal pour entamer le dossier posé sur la table. Sur la couverture, en lettres capitales, il était stipulé : « CONFIDENTIEL – CORBEAU ». Plusieurs rapports y étaient réunis, consignant des informations personnelles sur un homme, avec nom, âge, adresse. Il sépara la photo du profil associée au document et s'attarda sur sa physionomie. L'homme avait des cheveux clairsemés, de petits yeux, un nez plat, le front fuyant. Son visage l'hypnotisa, comme si chacune de ses caractéristiques devait être imprimée dans sa mémoire.

*« Il ne laisse jamais de trace de son passage. »*

Le temps de son repas, il étudia l'ensemble du dossier et débarrassa la table en toute fin.

*« Lorsqu'il part d'un endroit, aucun détail n'est oublié. »*

Il nettoya, essuya et rangea méticuleusement chaque couvert. Le ménage fait, il monta à l'étage et entra dans sa chambre à coucher. Celle-ci était impeccablement rangée et nettoyée de fond en comble. Pas un grain de poussière ne traînait sur le sol ou sur les meubles. Cette chambre aurait pu être celle d'un moine s'il n'y avait pas eu, comme seule décoration pour égayer un tant soit peu la pièce, encadrée sur un mur, l'affiche du film d'Howard Hawks, *Le Port de l'angoisse*, avec, tout en bas, la note manuscrite :

> *« Pour mon vieil ami. L'inconnu n'est qu'une rencontre avec le hasard. L. S. »*

*« Chaque contrat est un nouveau défi pour lui. »*

Il ouvrit en grand les portes de son armoire. Plusieurs cravates noires, chemises blanches, vestes de costume, vestons et pantalons bleu foncé, tous identiques, étaient pliés sur une étagère ou accrochés sur des cintres de sa penderie pour ne pas les froisser. En dessous, cachée derrière une rangée de chaussures cirées, se trouvait une boîte de conserve qui, autrefois remplie de haricots rouges, était percée d'une fente sur le couvercle. Une tirelire faite main qui contenait plusieurs liasses de dollars et des pièces. Sur une porte de l'armoire, une réclame était affichée. L'annonce en couleur promouvait une Riley Pathfinder derrière le volant de laquelle figurait un homme souriant, et mentionnait le prix onéreux du véhicule.

*« Il fait son job proprement, dans les règles de l'art. »*

Afin de compléter sa tenue, il décrocha une veste, un veston et une cravate.

*« Il tient à ce que chacune de ses proies ait droit à une suppression décente et rapide. »*

Et les disposa en ligne sur son lit.

*« Même quand il étrangle une proie, faut que le fil soit droit et sans défaut. »*

Il s'habilla puis noua rapidement sa cravate autour de son cou devant un miroir.

*« Avant de partir, il passe les lieux au crible. »*

Il vérifia qu'aucun pli n'était visible. Satisfait, il quitta sa chambre.

*« Quand il marche, ses pas sont aussi silencieux qu'une ombre. »*

Au bout du couloir, il s'arrêta devant la porte d'un placard fermé à clé.

*« Rien n'est négligé pour la sécurité de son identité ou celle de l'Entreprise. »*

Il agita un trousseau de clés pour introduire la plus petite dans la serrure. Il tourna la clé, la porte se débloqua. Dans le placard était dissimulé un éventail d'armes : fusils, carabines, revolvers, pistolets, couteaux… toutes briquées et rangées par catégories. Un équipement semblable à un arsenal militaire.

*« Il est tellement discret que certains pensent même qu'il n'a jamais quitté son domicile. »*

Il choisit le revolver avec un long canon sur lequel était gravé : Smith & Wesson. Son arme de prédilection. Il s'agissait du modèle 11, adapté pour le calibre 38/200 et avantagé d'une munition interchangeable avec la version américaine. L'arme à feu, connue sous le nom de S. W. British Service, était utilisée par l'armée britannique. La crosse était en bois brun et son barillet pouvait contenir six balles. Il le chargea, testa un cran d'arrêt et rangea les deux armes sur lui. Il n'oublia pas de refermer son placard à clé puis retourna à son vestibule.

*« Une fois le travail fait, personne ne pourrait croire qu'il a commis une suppression. »*

Il décrocha de la patère un chapeau Fedora en feutre et l'ajusta légèrement de biais sur sa tête. Présentable, il quitta son domicile.

*« Ce gars a tout pour lui. »*

Sur le perron, il sortit un paquet de cigarettes Craven A de la poche de sa veste.

*« Le style. »*

Il extirpa une cigarette, la plaça dans sa bouche, attrapa un Zippo métallique…

*« Le talent. »*

… alluma sa cigarette…

*« En fait, pour nous tous… »*

… rangea son matériel puis aspira une bouffée avec contentement.

*« … c'est un dieu de la chasse que personne ne pourra jamais détrôner. Demande à n'importe qui du métier, tu verras que tout ce que je t'ai dit, c'est la stricte vérité. Y a pas meilleur que lui. »*

Il renvoya la fumée de sa cigarette et s'accorda une minute pour contempler le tangage citadin. Cet homme élégant et terriblement obsessionnel n'était autre que Theodore Woodrow. Il était anglais, londonien de sang, mais vivait depuis une dizaine d'années à Manhattan pour raisons professionnelles. À presque soixante ans, il n'était pas grand, bien que robuste. Il avait les cheveux bruns et les tempes grisonnantes. Son visage dur et marqué par la vie arborait quelques rides au coin des yeux, prouvant sa nature à rire. Ceux-ci étaient d'un vert perçant qui pouvait faire chavirer n'importe quelle dame, mais il n'en tirait sciemment jamais avantage. Ses paupières alourdies laissaient croire à une fatigue constante, tandis que son nez large et busqué contrastait avec sa bouche fine. Célibataire endurci, il n'avait aucune foi dans les relations longue durée, ni en l'amour en règle générale, qu'il considérait comme le poison de l'humanité. Il portait des complets bleu foncé et fumait exclusivement des cigarettes de la marque Craven A. Une fâcheuse habitude qu'il avait importée de son territoire natal ; ça et boire son thé à la bonne température. Il était l'homme de toutes les situations. Chaque personne qui le connaissait l'admirait et lui vouait une confiance absolue. On disait de lui qu'il avait le charme et le caractère de Humphrey Bogart et la camaraderie de James Stewart.

Theodore regarda sa montre. La minute de pause était écoulée. Fini de bayer aux corneilles, l'heure était d'aller au charbon. Il dévala les marches de l'escalier et s'assura comme chaque matin que sa voiture, garée en face de son domicile, n'avait pas souffert de dommages durant la nuit. Une Riley RME de 1955 dotée d'une carrosserie aux courbes généreuses de couleur vert bouteille, noire sur les ailes. Un nouveau joyau récemment acquis, à la suite de l'agonie de la précédente. Après inspection, aucune tache, fiente d'oiseau ni éraflure n'était à signaler. Le cœur léger, il déambula au milieu de passants engagés dans une course contre la montre. Un cireur de chaussures, astiquant celles d'un client, l'interpella jovialement :

— Bonjour, monsieur Woodrow.

— Bonjour, Louis. La forme ? répondit Theodore, sans s'arrêter.

— Tant que les parapluies restent fermés.

L'Anglais contracta un léger sourire à ce trait d'humour. Il souriait beaucoup, mais peu arrivaient à le faire rire. C'était un art réservé à ceux qui en avaient le talent. Les gens les plus drôles avaient les âmes les plus tristes. Et pour lui, on ne riait aux larmes que par ceux qui retenaient les leurs.

Il poursuivit son chemin et coudoya un autre passant, le saluant avec le même entrain que le précédent.

— Belle journée, n'est-ce pas, monsieur Woodrow ?

— Souhaitons qu'elle le reste.

Il passa avec indifférence devant un vendeur de journaux qui réalisait une vente à la criée. Le bras en l'air, il agitait un journal comme un drapeau, clamant les gros titres : « *ACCIDENT EN CROISIERE ! UN JUGE SE NOIE EN PASSANT PAR-DESSUS BORD !* » Dix mètres plus loin, il s'arrêta devant la boutique d'une fleuriste qui avait pour nom « Un Jour, une Fleur ». Elle était petite, avec un auvent en tissu rayé blanc et vert pour protéger des intempéries les végétaux placés en extérieur. Les mains dans les poches, Theodore contempla un étal de fleurs. Des parfums se combinèrent et lui rappelèrent l'odeur des champs de fleurs sauvages d'un pays où le vin était maître de sa gastronomie. Il eut un sourire qui pouvait se traduire par : « Que de bons souvenirs… » Au milieu de ce feu d'artifice de couleurs, un bouquet de roses attira son regard. Il se pencha pour sentir son parfum.

— Quelque chose vous intéresse-t-il aujourd'hui, monsieur Woodrow ?

Un frisson parcourut tout son corps. Cette voix… douce et envoûtante. Elle était la seule à lui faire cet effet. Il se redressa pour rencontrer le délicat visage d'une jeune femme blonde.

— En effet… *Emma.*

Il avait prononcé son prénom de manière suave pour se délecter des deux syllabes qui le composaient. Il fut humblement flatté de son impact lorsqu'elle baissa ses yeux de biche pour masquer son émoustillement. Emma était fleuriste, et propriétaire de cette boutique. À chaque ouverture, Theodore venait lui rendre visite et au passage participer à la pérennité de son commerce. La jeune femme était ravie de ces rencontres régulières avec l'homme au costume bleu. Elle était bien plus jeune que lui, mais sa fraîcheur était sa bouffée d'oxygène pour survivre à une journée de dur labeur. Une affection réciproque s'était instaurée entre le client et la fleuriste. Theodore restait malgré tout attaché à ses principes. Né dans la mauvaise décennie, il n'avait jamais tenté quoi que ce soit pour développer cette relation maintenue au stade de la cordialité. Car après tout, que ferait une femme dans la fleur de l'âge avec un homme tel que lui qui n'avait plus rien à offrir ? Il avait tout vu et tout accompli. L'expérience faisait que parfois, vous n'aviez plus l'énergie de tout recommencer à zéro ou d'oser prendre des risques, de peur de refaire les erreurs déjà faites. Pour lui, il n'y avait plus de surprise. C'était triste à dire, mais il n'attendait plus rien de la vie.

Ils affichèrent un sourire complice. Emma parut gênée. Elle choisit une rose, la plus éclose, et la proposa à son client.

— Parfait, dit Theodore.

— Elle en sera très heureuse, promit la fleuriste avec une petite moue boudeuse.

— Qui vous dit que c'est pour une femme ?

— Sûrement pour le choix de la symbolique.

— Toute bonne histoire mérite un soupçon de fantaisie.

— L'amour ne s'achète pas, monsieur Woodrow.

— Non, mais… il s'entretient.

D'un sourire charmeur, il paya la rose et respira son parfum.

— Unique.

Cet adjectif la laissa sceptique.

— Elle n'est pas si différente des autres.

— Bien sûr qu'elle l'est, et à sa juste valeur, puisque c'est vous qui l'avez choisie.

Il avait ce don. Emma sourit à nouveau. Theodore le lui rendit et partit.

— À demain, monsieur Woodrow ! cria la fleuriste.

Sans se retourner, il lança :

— Espérons que New York ne m'avale pas avant.

Emma gloussa. Elle le regarda s'éloigner en pinçant ses lèvres, puis reprit le cours de ses activités.

À l'angle d'un croisement de routes, un poteau avec des plaques de rue indiquait plusieurs directions. Theodore suivit celle qui envoyait vers le nord et arriva en moins de cinq minutes à une terrasse de café. Une dizaine de clients y étaient attablés. La plupart d'entre eux étaient là pour faire le plein de caféine avant de devoir jouer les gratte-papier. L'homme au costume bleu s'installa à une table libre et patienta. L'emplacement était idéal, il avait une vue parfaite sur un immeuble situé de l'autre côté de la rue. Theodore fixa le bâtiment jusqu'à ce qu'un serveur vienne l'interrompre pour prendre sa commande.

— Bonjour, monsieur, qu'est-ce que je vous sers ? Café, thé…

— Un *G and T.*

Le serveur le dévisagea d'un air sidéré. *Un gin-tonic à neuf heures du matin ?* Theodore devina sa réflexion à travers son regard étonné.

— Mauvaise journée, dit-il avec une mine vannée.

Le serveur leva un sourcil. Que faisait cet homme pour avoir des ennuis dès le lever du jour ? Il était d'un tempérament curieux et cette question lui brûla les lèvres, mais il s'abstint de tout commentaire. Le regard froid de l'homme au complet bleu l'en avait dissuadé. Les clients n'étaient majoritairement pas très bavards et il devait accepter le fait que certains mystères demeuraient sans réponse. La commande notée, le serveur se pressa, troublé, dans le café. Cela donna le répit nécessaire à Theodore pour analyser la situation. Il sortit la photo de l'homme vue plus tôt dans sa cuisine, et avisa à nouveau l'immeuble. Deux minutes après, pile au moment où il dissimulait le cliché dans la poche intérieure de sa veste, le serveur réapparut avec un gin-tonic. Il concéda un convenable merci, et le serveur prit congé d'un hochement de tête.

Le bras gauche étendu contre le dossier de sa chaise, Theodore se désaltéra avec son alcool rafraîchissant, les secondes s'écoulèrent. Il tapota frénétiquement de son index contre son verre, un tintement cristallin retentit. Derrière lui, un homme, à une autre table, buvait un *hot toddy*, une boisson écossaise composée d'eau, de whisky, de miel et d'épices, parfois agrémentée d'un bâton de cannelle ou d'une rondelle de citron. Le tout servi chaud. Le type soupira d'impatience. Il avait l'air d'être là depuis un moment et d'attendre quelque chose qui ne venait pas. La même photographie que celle de Theodore était posée sur sa table. Quand le serveur passa près de lui, sa main gauche se pressa de la recouvrir.

— Un peu tôt pour un gin-tonic, non ?

Theodore reconnut instantanément ce franc accent écossais. Il ne fut pas surpris. Il savait qu'il le croiserait tôt ou tard dans les parages, mais certainement pas déjà collé à son arrière-train. Il étira un sourire en coin et répondit, dos tourné :

— Il n'y a pas de matins à New York, juste de très longues soirées.

— Pas faux, répondit Clyde, rieur.

Theodore but un coup de son *G and T*.

— Contrat passeri ? demanda-t-il.

L'Écossais fit de même avec sa boisson.

— Fallait bien que j'sorte du plumard.

— Tu crois pouvoir réussir, cette fois-ci ?

— J'n'ai jamais manqué ma cible.

— Excepté quand je suis dans les parages.

Clyde eut un rire moqueur. Du remue-ménage s'opéra dans l'immeuble d'en face. L'homme de la photo venait de sortir. Enfin, l'oiseau quittait son nid. Celui-ci embrassa son épouse en bas des marches du perron puis s'en alla dans la rue. Theodore avait regardé attentivement la scène. Il termina son verre cul sec ; Clyde coinça un billet sous le sien. Les deux hommes bondirent de leur chaise.

— Bonne chance, dit Clyde en rangeant sa photo.

— La chance n'existe pas, répliqua Theodore.

— Seul le résultat compte.

Ils se séparèrent d'un même pas dans deux sens opposés. Theodore traversa la route en esquivant quelques voitures. Sur le trottoir voisin, il fila sa cible à une distance raisonnable. Il évita chaque vague humaine, franchissable seulement par les spécialistes du trafic pédestre comme un New-Yorkais de naissance. L'homme de la photo se fondait dans le cadre urbain tel un animal dans une jungle, échappant à ses prédateurs. Theodore tira un gant en cuir de sa poche et l'enfila, puis fit de même avec le second. Il progressait avec énergie. Son regard restait droit et concentré. L'homme tourna à un angle. Theodore accéléra et continua à le suivre. Il regarda les alentours : la foule avait disparu. Un but accaparait toutes ses pensées. Il n'était plus un passant parmi d'autres, mais l'homme dont on devait se méfier lorsque l'on marchait seul. Il prit discrètement son cran d'arrêt, l'actionna et se jeta sur sa proie. Il plaqua une main ferme contre sa bouche terrifiée et la força à s'engouffrer dans une ruelle, sombre et insalubre. Une odeur pestilentielle s'exhalait des ordures ensevelies dans des poubelles. Certaines d'entre elles jonchaient le sol en un tas de détritus. Entre deux cartons moisis, un liquide inconnu côtoyait le cadavre d'un rat mort dont les viscères avaient été transpercés par ses frères. Cette toile de fond nauséabonde laissait présager de la suite des événements. Theodore s'adossa contre un mur avec l'homme tremblant dans ses bras. Il pressa sa lame aiguisée contre son cou. Son pouls anarchique cogna le long de celle-ci, son souffle, aussi fort que celui d'un bœuf, s'entrecoupa. L'otage commença à se débattre pour sa vie, mais sa gorge fut tranchée d'un geste vif. Du sang coula lentement de cette fine entaille. La lueur dans son regard s'éteignit. C'en était fini. Comme un jouet sorti de sa boîte, la victime désormais inanimée avait fini par perdre toute valeur aux yeux de son attributaire. Theodore relâcha lourdement le corps mou près du rongeur en décomposition. Il nettoya et rangea à la hâte son cran d'arrêt. Aucune émotion ne pouvait se lire sur son visage. La raison ? Tout simplement parce qu'il n'en éprouvait aucune. Ni dégoût, ni joie, ni peur. Une seule pensée avait traversé son esprit pendant cet acte maudit, celle des œufs qu'il devait acheter lors de ses prochaines courses. Il s'agenouilla près du cadavre encore chaud et le dépouilla sans honte de son portefeuille.

— Putain de merde ! C'est pas croyable, râla une voix.

Theodore se redressa. Il rangea ses gants et tourna son regard vers l'accès de la ruelle. Clyde s'y trouvait, essoufflé, en se tenant un point de côté.

— Tu te ramollis, Clyde.

— J'savais bien que j'aurais dû prendre le boulevard, pesta l'Écossais.

— Tu feras mieux la prochaine fois. Assure-toi seulement qu'on ne soit pas sur la même affaire.

Clyde donna un violent coup de pied dans une bouteille en verre qui se fracassa contre un mur. Il posa ses mains sur sa tête et s'insulta pour avoir été aussi mauvais. La noblesse dans l'échec n'était pas inscrite dans son ADN. Malgré sa longue expérience du métier, il ne parvenait toujours pas à contrôler sa colère. Theodore s'en accommodait, il lui en fallait beaucoup plus pour le contrarier. Et puis, on avait tous nos petits défauts. Le sien était la quête de la perfection. Le vrai perfectionnisme, pas le défaut que l'on essayait de faire passer pour une qualité lors d'un entretien d'embauche. Celui qui torture votre esprit à vous rendre malade parce que l'erreur vous est insupportable. Une souffrance que peu de personnes connaissent et peuvent réellement endurer.

Les deux hommes tournèrent le dos à cette scène abjecte et reprirent paisiblement leur marche pour rejoindre la rue piétonne. Si une connaissance venait à les croiser, elle pourrait sans peine croire qu'ils venaient d'acheter leur journal au kiosque du coin. Les épaules voûtées et les poings dans les poches, Clyde continua de bougonner sa défaite en tirant du bout de sa chaussure dans un caillou qui se trouvait sur son chemin. Il faut dire que le malheureux n'avait pas marché dans la crotte de chien du bon pied et qu'elle lui restait collée comme de la glu à sa godasse. Le pauvre bougre avait traversé un mois orageux avec des contrats ratés, une poisse au jeu et la banque au cul. D'après son tiroir-caisse, il n'avait pas le bon profil client. Trop labile. Le plus fou, c'était que son banquier lui refilait plus de contrats à signer que son propre patron. Par contre, quand ces grippe-sous vous foutaient dans la merde, ce n'était jamais du bon pied.

En gage de bonne foi, Theodore proposa une cigarette à son ami, qui l'accepta avec plaisir.

— Ça sera ma seule récompense de cette fichue journée, ronchonna Clyde. Bon sang, ça va faire deux semaines que j'ai rien liquidé. Lloyd a dû me refiler sa guigne du mois dernier. Sérieusement, j'me demande toujours comment tu fais.

Avec son briquet, Theodore alluma la cigarette de Clyde puis la sienne.

— Le secret des Woodrow, pour toutes leurs réussites, c'est : des œufs cuits à point et une bonne tasse de thé avec un nuage de lait. Réglé comme une bonne musique. Répète ce refrain chaque matin et tu peux me croire, tes journées seront toujours une victoire.

Cette confidence insolite fit rire Clyde. Ils changèrent de secteur et s'orientèrent tout droit vers la boutique d'un pressing, une petite affaire établie au rez-de-chaussée d'un immeuble en brique rouge à quatre étages.

— J'pourrai jamais rentrer à la maison, se plaignit Clyde, toujours contrarié par son échec.

— Pourquoi ?

— Parce qu'Adelia va me tuer, tiens !

Theodore sourit à cette exagération. Adelia était la femme de Clyde et la mère de leurs trois enfants. Elle était italienne et lui écossais : à eux deux, ils formaient le couple le plus explosif de tout New York. Ils habitaient dans un modeste appartement sur Mulberry Street, le cœur de Little Italy dans Manhattan. Un quartier latin vivant, où il était assez commun d'entendre des disputes de couple, mais certainement pas des boîtes de conserve projetées contre les murs. En ces temps difficiles, Clyde avait du mal à réunir de l'argent pour son foyer. Et avec un budget aussi serré qu'une poche de jean, il ne pouvait pas se permettre d'acheter de la viande hors de prix. Faute de quoi, il rapportait à son épouse les boîtes de conserve qui étaient dans ses moyens et de préférence sans date limite. Seulement, Adelia était bonne cuisinière et s'outrageait que son mari lui achète ces pots peu ragoûtants. Un fait récurrent qu'elle ne manquait pas de lui rappeler. Surtout lorsqu'il osait passer la porte de leur appartement avec ses haricots rouges compactés. Un drame culinaire qui finissait toujours par une dispute, un mur ruisselant de sauce tomate et un Clyde viré de son domicile, envoyé dormir chez son ami Archie.

Theodore et Clyde terminèrent leur cigarette devant la vitrine du pressing. Au-dessus, une enseigne bleu ciel présentait le nom « Holywool », avec un mouton portant une auréole sur la tête comme logo de marque. Un jeu de mots incompris par beaucoup de New-Yorkais, l'écart entre les côtes Est et Ouest étant considérable. Qui plus est, ici, on préférait l'art du théâtre vivant à celui du grand écran. Mais au diable les mauvaises langues ! Le propriétaire avait choisi cette dénomination pour mêler son commerce et sa passion cinématographique. Holywool était une boutique si discrète qu'on pouvait passer devant une bonne centaine de fois sans s'apercevoir de son existence. Elle se situait entre un salon de coiffure et une droguerie. Sa devanture était vieillissante et peinte d'un bleu un peu trop criard. Une annonce publicitaire un peu décolorée était accrochée sur la vitrine. Elle représentait une femme au foyer radieuse, faisant la lessive, avec pour slogan : « On nettoie votre vie ! » À première vue, le commerce ne payait pas de mine. Rien n'avait changé depuis son aménagement. À part un coup de peinture une fois l'an, aucune amélioration n'était prévue pour faire fructifier les affaires. Le patron n'avait vraisemblablement pas beaucoup d'ambitions. Pourtant, indépendamment de cela, une attractivité opérait et une clientèle fidèle, bien que restreinte, venait régulièrement y faire nettoyer ses habits.

*« Bon, passons aux choses sérieuses. C'est pas le moment de s'endormir, alors enregistre bien tout ce que je vais te dire. T'es con ou quoi ? Prends pas de notes, j't'ai dit ! Tu veux qu'on finisse entre quatre planches ? Utilise ta cervelle, un peu. Ça va, rhaa, fais pas cette tête. OK, j'aurais pas dû te parler comme ça. Écoute... c'est juste que pour moi aussi, c'est une première. On reprend, OK ? Mémorise seulement ce que je te dis. Comme tu le sais, l'Entreprise a le devoir de rester secrète. C'est pour cette raison que le directeur utilise Holywool, une société de pressing dissimulant nos réelles activités. Tout ce qui se trouve au rez-de-chaussée de l'immeuble concerne les affaires du pressing. Les quatre étages au-dessus, c'est l'Entreprise. Tu suis, jusque-là ? Bien, tu vois que t'as pas besoin de l'écrire. »*

— Tu sais qu'hier, elle m'a dit que si j'me ramenais encore avec des haricots en conserve, elle me trancherait la gorge avec le couvercle, continua de grogner Clyde.

— Dis-toi que tu pourras lui apprendre comment faire pour ne pas tacher la nouvelle tapisserie de votre salon, répliqua Theodore d'un air farceur.

Cet humour britannique ne fit pas rire l'Écossais, qui jeta un regard réprobateur à son homologue du Royaume-Uni.

*« Tu dois absolument passer par là pour rejoindre l'Entreprise. »*

L'entrée du pressing était aussi grande qu'une boîte à chaussures. Il y avait un espace dédié à l'attente et un comptoir pour accueillir les clients. Des affiches de films sur les murs blancs réchauffaient la salle austère ainsi qu'une plante verte, arrosée chaque lundi et vendredi, placée dans un coin près de la porte. Contre la vitrine, trois chaises étaient mises à disposition pour le confort de la clientèle. La chaise du milieu chancelait depuis une éternité. Et pour éviter son remplacement, un bout de papier replié était coincé sous un pied. Chaque problème a sa solution ! Solution bien évidemment encore meilleure quand la société ne devait pas débourser un dollar. De l'inventivité au rabais, c'était le mot d'ordre.

Une scène de ménage éclata au sein de la boutique. Un homme et une femme se querellaient autour d'une tasse de café brisée au sol. Ils ressemblaient trait pour trait aux personnages du tableau *American Gothic* de Grant Wood : un couple de fermiers à l'expression peu avenante se tenant devant leur propriété. L'homme s'appelait Harold. Il était âgé de plus de soixante-dix ans, crâne dégarni et petites lunettes rondes. En tant qu'employé, il s'occupait depuis des années de la boutique avec sa femme, Carolyn. Du même âge, elle avait de longs cheveux vieillis attachés en un chignon strict. Tous les deux formaient ce que l'on appelait un vieux couple. Le genre qui se chamaillait pour un rien, mais qui perdurait sans que l'on sache comment.

*« Dans la boutique, tu verras un couple de vieux. Ce sont les seuls réels employés. Pour leur sécurité et la nôtre, ils ne sont pas au courant de nos affaires. Ils croient que nous sommes des démarcheurs. Ce qui veut dire qu'une fois la porte franchie, t'auras pas intérêt à avoir une tache de sang sur toi. C'est clair ? »*

En tant que responsable du désastre caféiné, Harold fut prié de corriger son erreur. Après avoir ramassé les morceaux, il nettoya paresseusement la flaque noirâtre avec un balai à franges pendant que sa femme le regardait faire avec désolation. Les poings sur les hanches, elle le sermonna :

— Je t'avais pourtant bien prévenu de ne pas boire ton café sur le comptoir.

— Je sais Carolyn, rouspéta Harold. Tu n'as pas besoin de me le répéter encore et encore.

— Tu ne fais jamais attention et voilà le résultat.

— Tu vois bien que je suis en train de nettoyer, alors cesse de me sermonner.

— Je ne te sermonne pas, je te dis ce qu'il en est. Et vu le résultat, c'est bien la preuve que tu ne m'écoutes pas.

Il s'arrêta de balayer pour aussitôt s'emporter :

— Moi, je ne t'écoute pas ?

— Oui !

— Bon Dieu ! Ça, c'est la meilleure ! Je ne fais que ça, t'écouter. Tu parles toute la journée, tu ne t'arrêtes jamais. Pour dire, tu causes plus que notre radio.

— C'est insensé, soupira Carolyn en secouant la tête.

Une clochette se fit entendre. Le couple interrompit immédiatement sa dispute. Harold déplaça son regard sur Theodore et Clyde poussant la porte d'entrée. Ses yeux s'étaient agrandis d'émerveillement à leur apparition. L'employé adopta à côté de Carolyn une posture militaire, digne d'un soldat de la Garde royale, avec à l'épaule le balai trempé qui avait remplacé le fusil réglementaire.

— M-m… monsieur Woodrow, bafouilla-t-il.

Les tressaillements de la voix d'Harold confirmaient sa haute estime pour l'homme au costume bleu.

— Comment vont les affaires, Harold ? demanda Theodore.

— Tr-très bien, monsieur, et vous ?

— Il y a assez de taches dans ce monde pour continuer jusqu'à ma retraite.

Une plaisanterie qui amusa beaucoup Harold.

— Oui, monsieur, vous avez raison, monsieur.

Theodore et Clyde entrèrent par une porte de service arborant l'écriteau : « EMPLOYES SEULEMENT ». Carolyn lança un regard dépité à son mari. Harold haussa les épaules puis continua son ménage en marmonnant des phrases inaudibles à son encontre. Le mariage finirait par le tuer, ou pire…

*« Après ça, tu passeras une porte réservée aux employés. Elle te conduira à l'arrière-boutique où sont entreposés tous les vêtements du pressing. »*

Dans l'arrière-boutique, une émanation agréable de propreté régnait en permanence. Certainement en raison des produits utilisés, mais aussi parce que la cigarette y était interdite. Plusieurs vêtements s'y trouvaient en attente ou déjà nettoyés. Des étalages avec des habits suspendus étaient alignés sur deux côtés et formaient un couloir jusqu'à une porte : « DIRECTION ».

— Faut vraiment que j'me refasse, grogna Clyde. Tu sais qu'elle veut retaper toute la cuisine !

*« Tu traverseras la salle et t'arriveras devant une porte avec un écriteau : "DIRECTION". Cette porte doit toujours rester fermée. Oublie pas, c'est très important. Avec la clé que je t'ai donnée, tu l'ouvriras et tu la refermeras après chacun de tes passages. »"*

Theodore déverrouilla la porte, passa de l'autre côté avec Clyde et la referma. Ils venaient de pénétrer dans une salle aménagée de bureaux rangés de part et d'autre. Des fournitures et des documents traînaient en vrac sur les tables. Pourtant, aucun employé n'était présent. Seul un homme fumant sur une chaise pivotante était là, avec un téléphone rouge à ses côtés. Il avait cet air apathique des personnes accablées par les contrariétés de la vie.

*« La salle de direction est une couverture. Un gars est toujours là pour surveiller les entrées et les sorties. Le poste change à tour de rôle. C'est un chasseur qui s'en occupe. J'te résume l'affaire : si un client ou une autre personne de l'extérieur veut joindre un employé, le garde va prévenir ceux qui sont dans l'Entreprise pour qu'ils se rendent sur-le-champ dans la pièce et jouent leur rôle de démarcheur. Attends-toi à ce qu'ils te collent à ce poste une semaine ou deux. Ils aiment bien faire ça aux p'tits nouveaux. Tu vas t'emmerder comme un rat mort, mais on doit tous y passer. T'as qu'à voir ça comme un bizutage de bienvenue. »*

Les deux amis passèrent devant l'homme esseulé.

— Salut, Joe, le salua Theodore.

D'un air exténué, le dénommé Joe fit un tour complet avec sa chaise.

— Salut…

*« Au fond de la salle, tu verras un placard. C'est un leurre. Tu utiliseras la même clé que pour la salle de direction. »*

Theodore et Clyde s'arrêtèrent à nouveau devant une porte avec un autre écriteau : « PLACARD A BALAIS ». Theodore l'ouvrit. Derrière la porte, il n'y avait aucun équipement ménager, comme on aurait pu se l'imaginer, mais un escalier en colimaçon permettant d'accéder au niveau supérieur.

*« T'emprunteras l'escalier qui te mènera au hall de réception de l'Entreprise. »*

— Toi au moins, t'es pas marié, ronchonna Clyde, t'as pas ce genre d'emmerdes.

L'un après l'autre, ils montèrent les marches en spirale débouchant dans une salle de réception. Le standing de la pièce était, sans équivoque, plus élevé que celui du rez-de-chaussée. Tout avait été étudié pour accueillir convenablement le public. Comme pour le pressing, il y avait un comptoir. Pas de chaises, mais des fauteuils en cuir ; une table avec des revues, en cas de longue attente. Et sur un mur, un tableau en liège affichait dans un fatras de papiers les dernières nouvelles de l'Entreprise. Le rappel du jour demandait de penser au renouvellement de son contrat d'assurance-vie.

Deux hommes discutaient près du comptoir d'accueil. Une femme noire aux lunettes extravagantes se tenait derrière. C'était Marcy Spring. Elle était à la fois la secrétaire et la réceptionniste des lieux depuis maintenant plus de dix ans. La reine du style et de la bonne humeur. Chaque jour, elle s'habillait de robes élégantes de différents coloris et appliquait un maquillage sophistiqué sur son visage gracile. Elle se montrait joviale et efficace dans son travail, et tous les employés l'appréciaient. Elle gérait tout dans l'Entreprise, de la cave jusqu'au grenier.

*« Quand tu seras dans le hall de réception, tu verras une femme derrière un comptoir. C'est Spring, la réceptionniste de l'Entreprise. Une chouette fille. Tous les gars l'appellent "la fée du logis". C'est elle qui s'occupe de l'administration et des communications entre les employés. Sans elle, on serait rien. »*

En pleine conversation téléphonique, Spring prenait des notes sur un calepin :

— Vous n'avez pas réussi à retrouver un membre. (…) C'était quelle partie ? (…) L'annulaire gauche. Bien, et s'agissait-il d'un contrat passeri ou nocturne ? (…) Oui, je comprends…

Un des hommes près du comptoir aperçut l'homme au costume bleu. Il l'incita à s'approcher. Theodore s'avança et lui serra la main :

— Bonjour, Tom. Les gosses ?

— Ça va, répondit le concerné. Jenny va se marier.

— Bonne nouvelle ! Le mariage est prévu quand ?

— L'été prochain.

— Tu lui adresseras mes félicitations, dit Theodore en prélevant vingt dollars du portefeuille volé.

*« Sur le comptoir, tu verras un bocal. Quand tu récupères le portefeuille d'une proie, tu vérifies s'il y a du liquide. Si c'est le cas, tu l'mets dans le bocal. À la fin du mois, le meilleur chasseur est primé et remporte la totalité de la cagnotte. Efface-moi ce sourire, c'est pas demain la veille que tu vas rafler le pactole… Un conseil, essaye de rester en vie, ça sera déjà pas mal. »*

Theodore plaça les billets dans un bocal à poisson sans eau. Le récipient en verre de forme ronde était rempli de diverses coupures et étiqueté : « AMORÇAGE ». D'un signe du menton, le second homme, prénommé Alan, interrogea Theodore :

— Ton contrat ?

— J'en paye le prix, répondit l'homme au costume bleu en indiquant le bocal du regard.

— Bravo, mon vieux, je savais que tu serais le premier, le félicita Tom, souriant.

— Ouais, sauf que c'te fois, j'étais à deux doigts d'avoir le dessus, répliqua Clyde, bougon.

— C'est ce que tu dis toujours, mais comme d'habitude, c'est Teddy sur la première marche du podium.

Mouché par son collègue, Clyde s'empressa de défendre son honneur en expliquant en dix points détaillés pourquoi il avait tort. Theodore, se doutant que cela allait durer un moment, s'effaça de la conversation. Il s'accouda au comptoir et écouta, passionné, le dialogue syncopé de Spring au téléphone :

— Pour résumer, il n'avait pas son portefeuille sur lui et en compensation, vous avez voulu prendre son alliance. (...) Je vois. Elle était restée coincée. (...) Et c'est là que le doigt a disparu. (...) En effet, en pleine nuit avec un couteau de boucher, cela devait arriver.

Ces problèmes insignifiants ennuyaient ferme la brune. C'était la même rengaine. Que ce soient des alliances, des doigts ou des orteils, ces brutes de chasseurs n'étaient pas fichus de bien faire leur travail, ou tout du moins d'être dotés d'une conscience professionnelle. Et quand les choses s'aggravaient, c'était elle qu'on appelait pour passer un coup de balai. En continuant d'écouter étourdiment les radotages du chasseur affolé, elle gribouilla des petits cœurs sur son bloc-notes tout en entortillant une mèche de ses cheveux avec son index. Puis tout à coup, alors que des jurons se faisaient entendre à travers le combiné, son visage se mit à rayonner de bonheur lorsqu'elle vit, avec enchantement, Theodore sortir délicatement une rose de sa veste. La fleur n'avait rien perdu de sa superbe en dépit des agressions qu'elle avait subies. Il l'offrit à Spring qui huma son parfum, sans dévier son regard du sien.

— Mmh-hhh, je vais contacter le nettoyeur chargé de ce contrat pour savoir s'il n'a pas retrouvé de restes, dit-elle d'un ton absent à l'employé en ligne. Je vous appellerai dès demain afin de vous tenir au courant. (…) Bonne journée à vous aussi.

Spring raccrocha sur un cri de panique du chasseur. Theodore se demanda quel incident la gestionnaire des situations de crise devait à nouveau gérer.

— Quelle est la catastrophe, cette fois-ci ? l'interrogea-t-il.

— Une histoire de doigt, répondit Spring.

— De doigt ?

Un grain d'amusement perçait dans la voix de l'Anglais, tandis qu'un geignement s'était échappé des lèvres vermeilles de la réceptionniste.

— Le monde est rempli de doigts. Avec cinq à chaque main, vous imaginez le nombre de problèmes qui s'additionnent à ma liste.

— Aucun que vous ne pourriez résoudre.

Face à son sourire aguicheur, Spring renifla encore la rose.

— Vous n'arrêtez jamais ?

— Jamais.

C'était un jeu entre eux. Il la séduisait et elle le déstabilisait par des remarques bien placées. Un lien très fort s'était tissé entre l'homme et la femme, tous deux avides de joutes verbales. Ce n'était pas de la romance, mais de l'amitié pure et tendre. Spring n'entretenait ce lien affectueux qu'avec Theodore et il adorait cette exclusivité. S'il avait passé une mauvaise journée, elle avait le pouvoir de lui faire retrouver le sourire en une seule plaisanterie. Et si elle était anxieuse ou triste, il l'envoûtait en usant de son charme britannique dont elle raffolait à chacune de ses visites.

— Elle est magnifique, complimenta Spring le rouge aux joues, plus que séduite par sa démarche.

— Elle est à votre image. Aussi douce que piquante, répliqua Theodore d'un ton charmeur.

— Vous savez qu'entre nous, ce ne sera jamais possible.

— Et pourquoi donc ? Je croyais pourtant être à votre goût.

Spring présenta au bourreau des cœurs sa main gauche, une bague rutilante ornant son index. Le message était on ne peut plus clair. Theodore réprima un rire.

— Vous me sortez la même excuse depuis plus de dix ans, Spring.

— Parce que mon doigt y est enchaîné depuis plus de dix ans, monsieur Woodrow, et qu'il faudrait plus qu'un couteau de boucher pour m'en séparer.

Une étincelle de défi était apparue dans le regard de Theodore.

— Je vous aurai à l'usure.

— Vous êtes doté de nombreuses qualités, monsieur Woodrow, mais pas de la patience.

— Sauf pour les choses qui comptent, et vous pouvez être certaine que vous valez bien plus qu'une malheureuse pierre collée sur une bague. La vérité, ma chère Marcy, c'est qu'on finit toujours par être seul dans un mariage. Si ce n'est pas la déception, c'est la mort qui vous sépare. C'est pas pour rien que le caillou à votre doigt s'appelle un solitaire ! Moi, je vous promets d'être fidèle sans passer par l'autel, comme ça, vous ne serez jamais déçue. C'est une bonne affaire, qu'en dites-vous ?

Spring eut un large sourire.

— Vous voulez un bon conseil, monsieur Woodrow ?

— Toujours.

— Au lieu de vous raccrocher à des rêves impossibles, dégotez-vous plutôt une femme sans mari. Vous aurez ainsi toutes vos chances. Élégant et intelligent comme vous êtes, un seul rendez-vous avec la demoiselle et elle sera déjà sous le charme de votre langoureux regard. L'amour tient à peu de chose, il faut juste savoir le retenir au bon moment.

— Je suis trop vieux pour courir après l'amour. Rien que d'y penser, j'en suis essoufflé.

— Ne dites pas ça. Je suis persuadée que le jour viendra où vous trouverez la perle rare.

— Je l'ai déjà trouvée, mais elle me résiste.

— Et je continuerai à résister, et ce, jusqu'à ce que la mort nous sépare.

Le téléphone sonna. Theodore voulut répliquer, mais Spring lui indiqua avec son index de patienter. Elle prit le combiné et écouta son nouvel interlocuteur lui parler.

— Oui, monsieur. Tout est prêt, dit-elle.

L'expression de son visage avait changé. Il s'était fermé en une parole. Il devait s'agir d'une personne d'importance pour lui avoir causé cet envol de gaieté.

— Bien, monsieur.

Après un temps de battement, elle raccrocha. Elle posa ses coudes sur la table et plaça lascivement son menton sur le dos de ses mains entrecroisées.

— C'était le directeur, dit-elle. Il ne va pas tarder à commencer la réunion. Vous devriez vous y rendre.

— Vous avez raison, approuva Theodore, je déteste être en retard. Quand je le suis, c'est la faute du temps. Ce saligaud n'en fait qu'à sa tête et refuse toujours de m'attendre.

— Vous n'avez jamais été en retard avec moi.

Au ton enjôleur de la réceptionniste, Theodore accentua son sourire.

— Oh ! encore une chose, dit-il alors qu'il effectuait une fausse sortie. J'ai oublié de vous donner…

— Mon baiser ?

Theodore afficha un autre sourire lorsqu'il la vit battre des cils. Il retourna sur ses pas pour donner à Spring le portefeuille de sa proie.

*« Ah, oui… Le portefeuille que tu prends à ta proie, tu dois le donner à Spring. C'est en quelque sorte une preuve que tu as*

*rempli ton contrat. Si tu ne trouves pas de portefeuille, tu réquisitionnes un objet personnel. »*

— Contrat passeri ? demanda-t-elle.

— On ne peut rien vous cacher.

Avec ses pieds, Spring s'élança vers l'arrière avec sa chaise à roulettes jusqu'à un grand casier en bois proposant une vingtaine de compartiments étiquetés. Chacun des tiroirs contenait des documents de l'Entreprise. Une porte « ARCHIVES PRIVEES », attenante au meuble, était scrupuleusement verrouillée. Il n'y avait que Spring et le directeur à en posséder la clé. La pièce référençait des années d'archives de l'Entreprise, des documents pour la plupart confidentiels et interdits d'accès aux employés. Pour entrer aux archives, il fallait une dérogation spéciale du chef des lieux. La secrétaire retira un registre relié de cuir dans un casier noté « RC-1958 ». Elle regagna son bureau par le même procédé pour tendre le document à Theodore.

*« N'oublie pas de signer le registre de chasse. C'est grâce à lui que les comptes de l'Entreprise peuvent être faits. Pas de chiffres, pas de prime. »*

La couverture annonçait : « Registre de chasse – 1958 ». Theodore l'ouvrit à la page du mois de novembre. Un tableau de lignes et de colonnes était tracé sur deux pages. Tout en haut, des noms de code avaient été classés dans la catégorie : « Chasseur ». Dans la marge étaient répertoriés des noms de famille affiliés au mot : « Proie ». Il y avait aussi la notation « Date et lieu de la suppression » avec une signature dans la case contiguë à la catégorie. Plusieurs cases avaient déjà été remplies.

— Vous voulez un…

Theodore devança les paroles de la secrétaire en sortant un beau stylo de sa veste. Et pas n'importe lequel, un Conway Stewart. Un stylo à plume noir, fin et élégant, d'une marque anglaise. Un porte-bonheur qu'il portait toujours sur lui et qu'il ne prêtait jamais, même pour le contempler. Ce qui a de la valeur pour soi ne devrait être abandonné à quiconque.

— Toujours aussi pragmatique, le flatta Marcy.

— Vous vous souvenez de ce que je vous ai dit, Spring ? demanda Theodore tout en remplissant le registre. Un homme doit toujours avoir trois choses sur lui : sa montre, son stylo et…

— Son paquet de cigarettes !

Il ratifia une ligne au nom de « Corbeau » et la pointa avec son stylo pour confirmer ses propos.

— Au fait, je me suis toujours demandé… Pourquoi le paquet de cigarettes et non pas le briquet ? À choisir, il me semble plus utile, non ? questionna Spring avec une moue dubitative.

Theodore lui adressa un clin d'œil ainsi qu'un sourire énigmatique. Il abandonna la réceptionniste à ses réflexions pour emprunter une galerie étroite, faiblement éclairée, habillée d'une tapisserie rouge sang. Des cadres représentant des hommes d'influence étaient dignement accrochés sur chaque pan de mur. Certains dataient de l'époque de la ruée vers l'or.

*« On doit parfois assister à des réunions. Le matin ou bien, le plus souvent, en fin de journée. Entre le moment où reviennent les contrats passeri et où partent ceux en nocturne. »*

Des éclats de rire retentirent. Ils le guidèrent jusqu'à une large porte en bois aux vantaux grands ouverts. Il passa l'encadrement et se retrouva dans une salle spacieuse, assez grande pour accueillir une vingtaine de personnes. Une fumée âcre assaillit son odorat. On avait l'impression qu'un feu de cheminée était allumé, or celle-ci restait éteinte pour des raisons économiques. En effet, réchauffer les pauvres travailleurs frissonnants s'avérait loin d'être la priorité de la direction. Une méthode ingénieuse avait été alors trouvée pour stimuler leurs doigts engourdis. Au moyen de cigares et de cigarettes, une brume grisâtre planait continuellement au-dessus de leurs têtes et leur constituait un manteau chaud et protecteur pour l'hiver. Aussi, le nombre d'occupants faisait grimper la température, et par conséquent baisser les coûts de la société. Comme pour la chaise chancelante du pressing. Il n'existait pas de petits profits.

La pièce avait été spécialement conçue pour que les employés puissent s'y détendre à toute heure de la journée. Tout comme dans un club privé réservé aux hommes, la décoration était foncièrement masculine. Il n'y avait aucun écriteau à l'entrée excluant la gent féminine, mais l'idée qu'une femme s'attarde ici n'avait jamais effleuré l'esprit de ces mâles aux ego mal placés. Des canapés et des fauteuils capitonnés en cuir étaient disposés de façon à créer des espaces de discussion, alors qu'un bar et un billard préconisaient le jeu et l'oubli. Dans un coin, une radio TSF diffusait des airs de jazz au volume le plus bas. Elle avait pour vocation de meubler les moments de silence, en réalité inexistants. Au-dessus de la cheminée en pierre blanche, les armoiries de l'Entreprise de New York étaient accrochées et mises en valeur avec la devise : « Les oiseaux sifflent sur le monde. » Le blason arborait un aigle dont les ailes repliées protégeaient la maxime. Des rangées de chaises avaient été provisoirement placées pour une future réunion. Une vingtaine d'hommes se dispersaient un peu partout dans la pièce. Certains jouaient aux cartes ou au billard, discutaient, fumaient, buvaient, pendant que d'autres écoutaient, amusés, la narration endiablée de l'homme au chapeau melon qu'était Archie.

*« Le directeur profite de ce roulement pour réunir le plus grand nombre de chasseurs et donner le plus d'informations possible. C'est parfois barbant, mais c'est capital. Alors, évite de laisser une chaise vide. »*

Au fond de la salle, Lloyd occupait déjà un siège, un journal entre les mains. Il lisait avec intérêt un article de quelques lignes intitulé, en gras : « *Les États-Unis rejettent les projets de plan d'armement nucléaire russe* ». Le paragraphe terminé, il tourna la page et s'attarda sur une publicité de costumes pour hommes de grande marque. En entendant l'un de ses collègues saluer Theodore, il abaissa son journal pour faire apparaître son visage jovial et l'invita d'un geste de la main à venir le rejoindre. L'homme au costume bleu lui fit signe à son tour, puis se fraya un chemin entre les spectateurs ensorcelés tout en regardant son ami faire son numéro de boute-en-train. Archibald était connu pour son talent d'orateur. Notamment pour ses histoires alambiquées, et alimentées parfois de surréalisme. Ceux qui venaient l'écouter n'étaient pas là pour applaudir les prouesses du chasseur, mais plutôt pour rire aux détails extravagants qu'il ajoutait pour son auditoire. Une cuisine qu'il aimait toujours épicée, soucieux de la rendre plus savoureuse pour ses invités.

— Et là, annonça Archie en marquant une pause dramatique, je me rends compte que les Grizzlys se tenaient à moins de dix mètres, avant de me distancer pour trouver ma proie. Je pouvais pas les laisser faire, surtout après trois heures de traque. Mon gagne-pain en jeu, je me planque derrière une voiture. J'ouvre mon chargeur, plus qu'une balle. Une seule foutue balle ! C'est là que j'les ai entendus. Ma proie était à trois mètres. Que faire ? Je savais que si je manquais mon coup, ils réussiraient à connaître sa position et à me plumer. J'avais plus rien à perdre.

Theodore salua le dandy et s'assit sur la chaise qu'il lui avait réservée.

— Qu'est-ce qu'il raconte ?

Lloyd plia son journal en quatre pour le déposer sur le siège voisin.

— La fois où il ne lui restait plus qu'une balle en Californie, encore, répondit-il d'un air las.

Theodore lâcha un soupir rieur. Il avait déjà entendu cette histoire un nombre de fois suffisant pour pouvoir la réciter comme une poésie. Le conteur avait ses classiques et ce récit tournait en boucle depuis maintenant plusieurs semaines. Toute l'assistance était pendue aux lèvres d'Archie. Tous buvaient les paroles de l'acteur débitant son aventure en mimant exagérément chaque péripétie :

— Je me relève, je vise sa tête et *BAM* ! Le coup part, la cervelle du gars explose comme si on avait tiré dans un œuf. Les Grizzlys courent jusqu'à moi comme des détraqués. Là, j'ramasse le portefeuille du mort, j'les regarde et j'leur balance : « Trop tard, les gars, j'vous ai sentis arriver de loin. Si j'étais vous, j'irais prendre une douche, vous avez la même odeur que votre *Jacks cheese* que j'ai mangé dans mon sandwich ce matin ! »

L'assemblée éclata de rire. Lloyd profita de cet entracte rieur pour discuter avec Theodore. Les deux hommes étaient des amis de longue date. Dans leur bande, ils étaient ceux qui se connaissaient le mieux. Non pas qu'ils eussent moins d'affinités avec les autres, mais parce que leur amitié était la plus ancienne. Un passé commun qui leur permettait de s'octroyer une confiance aveugle. Tout les opposait. L'un se montrait flegmatique, l'autre exalté. L'un taciturne, l'autre loquace. Thé et café. Pourtant, ces différences avaient amicalement lié ces parfaites antithèses complémentaires.

— Alors, ton contrat matinal ? l'interrogea Lloyd.

— Accompli.

— Comme toujours. Quelqu'un d'autre était sur l'affaire ?

— Clyde.

— Dieux du ciel ! Le pauvre homme a dû t'en vouloir.

— Je crois qu'Adelia va encore lui servir des haricots en boîte.

— Tu lui donneras ta recette des *baked beans* à l'anglaise.

Le dandy avait réussi l'exploit d'arracher un léger rire à Theodore.

— Au fait, reprit-il, hier soir, tu nous as manqué, au poker. Enfin… surtout à Clyde.

— Qui a gagné ?

Lloyd bomba légèrement son torse.

— Moi !

— Vraiment ?

— Ça te surprend ?

— Un peu.

Le dandy n'était pas du genre à dissimuler aisément ses intentions. Alors, il est vrai que sa victoire dans un jeu où l'on vantait les mérites du mensonge surprenait Theodore quelque peu ; voire énormément.

— Après toutes ces années de rivalité amicale, douterais-tu encore de mes compétences au poker ? s'offusqua Lloyd.

— Je suis comme saint Thomas, rétorqua Theodore, je ne crois que ce que je vois. Et à moins d'avoir perdu la vue, je n'ai pas encore eu l'occasion de voir un brelan d'as sortir de ton chapeau.

— Vraiment très spirituel, bien que blessant à l'idée que tu puisses ne pas avoir confiance en l'un de tes plus vieux amis. Qui, dois-je te le rappeler, t'a déjà sauvé la vie.

— Révise ton compteur, j'ai dû sauver bien plus souvent tes boulettes de Norfolk que toi. De plus, au risque de te paraître cruel, sache qu'au poker, une fois les cartes distribuées, l'amitié n'existe plus. La stratégie et le risque sont les seules constantes dans ce jeu.

— À notre prochaine soirée, je jouerai quitte ou double. Nous verrons bien lequel de nous sera prêt à risquer un mois de salaire pour prétendre à la gloire éternelle.

— Quand tu veux, ma tirelire n'attend que ça.

— Mon bon ami cockney, tu vas devoir renvoyer une fois de plus ton rêve au placard. Ta chère Pathfinder devra attendre, car je compte bien remporter toute la mise et me faire tailler un nouveau costume. Je songe même à un tailleur italien, pour changer. Ils ont l'art d'immortaliser la beauté.

— J'espère que tu as une bonne assurance-vie, parce que la seule mise que tu remporteras sera celle de ta mort par forfait.

Lloyd étouffa un rire. Tandis qu'il scrutait la salle, les sourcils de Theodore se froncèrent, ce que son collègue ne manqua pas de remarquer.

— Un problème ? s'enquit Lloyd.

— Où est le directeur ?

— Comme les jours précédents et les jours qui suivront, enfermé dans son bureau à sauver les meubles. Des budgets vont être resserrés ce mois-ci, nouvelle restructuration.

— Rien ne change.

— Jim est déçu. Il voulait investir dans de nouvelles carabines.

Theodore suivit le regard de Lloyd. Assis à une table près d'une fenêtre, Jim jouait à faire entrer et sortir la lame de son cran d'arrêt dans le manche. Clyde venait de régler son différend et il débarqua à cet instant. Il retrouva ses amis au fond de la salle et, sans prendre le temps de saluer Lloyd, s'assit abruptement derrière leurs sièges. Jambes et bras écartés, il écouta un temps les paroles d'Archie puis leva, harassé, les yeux au ciel en maugréant :

— Encore son histoire sur son unique balle.

Préférant faire la conversation que d'écouter encore cette péripétie, l'Écossais s'immisça, conspirateur, entre les deux hommes. Il avait entendu des bruits de couloir qu'il devait à tout prix partager avec ses camarades :

— Hé ! Vous savez que le patron veut fermer les robinets ? La rumeur dit que c'est les chasseurs qui vont encore l'avoir dans l'os.

— Ce sont toujours les plus démunis qui sont les plus touchés, déplora Lloyd.

Archie avait terminé son baratin et le complétait par des remarques personnelles :

— La tronche qu'ils tiraient, j'ai bien cru qu'ils allaient me descendre. Encore heureux que je sois doué pour le combat rapproché.

Derrière, Clyde ne tenait plus en place.

— Oh, la ferme Archie ! s'agaça-t-il. On la connaît, ton histoire. J'te signale que si Teddy n'avait pas été là, tu nagerais encore avec les poissons.

Quelques personnes se tordirent de rire.

— Écrase, Clyde ! râla Archie. J'me serais très bien débrouillé tout seul.

— C'est ça, à d'autres, ricana l'Écossais.

Soudain, il n'y eut plus un bruit. Tout le monde s'était tu. Un homme à la prestance sérieuse avait mis un terme aux bavardages. C'était Michael, l'assistant du directeur. Généralement, il avait pour rôle de faire le lien entre le patron et les employés. Un cadre du service du personnel qui se préoccupait peu des sentiments des autres. Il livrait les dernières nouvelles, bonnes ou mauvaises, et faisait principalement suivre des notes administratives. Dans l'Entreprise, certains s'amusaient à le surnommer « le pigeon voyageur », mais jamais en sa présence. Michael n'était pas connu pour son sens de l'humour très développé. D'ailleurs, il ne souriait et ne plaisantait jamais. Là où il passait, un silence de mort s'instaurait et tous s'écartaient instinctivement à son passage. Il était l'oracle qui faisait la pluie et le beau temps. Clyde avait même lancé la grotesque rumeur que le diable s'était penché sur son berceau pour lui ôter toute capacité à la joie. Cette rumeur s'était même amplifiée au point que l'on disait que l'employé avait été dans une autre vie un vampire de Scandinavie qui suçait le cou de ses victimes à la tombée de la nuit. Coïncidence ou non, le dentiste de Michael lui avait un jour fait la remarque que ses canines étaient d'une taille anormalement longue, plus longue que ce qu'il avait pour habitude d'observer chez ses patients. Une particularité qui avait jeté une suspicion supplémentaire quant à ses origines humaines.

L'instant était grave. Les employés attendaient, fébriles, la prochaine déclaration de l'assesseur.

— En place, messieurs, le directeur va intervenir, déclara-t-il.

Le ton était solennel, l'exécution fut immédiate. Tous s'agitèrent pour se mettre en position. Ils s'étaient dispersés à la vitesse fulgurante d'une troupe de fourmis évitant le jet d'eau d'un tuyau d'arrosage en plein été. Ils se statufièrent, au garde-à-vous, devant leur chaise. L'appréhension pouvait se lire sur le visage de certains, et même de la peur chez les moins téméraires.

*« Très important ! Dès que tu vois le directeur, tu le salues. Même s'il ne te répond pas. C'est la règle. Il te pose une question, tu réponds. Il te dit de la fermer, tu la fermes. Il te donne un ordre, tu t'exécutes. »*

Des pas autoritaires résonnèrent dans le couloir. La fin de la récréation était sonnée. Archie éteignit le transistor et se rangea dare-dare avec le reste du groupe. Des chuchotements s'attardèrent. Deux hommes déplacèrent un pupitre en bois pour le mettre devant la cheminée et rejoignirent leur place. Tout en cherchant une personne du regard, Theodore interrogea Lloyd à voix basse :

— Où est Tony ?

— Il est chargé de faire la leçon.

Les pas se rapprochèrent. Un silence écrasant s'instaura. On pouvait même entendre une mouche en pleine panique buter contre le carreau d'une fenêtre close. Ce futile insecte avait bien compris qu'il fallait s'évader de cet endroit au plus vite.

*« Il n'y a pas plus haut que le directeur. Il dirige l'ensemble de l'Entreprise. T'as un problème, c'est lui que tu dois aller voir. Nos vies sont entre ses mains. Ici, personne n'est au-dessus de lui. Personne... »*

Un homme élancé entra dans la salle, une mallette noire à la main. Il portait un costume sombre croisé contrasté par une cravate en soie violette lacée en un nœud Windsor. Une pochette assortie à sa cravate décorait la poche avant de sa veste, et une paire de boutons de manchettes en argent maintenait les manches de sa chemise blanche. À son poignet, une montre Omega en or automatique. Le chic à l'état pur : Richard Shepherd. Deux mots qui faisaient trembler plus d'un employé. Directeur de l'Entreprise de l'État de New York, une allure soignée, un réel magnétisme et une prédisposition innée pour les affaires. Il avait approximativement le même âge que Theodore. Ses yeux fins en amande s'accordaient avec ses traits anguleux et son nez droit, qui lui donnaient un air rigide. Son visage allongé était resté jeune, mais ses cheveux avaient blanchi dès qu'il avait eu quarante ans. Peut-être ses années de service étaient-elles la raison de cette soudaine décoloration. Quoi qu'il en soit, cela ne semblait pas déplaire aux femmes, bien au contraire.

Richard arborait une carrière exemplaire et régentait sa société d'une main de fer. Il était un homme sérieux, considéré et respecté par ses pairs. Il incarnait l'autorité, mais aussi la confiance pour tous ses hommes parfois désorientés. L'ordre dans la sérénité était l'évangile qu'il prêchait pour sa paroisse. Un chef de meute qui possédait une parfaite conception de l'entrepreneuriat. Richard était un adepte du fordisme. Visionnaire, il savait qu'une bonne écoute valait plus d'une augmentation. Il prenait toujours le temps d'entendre les inquiétudes de ses employés, pour ensuite les remettre sur le droit chemin. *Son* droit chemin…

Dans le silence le plus total, il déposa sa mallette sur une table et poussa ses deux fermetures en laiton. Il récupéra un dossier et le posa sur le plateau incliné du pupitre derrière lequel il se plaça. Aucun homme n'avait bougé, ni parlé.

— Bonjour, messieurs, dit Richard.

— Directeur, répondirent les employés de concert.

— Je vous en prie, prenez place.

Au commandement, tous s'assirent dans un raclement de chaises. Richard tira une paire de lunettes de sa veste. Il les ajusta sur son nez, puis déballa ses documents.

— Avant de commencer cette réunion, je vous prierai de rédiger un compte rendu pour tous ceux qui n'ont pas pu venir en raison de leur contrat prioritaire.

Simultanément, les employés sortirent avec rapidité un calepin et un stylo de leur veste.

— Bien, reprit Richard, voici l'ordre du jour. Suite à un entretien que j'ai eu avec Mike, les démarches de porte-à-porte vont être augmentées dans les semaines à venir. Cette méthode réduira les moyens à employer concernant les proies sédentaires, avec pour résultat un coût réduit pour l'Entreprise. En ce qui concerne les entraînements de perfectionnement à la hache, un stage aura lieu prochainement au Canada. Pour plus d'informations, je vous renvoie à Spring. Ne tardez pas à remplir le formulaire d'adhésion si vous souhaitez y participer. Les places sont limitées et non remboursables. Donc de grâce, évitez de rater votre avion et prenez soin de vérifier que votre réveil fonctionne. Ce message s'adresse en particulier à vous, Cadbury.

Des employés rirent de leur collègue qui, assis au premier rang, venait de se faire remettre à sa place par le patron. L'homme chétif avait pour nom Gary Cadbury et était connu pour ses maladresses multiples. L'une, et pas des moindres, était d'avoir abandonné son poste en laissant la porte de direction grande ouverte pour courir en urgence aux toilettes. Richard avait été tellement furieux qu'il avait obligé le pauvre Gary à nettoyer celles-ci à la brosse à dents jusqu'à pouvoir y voir son reflet.

— Ce n'est arrivé qu'une fois, marmonna Gary.

— Une fois de trop, Cadbury, répliqua Richard. Je vous signale que c'est l'Entreprise qui paye vos formations. Encore un retard, et la prochaine fois, vous partirez à pied. Avec un peu de chance, cela vous fera réfléchir sur le sens du mot « effort ».

Gary grommela quelque chose que personne ne comprit. Le directeur le fit taire par un regard menaçant, puis étudia ses notes.

— Après Clark, Hill prendra le relais pour le tour de garde. N'oubliez pas de récupérer les requêtes au bureau de poste.

*« Autre chose : les enveloppes des requêtes se trouvent dans une boîte aux lettres au bureau de poste. Ces enveloppes contiennent les demandes de contrat cryptées des clients qui*

*traitent avec nous. Chaque matin, l'un de nous doit les récupérer pour ensuite les transmettre au directeur. Penses-y, où tu risques de te faire taper sur les doigts, ou pire, de voir tes primes réduites. C'est comme ça que ça fonctionne. Le temps, c'est de l'argent, et ici, on perd pas d'argent. D'ailleurs, je vois que tu portes pas de montre. Grave erreur. J'te conseille de vite t'en dégoter une. Crois-en mon expérience, elle te sera plus utile que ton flingue. La mienne m'a sauvé de pas mal d'emmerdes et peut-être aussi la vie. Le temps, c'est comme le fric, plus t'en as, plus t'es content. Et au final, pour l'apprécier, faut savoir le compter. »*

Lloyd se détacha à ce moment-là des palabres bureaucratiques. Il n'avait pas parlé depuis près de cinq minutes et sa bouche commençait à sérieusement le démanger. Derrière lui, Clyde, tout aussi rasé par ces détails, se distrayait à faire tenir son stylo en équilibre sur sa main. Le lundi produisait toujours cet effet. Le dandy tourna son corps vers Theodore pour un aparté.

— Tu es encore de service aujourd'hui ?

— Non, répondit Theodore, je vais remplir mon réfrigérateur. Je n'ai plus d'œufs pour mon petit déj'.

— En passant, tu devrais inviter la ravissante fleuriste à sortir. Certes, elle se trouve être plus jeune que toi, mais tu ne t'engageras à rien en proposant un rendez-vous. Au cinéma, par exemple ? J'ai lu dans le journal que le nouveau film de Robert Wise, *Je veux vivre !*, est à l'affiche.

— Je n'irai pas.

— Oui, tu as sûrement raison… L'histoire d'une femme sur le point de se faire exécuter n'est peut-être pas très plaisante pour un premier rendez-vous. Laisse-moi réfléchir… Et pourquoi pas une balade à Central Park ? Les couleurs des feuillages des arbres sont superbes à cette période de l'année. Je m'y suis promené dimanche, c'était un régal pour les yeux.

— Je ne vais pas faire ça, Lloyd.

— Il y a aussi le musée. Au Met, il y a une fantastique exposition sur la Grèce antique. Magnifique, à voir absolument !

— Non.

— Tu es incorrigible, Ted, tu le sais, ça ? s'exaspéra Lloyd. Écoute, je comprends que depuis quelque temps, sortir avec une femme soit compliqué pour toi. Mais parfois, il faut savoir prendre le train en marche avant qu'il ne finisse par dérailler, chuter d'un pont et exploser en mille morceaux dans la vallée…

Theodore ne savait pas si ce train était censé être sa personne, mais cette allégorie catastrophiste le dérouta complètement.

— Je suis allé voir un western au cinéma avec Archie, c'est la première image qui m'est venue à l'esprit, expliqua Lloyd d'un geste désinvolte. Bref, tu sais ce que l'on dit, on ne fait pas d'omelette sans casser des œufs. Et tu excuseras ma franchise, mon ami, mais les tiens sont en train de pourrir.

Theodore soupira. Il détestait lorsque son ami jouait les entremetteurs.

— Lloyd…

— Sérieusement Ted, depuis combien de temps n'as-tu pas eu de rendez-vous avec une femme ?

— Apparemment pas assez, pour que tu m'en reparles encore.

— Dis-moi ce qui t'en empêche.

L'homme au costume bleu resta pensif. En toute honnêteté, il n'avait pas de réponse à lui fournir. Le directeur mit fin à la partie dédiée à l'administration.

— Ces détails clos, dit-il, je vais passer à la distribution des contrats. Murphy, Perez, Galvani, Newman, Barton, Feng, Glasner…

Tous les chasseurs nommés héritèrent un par un de leur contrat.

— Regarde Clyde, continua Lloyd. Il est marié et il arrive parfaitement à concilier son travail avec sa vie privée. C'est vrai qu'Adelia le réprimande parfois à coups de poêle, mais il est heureux. Peut-être à cause d'un coup de trop.

Le dandy s'interrogea un court instant sur cette théorie en se retournant sur sa chaise pour voir Clyde, la langue tirée, concentré à faire tenir son stylo sur son front. Le bonheur n'avait pas d'âge… Lloyd secoua la tête et reprit le cours de sa discussion avec son ami :

— Donne-moi une bonne raison de ne pas te jeter à l'eau.

Theodore ne répondit pas.

— Steadworthy, appela Richard.

— Mmh… Sauvé grâce à moi, encore une fois, dit le dandy en fermant un bouton de sa veste.

Lloyd se leva pour recevoir son dossier.

— Lyon.

Clyde croisa le dandy sur son chemin et lui rentra légèrement dedans par pure provocation. L'air de rien, Lloyd épousseta sa belle veste de tartan bordeaux, puis retrouva sagement sa place.

— Day.

Archie partit à son tour.

— Et Nash.

Jim reçut son dossier et la distribution s'acheva.

— Je vais dès à présent procéder à l'élection du chasseur du mois qui est, sans surprise, avec un total de cinq suppressions parfaites, trois en passeri et deux en nocturne… notre Corbeau, Theodore Woodrow ! Félicitations, Teddy, le bocal est à toi et tu gardes ta place de numéro un.

Une salve d'applaudissements félicita un Theodore hiératique.

— Pour ce qui est de la compétition entre États, nous sommes descendus à la troisième place.

Cette annonce inattendue scandalisa Clyde au plus profond de son être et il se redressa spontanément sur son siège.

— Comment ça ? Qui est devant nous ? demanda-t-il.

— Le Michigan, répondit Richard en suivant la ligne d'un tableau.

Plusieurs chasseurs mécontents ne cachèrent pas leur déception :

— Pitoyable.

— Sérieusement, le Michigan ?

Le classement national mettait en compétition des Entreprises de tout le pays. Il mesurait la capacité et les techniques des employés de chaque section – chasseurs, nettoyeurs et rapporteurs. Pour exemple, les nettoyeurs de la Caroline du Sud étaient en première position dans la catégorie *sans trace ni tache*, alors que ceux du Texas étaient tombés à l'avant-dernière place. Néanmoins, les Texans gardaient une bonne position dans la catégorie *chasse et pêche* disputée au Montana. En fin d'année, une grosse prime ainsi qu'une publicité dans le milieu étaient accordées à l'Entreprise qui avait atteint les meilleurs scores. D'autres Entreprises existaient dans le monde, chacune avec son domaine de compétence. L'élite en matière de chasseurs se trouvait principalement aux États-Unis d'Amérique et en URSS. Clyde charriait souvent Lloyd au sujet de la France qui avait une réputation de nettoyeur de fond. En effet, le pays n'avait pas de grands chasseurs, mais il savait nettoyer les lieux d'une suppression comme personne sur la planète. Sur ce plan, ils étaient en concurrence directe avec la Finlande.

Un document à la main, Richard exposa :

— En nous devançant de cinq proies, ils atteignent la seconde place du classement. D'après les statistiques, ce résultat est principalement dû à Detroit qui a réussi à relever son niveau. Et pour finir, la première place revient à Chicago.

— Comme d'habitude, râla Clyde, les bons élèves…

— Le rapport d'aujourd'hui est terminé. Des questions ?

Une main se dressa dans l'assistance. D'un signe de tête, Richard autorisa Clyde à prendre la parole.

— Est-ce vrai que les budgets vont être resserrés ?

À la question se substitua un lourd silence général. Toute l'attention se porta sur le patron ennuyé. L'Entreprise rencontrait depuis plusieurs mois des difficultés financières. Le directeur avait cherché en vain des solutions pour pallier ce manque d'argent. Les chiffres de la comptabilité étaient sans appel. Le budget frisait, chaque fin de mois, le dépôt de bilan. Richard avait conscience qu'il leur devait la vérité, aussi pénible soit-elle.

Il inspira et avoua difficilement :

— Je ne vais pas vous mentir. L'Entreprise subit depuis un moment une mauvaise passe. Grâce à des restrictions, nous avons su la garder à flot, mais malgré ces sacrifices et après vérification des comptes effectués sur les derniers relevés… nous sommes toujours en déficit. Il est impératif de réduire nos dépenses. Pour le bien de l'Entreprise, je vais être dans l'obligation de couper des budgets, dont celui du renouvellement des armes, et procéder à une baisse de vos primes.

L'ensemble des chasseurs s'indignèrent : « OOOH ! » Ulcéré, Jim planta rageusement son cran d'arrêt dans la table en bois, ce qui fit sursauter un homme proche de lui.

— C'est injuste ! tonna un employé.

— Pourquoi les rapporteurs ne sont jamais touchés, hein ? ragea Clyde. On est quoi, nous ? Des larbins ?

— Messieurs, calmez-vous, les tempéra Richard. Ce n'est pas de gaieté de cœur que je vous demande ce sacrifice. Nous n'avons plus le choix. Il est vrai que les chasseurs seront directement visés par cette réforme, puisqu'il s'agit de la section qui génère le plus de frais.

— Et quoi ? ricana un chasseur. Vous voulez qu'on supprime nos proies avec des couteaux de cuisine ?

— On doit demander à nos femmes de nous prêter leur poêle ? ajouta Alan, moqueur.

— Demande à celle de Clyde, renchérit Tom. Elle s'en sert pour le punir à chaque fois qu'il lui ramène des boîtes de conserve pour le dîner.

— La ferme, Tom ! le rembarra Clyde.

Un rire collectif irradia la salle. Le regard rieur, Richard dit :

— Non, je vous promets que nous n'en arriverons pas là. Et quand bien même, je ne voudrais pas priver M^me^ Lyon de son seul moyen de se défouler contre son mari.

De nouveaux rires déferlèrent, faisant un peu plus se rembrunir Clyde sur son siège.

— Soyons sérieux une minute. Je sais qu'il est difficile pour vous de faire de nouveaux sacrifices. Croyez-moi, j'en suis tout aussi désolé.

Richard marqua une pause pour trouver les mots justes.

— Les liens du sang ne nous unissent peut-être pas, mais j'aime à dire que nous formons une famille à part entière. Et dans toute famille qui se respecte, le soutien est un pilier primordial à son bon fonctionnement. Je vous demande de tenir bon. Ce n'est qu'une mauvaise passe.

Les employés se radoucirent, apparemment rassurés par ces paroles. Richard s'en félicita. Il avait évité de peu le soulèvement de masse les entraînant sur la pente glissante de la grève, le seul mot qui pouvait emballer son cœur fragile de chef d'entreprise – ça, et celui de « syndicat ». Il se souvenait même d'avoir un jour frôlé la crise cardiaque. Certaines nuits, il entendait encore dans ses pires cauchemars les vociférations de ses employés réclamant plus de droits. Fin d'année 1955, l'une des pires périodes qu'il avait dû gérer quand les primes de Noël avaient été refusées, faute de moyens. Dissident, Clyde avait créé une rébellion avec ses collègues en pillant toutes les éponges et tous les balais des nettoyeurs pour construire un barrage devant la porte de la direction. Le directeur s'était chargé de calmer les ardeurs de tous les chasseurs en promettant de nouvelles Winchesters. Une faveur insuffisante pour Clyde, qui avait réclamé des arbalètes en plus des fusils. Richard n'avait toutefois pas cédé à cette demande supplémentaire. L'Écossais avait alors boudé pendant une semaine, comme un enfant privé de son jouet. Fort heureusement, Richard avait tiré le nom de Clyde lors du tirage au sort annuel du Noël de l'Entreprise. Il avait saisi l'occasion pour lui en offrir une flambant neuve. Ce jour-là, le directeur avait même cru voir une larme apparaître au coin de l'œil de son employé lorsqu'il avait déballé son présent.

— Bien, autre chose ?

Devant la non-réaction des employés, Richard conclut :

— Parfait. En cas de problème, la porte de mon bureau est toujours ouverte. Sur ce, bonne chasse à tous.

Le directeur retira ses lunettes, rassembla ses affaires et ferma sa mallette.

# CHAPITRE IV
## Le stagiaire

*New York, novembre 1958.*

— T'as tout saisi ?

Antonin était au Devil's Pack, assis à une table sur une banquette en compagnie d'un jeune homme frêle. C'était un nouveau membre de l'Entreprise, à qui il venait d'expliquer tout son fonctionnement en détail. Plus précisément, un stagiaire qu'on avait adjoint au chasseur qualifié le temps de sa formation. Les enjeux de cette initiation étaient considérables pour le jeune homme. Les talents de North n'étaient plus à démontrer dans l'Entreprise. Il avait gagné assez d'expérience pour grimper un nouvel échelon et accéder à des contrats plus intéressants. En retour, il devait défendre la légitimité de cette promotion en prouvant sa capacité à former un débutant sur le terrain. Un test obligatoire que devaient passer tous les chasseurs pour obtenir des primes plus élevées. Ce jour tant attendu était arrivé.

— Hum… je… oui… balbutia le stagiaire.

Les sourcils froncés, Antonin n'était pas convaincu. La vingtaine, l'apprenti était plus grand que lui, mais ne respirait pas l'assurance. Une crainte constante se lisait dans son regard fuyant. Avec son teint cireux, sa tête ronde comme une ampoule et ses yeux caves, il faisait penser à un squelette avec juste assez de chair sur les os pour faire de lui un homme. Le mentor se demandait même par quel moyen ou piston il avait bien pu atterrir ici.

— T'es sûr ? insista-t-il.

— Je...

L'employé novice détourna les yeux, comme pour chercher une réponse. Une tergiversation qui énerva encore plus l'instructeur.

— Fais pas cette tête. Il n'y a qu'une seule réponse possible, oui ou non. Pas les deux. Parce qu'une fois sur place, si tu te plantes, personne ne pourra t'aider. Tolérance zéro. Les exigences sont les mêmes pour un bleu et le gars qui a roulé sa bosse. Alors, t'es certain d'avoir tout enregistré ?

— Euh... oui, j'ai tout... enregistré.

Antonin appuya son regard. Le stagiaire gesticula sur son siège et répondit avec plus d'audace :

— Monsieur.

Le chasseur fuma en dévisageant le stagiaire avec suspicion. Bon Dieu ! Il avait fichtrement l'impression de ne pas avoir tiré le bon numéro. Avec sa dégaine de bonhomme en allumettes et son attitude timorée, ce maigrichon n'avait pas l'air d'être taillé pour ce poste. Au mieux, il avait la tête de ces boules de gomme de rapporteurs. L'Organisation n'avait pas le temps de former les poules mouillées. Il fallait avoir les épaules solides pour ce qui allait suivre. D'après son CV, le gars avait bossé dans le milieu carcéral. Une expérience qui rassurait Antonin. Le petit avait certainement appris quelques leçons utiles à l'ombre. On disait que les plus expérimentés venaient de là-bas. Peut-être qu'il n'avait juste pas la tête de l'emploi, mais qu'il excellait dans le domaine du combat : Gary était bien chasseur. Certains supposaient qu'il l'était devenu à cause d'une erreur administrative. De toute manière, peu importait ce qu'Antonin pouvait penser, il s'en remettait au jugement de l'Entreprise. Si on l'avait choisi, c'est qu'il avait les compétences requises.

Assoiffé par sa longue tirade, Antonin fit signe à Neal au bar de lui servir un autre verre. Le barman hocha la tête et s'activa derrière le comptoir. En attendant sa boisson, le chasseur absorba une bonne bouffée de sa cigarette. Ses joues se creusèrent comme un ballon dégonflé puis reprirent leur forme première quand deux jets de fumée furent expulsés par ses narines. Une acrobatie qu'aimaient faire les fumeurs de longue haleine. C'est ainsi qu'on reconnaissait les experts des débutants. Chaque souffle, respiration et geste démontraient leur expérience dans l'art du « crapotage ». Cette esthétique, ils devaient la maîtriser s'ils ne voulaient pas être bannis du collectif des fumeurs avertis. Pour leurs détracteurs, ils ressemblaient tous à une locomotive sur rails prête à quitter la gare. Les fumeurs s'en moquaient, car ceux-là n'étaient qu'une minorité dans cet océan de fumée.

Neal servit la boisson forte et retourna à son bar. Le scotch en main, Antonin déploya son bras sur le dossier de la banquette pour regarder les lieux avec détachement. Le bar était désert. C'était l'après-midi et l'atmosphère était languissante. Le juke-box passait en sourdine un morceau de blues. Des bruits de vaisselle résonnaient dans l'arrière-cuisine. Entre les tables, un serveur passait la serpillière en exécutant des virages hypnotiques. Neal actionna le percolateur. La machine se mit à vrombir, puis un liquide chaud et noir en sortit. Le café inonda le fond d'une tasse que Neal plaça sous le nez d'un client amorphe. Tout fonctionnait au ralenti, et ce n'était pas pour déplaire à Antonin. Cette musique du quotidien lui était salutaire. Ces sons anodins l'apaisaient et lui permettaient de revenir à l'essentiel. Une pratique qu'on lui avait autrefois apprise pour renouer avec la réalité lorsqu'elle devenait trop confuse.

Depuis la moitié du discours de son mentor, le stagiaire triturait ses mains sous la table en lui jetant des coups d'œil nerveux. Une question lui taraudait l'esprit. Craignant une mauvaise réaction de sa part, il n'avait pas osé lui couper la parole.

— Euh… monsieur… commença-t-il, la voix chevrotante.

L'air absent, Antonin ne le considéra pas. Son regard s'était accroché sur le mouvement alangui de la serpillière. L'escogriffe ne se découragea pas et osa timidement poser sa question :

— Vous m'avez parlé d'un règlement… et je me demandais… en quoi il peut consister.

En guise de réponse, il n'obtint que du silence. L'élève ignorait si son mentor l'avait entendu. Il n'avait pas l'air d'être le genre de personne à se soucier de son prochain. À moins bien sûr que celui-ci lui propose de lui payer un verre et les trois suivants. North en était déjà à son deuxième verre de scotch et peinait à cligner des yeux. Un de plus et sa tête finirait dans la cuvette des toilettes, à n'en pas douter. Si le nouveau avait appris une chose dans son ancien travail, c'était de s'assurer au plus tôt les bonnes grâces de la hiérarchie. À compétences égales, il réussissait toujours à obtenir quelques privilèges sur ses collègues. On le traiterait de lèche-bottes ou de peigne-cul, mais les jours de repos supplémentaires offerts lui feraient vite oublier ces désagréments.

Que pouvait-il bien faire pour se faire apprécier ? C'est alors que le souvenir de sa grand-mère lui vint en aide. Quand il n'était encore qu'un gamin, celle-ci avait pour habitude de lui dire qu'il n'y avait rien de mieux que le chocolat pour attendrir les durs à cuire. Un judicieux conseil qu'il avait dès le lendemain appliqué et qui avait fait cesser les persécutions de la brute de l'école. North ne lui mettrait probablement pas la tête dans une poubelle, mais s'il lui offrait une petite douceur, peut-être qu'un beau sourire viendrait balayer cette sévérité. Des pièces de monnaie traînaient dans le fond de sa poche de veste. Il alla à la pêche aux espèces, mais celle-ci se révéla décevante. Dans sa main, il n'avait que trois cents et un vieux bouton arraché d'un veston. Pas assez pour lui offrir un chocolat chaud. De toute façon, North n'avait pas non plus l'air d'un gars à se faire peindre une bacchante en cacao. Sauf si la boisson contenait du whisky, et encore, chargée aux trois quarts. Tant pis, il se lancerait dans l'arène sans filet, et advienne que pourra.

Le stagiaire ouvrit la bouche pour reformuler sa demande. Mais quand Antonin porta son regard bleuté sur son visage soucieux, il la referma aussitôt, et tout son corps se tétanisa. Le regard profond du blond avait cet effet de figer tout individu qui osait s'y confronter : aussi glaçant et aussi tranchant que la lame d'une épée. Le mentor plissa ses yeux en chassant un souffle gris de sa bouche en direction du visage défait de son protégé. Cette envahissante agression le fit larmoyer et toussoter. À la différence de North, il ne faisait pas partie du club des fumeurs à plein temps. À quoi bon faire comme tout le monde, si c'était pour finir comme ces vieux chats qui recrachaient leurs poils ? Autant respirer le bon air et siffler comme un oiseau. Au moins, son corps ferait un bon engrais le jour où il finirait sous terre.

— Tu te demandes à quoi sert le code ?

— Euh… oui… c'est ça…

— Le code, c'est la ligne de conduite qui te permettra de rester en vie. Suis les règles et rien ne pourra t'arriver.

Ces mots rassurèrent l'apprenti, jusqu'à ce qu'Antonin poursuive avec gravité :

— Par contre, si après une journée au turbin, tu retrouves ta bicoque, t'embrasses tes gosses, tu manges le repas fait par ta femme, tu prends ton pied avec elle pour oublier un instant ce que tu es, tu t'endors dans ses bras et qu'alors, sans rien pouvoir contrôler, tu viens à l'ouvrir…

Après une pause marquée, il ajouta :

— J'te promets qu'aucun de vous ne se réveillera, car aucun risque ne sera pris. Qu'importe ton histoire, tes compétences, ta place dans l'Entreprise. Il n'existe pas de seconde chance. Pigé ?

Le stagiaire acquiesça.

— Dans notre métier, la seule fin possible, c'est le trou de ta propre tombe. Si tu penses un seul instant être encore là demain, ce job n'est pas fait pour toi. T'enquille pas dans cette boîte si c'est pour regretter le jour suivant d'être mort.

Les sourcils du stagiaire s'arquèrent si haut qu'ils atteignirent presque la ligne de sa chevelure. Drôle de manière de souhaiter la bienvenue. Dans son ancien job, l'un de ses collègues lui avait gentiment proposé du café et des donuts pour son premier jour de boulot. Pour celui-là, il n'avait même pas encore choisi le bois du cercueil qu'on avait déjà gravé son nom sur la pierre tombale. À se demander si la mise en bière était offerte par la maison.

Dans l'attente d'une réponse, Antonin appuya à nouveau son regard avec un geste pressant de sa cigarette.

— Oui, monsieur ! confirma le stagiaire vivement.

La porte d'entrée du bar s'ouvrit. Quatre hommes apparurent et s'avancèrent jusqu'à la table d'Antonin. Tous ses amis étaient venus le rejoindre, sauf Theodore qui avait pris le reste de sa journée. En tant que mentor, l'homme au costume bleu ne voulait pas interférer dans la formation menée par son jeune ami. Il avait confiance en lui, pour la bonne et simple raison que jadis, c'était lui qui l'avait instruit. Aujourd'hui, le gamin n'avait plus besoin de ses conseils. Il avait appris tout ce qu'il avait à savoir. Techniques, armes, combat, il connaissait tout sur le bout des doigts. En réalité, Antonin ignorait que Theodore avait convaincu le directeur de l'élever à un autre rang d'autonomie, celui de mentor. Maintenant, le jeune homme était armé pour affronter ce monde sans pitié. La nouvelle génération prenait peu à peu la place des anciens. Du sang neuf, comme on disait. Il fallait bien savoir un jour passer la main. Et ce jour-là approchait à grands pas. Le voir marcher seul l'inquiétait un peu, mais que pouvait-il y faire ? C'était dans l'ordre des choses. Une fois grands, ces mômes devaient tracer leur route et faire leur vie quelque part. Les retenir aurait été cruel. Et puis, qu'importe la direction qu'ils prenaient, jamais ils n'oublieraient d'où ils venaient. Leur bercail les attendait. C'est pour ça qu'on leur apprenait à marcher, pour qu'ils puissent un jour revenir sur les pas de leur foyer.

— Juste à temps, lança Antonin.

— Commandement trois du parfait gentleman, déclara Lloyd, l'heure, c'est l'heure, avant l'heure, c'est…

— Tu finis ta phrase, *capitaine*, et j'te promets que tu vas connaître le goût du sol, l'arrêta sèchement Clyde qui ne souhaitait pas en entendre davantage.

Ce surnom donné uniquement par l'Écossais avait pour origine le passé militaire du dandy, associé à une référence au tableau *Waterloo*. Lloyd se tut sur une petite moue contrite, se faisant violence pour ne pas conclure sa formule. Il avait déjà goûté au poing de son ami et cela ne valait vraiment pas le coup de renouveler l'expérience. Il tenait à conserver un visage parfait pour la prochaine photo commémorative de l'Entreprise. Trop d'entre elles avaient été gâchées par le grincheux de service. Soulagé par cet abandon, Clyde s'apaisa temporairement.

— Alors, on bouge ? grogna-t-il. Parce qu'avec eux, j'sens que ça me démange de sortir mon flingue.

Trêve de bavardages. Antonin avala le contenu de son verre et ordonna au stagiaire de se lever pour se rendre dans la rue. Dehors, le groupe marcha en forçant le pas. Le stagiaire, à la traîne, avait peine à les suivre.

— C'est qui l'cabot qui nous colle au train ? râla Clyde.

— Le nouveau, répondit Antonin.

— Génial, manquait plus que ça pour que ma journée devienne comme la vie de Lloyd…

— Plus on est de fous, plus on rit, dit le dandy avec un sourire.

— De la merde, termina l'Écossais amèrement.

Le stagiaire pressa le pas pour rattraper le groupe.

— Excusez-moi… mais… où va-t-on ? les interrogea-t-il, essoufflé.

Le regard d'Antonin se noircit.

— Chasser, dit-il.

Les six chasseurs étaient à bord d'une Ford Country Squire noire de 1950, une voiture spacieuse et identifiable par sa partie en bois plaquée sur ses deux flancs. Grâce à sa double banquette trois places, elle pouvait accueillir huit personnes à son bord. La bande prenait fréquemment cette voiture pour les déplacements professionnels, plus rapide et confortable qu'un bus. Ils pouvaient ainsi sillonner ensemble les rues sans se disperser aux quatre coins de la ville.

Le temps de tout mettre en place, le véhicule était immobilisé sur le bas-côté. À l'avant, Jim se tenait au volant, avec Antonin comme copilote. Les autres voyageurs avaient été relégués sur les banquettes arrière. Instructeur à l'essai, Antonin fut désigné comme chef d'équipe pour gérer la logistique. Une tâche primordiale, où chaque minute comptait. Les contrats devaient s'enchaîner à la perfection. Il fallait prendre en compte la circulation, la durée de chaque suppression et bien sûr les imprévus de parcours. Un caillou coincé dans l'engrenage et toute l'opération pouvait partir en fumée.

— Je vais établir le circuit, dit Antonin. Donnez-moi vos contrats.

Les contrats étaient des dossiers réunissant tous les éléments qui permettaient aux chasseurs de choisir la meilleure stratégie pour capturer leur proie, dossiers constitués par les rapporteurs, des employés de l'ombre qui repéraient les lieux et les habitudes des individus sélectionnés pour les consigner sous la forme des rapports exhaustifs. Les chasseurs les avaient sournoisement baptisés les « gratte-sang ». Depuis toujours, leur poste était déprécié par les chasseurs qui le considéraient comme peinard et inutile, et à l'inverse, le leur paraissait inélégant et cérébralement limité aux rapporteurs. Les deux secteurs s'entre-déchiraient sur bien des points. Entre autres, le salaire, chacun s'imaginant être privilégié par rapport à la partie adverse. Les chasseurs jalousaient le côté confortable du poste des rapporteurs, et ces derniers la reconnaissance indéniable de leur statut vis-à-vis de leurs supérieurs. Chose curieuse, aucun d'eux ne remettait en cause le poste de leurs dirigeants.

Antonin étudia l'organisation à suivre. Il récupéra un crayon à papier coincé derrière son oreille puis griffonna un plan schématique sur le coin d'une feuille. À force de ratisser les rues et d'explorer les lieux de ses contrats, il avait acquis un sens aigu de l'orientation. S'il venait un jour à être renvoyé, il pourrait enfiler facilement la casquette d'un chauffeur de taxi ou celle d'un guide touristique. Au bout de cinq minutes, Clyde s'agita devant le manque d'action :

— Bon ! Qui commence ? J'ai des fourmis dans les guiboles à force d'avoir les miches collées sur ce siège.

— J'ai fait le programme, annonça Antonin. On commencera par Cygne, Pie, Aigle, Rossignol, puis on terminera par moi.

Le stagiaire se noya dans une totale confusion. Que signifiaient ces noms d'oiseaux ? Est-ce que North prévoyait une chasse aux volatiles dans Central Park pour premier exercice ? Il était d'accord pour se faire la main sur quelques pigeons, mais l'idée d'abattre l'emblème de son pays lui causait une indigestion patriotique. Ses intestins se tordirent en imaginant le noble animal tué et s'écrasant tête la première au sol. Pour dissiper ses inquiétudes, il leva doucement un doigt craintif et demanda :

— Excusez-moi, mais… pourquoi des noms d'oiseaux ?

Antonin se retourna sur son siège pour lui répondre :

— Pendant les missions, les noms de code permettent de protéger notre identité et l'existence de l'Entreprise. C'est un chasseur plus expérimenté qui te l'assigne. Dès que ton contrat commencera, tu devras oublier jusqu'à la plus petite parcelle de ce que tu es. Pigé ?

Le stagiaire acquiesçait d'un signe de tête timide lorsqu'une autre question s'imposa à lui.

— Et… quel serait… mon nom ?

— À mon humble avis, dit Lloyd en l'observant, je trouve que Cigogne t'irait parfaitement.

— Ouais, mais vu que personne ne te l'a demandé… le rembarra Clyde.

Lloyd ne broncha pas. La tactique du dandy contre les commentaires déplaisants de la brute épaisse était ni plus ni moins que l'ignorance. Au fil du temps, il avait appris à ne pas jeter de l'huile sur le feu afin d'empêcher son détracteur de le ranimer.

À côté de Clyde, Archie pencha sa tête en retenant d'une main son chapeau melon pour à son tour analyser le visage du stagiaire. Cette rigoureuse observation paralysa la nouvelle recrue contre son dossier. Le garçon squelettique était devenu aussi raide qu'une statue de Rodin, la pensée en moins.

— Vu ta tronche de boîte aux lettres, j'dirais Pélican.

— N'importe quoi ! s'enflamma Clyde. Pélican, sérieusement ?

— Bah oui ! Regarde sa tête. Elle ne va pas du tout avec le reste.

D'un geste de la main, Archie démontra ses allégations en soulignant la différence entre les deux parties.

— Qu'est-ce qu'il faut pas entendre ! grogna Clyde.

— Bah vas-y, toi. Donne-nous un nom.

Clyde entama le même processus d'étude que son ami.

— J'sais pas, il a plus une gueule de… de… j'sais pas ! s'énerva l'Écossais. Et puis d'abord, c'est quoi ton nom ? demanda-t-il méchamment au stagiaire.

— Euh, je m'appelle…

— Rhaa ! De toute façon, peu importe, le coupa Clyde d'un geste agacé, il n'a pas du tout une trogne à s'appeler Pélican. Bref, on met les voiles. J'ai dit à Adelia que je serai rentré pour le dîner.

— Elle te fait quoi ? demanda Archie.

— Boîte d'haricots… grommela Clyde d'un air dégoûté.

L'homme au chapeau melon éclata de rire, puis Jim fit démarrer la voiture pour se rendre à leur première mission. Ils roulèrent plusieurs minutes dans les rues new-yorkaises et s'arrêtèrent aux abords de la boutique d'un artisan tailleur dans le quartier de Turtle Bay. La devanture de l'atelier, en bois massif, dégageait un charme unique avec ses belles corniches et ses moulures en caisson. Sur la vitrine, en lettres blanches et manuscrites, il était écrit : « Tailleur – Mac Culloch ». C'était une vieille enseigne prisée par les amoureux du bon goût vestimentaire. Derrière la baie vitrée, deux costumes pour homme, confectionnés sur mesure, présentaient à quel type de clientèle s'adressait la collection. Des acheteurs au train de vie dispendieux, prêts à dépenser de fortes sommes pour un tissu de qualité et une coupe parfaite. En somme, le paradis rêvé de Lloyd.

Le superviseur vérifia les derniers préparatifs dans la voiture, puis dicta au débutant :

— Le nouveau, tu viens avec moi. Tu vas observer comment des professionnels travaillent en plein jour.

— Lloyd ? Chasseur professionnel ? se bidonna Clyde en se tapant sur la cuisse.

Lloyd redressa ses lunettes et répondit avec orgueil :

— Pour ton information, d'après le classement, je me situe à deux places au-dessus de toi.

À cette remarque, l'hilarité sur le visage de Clyde se dissipa aussi vite qu'elle était apparue.

— Attends… C'est impossible, dit-il d'un air incrédule, y a deux semaines, j'ai refroidi deux gars à Philadelphie.

Antonin et le stagiaire quittèrent la voiture. Lloyd fit de même et claqua la portière avant de s'y pencher, les deux bras repliés.

— Il serait de bon ton de te mettre à la page, mon cher. Je sais que tu as pris pour habitude d'en louper quelques-unes lorsque tu ne comprends pas certains mots, mais de là à déjà te trouver à l'index…

Il leva son regard sur le ciel dégagé et ajouta avec un sourire hypocrite :

— Belle journée pour gagner une place. N'est-il pas ?

Marmonnant des mots inaudibles, Clyde lança des éclairs au dandy qui entra en sifflotant avec les deux hommes dans la boutique.

L'intérieur n'était pas très grand, mais il y avait assez de place pour faire entrer dix clients. Des vêtements étaient entreposés sur des étagères pour être retouchés et d'autres pliés sur des présentoirs en bois ou habillant des mannequins et destinés à la vente. Tous exclusivement masculins. Une odeur boisée imprégnait le lieu et se mélangeait avec un parfum au soupçon de musc adopté par nombre de messieurs. Au fond de l'atelier se trouvait une grande table avec tous les outils indispensables pour la confection des costumes : mètre ruban, machine à coudre, patrons, ciseaux… Malgré sa bonne réputation, il n'y avait en ce lieu pas âme qui vive. Dans l'attente d'un client, Antonin et Lloyd s'étaient repliés avec le stagiaire près de la caisse enregistreuse.

— Où est le proprio ? demanda Antonin au dandy.

— Chez un riche client pour un rendez-vous à domicile. Ou plutôt chez l'une de mes riches connaissances. Je lui ai promis de ne faire aucune tache jusqu'à son retour.

— Il t'a laissé les clés de la boutique sans poser de questions ?

Antonin en fut étonné à un point tel qu'il ne vit pas l'homme pousser la porte de la boutique.

— M. Mac Culloch et moi, c'est une longue histoire, répondit Lloyd avec fierté. C'est ici même que je fais élaborer depuis plusieurs années tous mes costumes sans exception. Et connaissant mon jugement irréprochable dans la mode, il n'a eu aucun mal à me faire confiance pour le remplacer quelques…

Lloyd s'interrompit. Quelque chose vers les présentoirs venait de l'interpeller. Il eut soudain un air horrifié, comme si le monde avait soudainement pris feu sous ses yeux.

— Seigneur Dieu ! s'exclama-t-il scandalisé, une main sur le cœur.

Antonin tourna vivement son regard dans la même direction que son ami. En face, un client à l'aspect banal comparait différentes chemises trop grandes pour lui. Il s'évertua à chercher un autre détail qui pouvait être responsable de cet affolement soudain. Il n'y avait pas de fumée dans la boutique, ni de vol à la tire. Alors, qu'est-ce qui avait bien pu l'affoler ? Rien ne lui sauta aux yeux. Le jeune homme décocha un regard interrogateur au chasseur désemparé pour plus d'explications.

Lloyd pointa le client d'un doigt accusateur.

— Je suis outré, écœuré, révolté. C'est… impardonnable ! tempêta-t-il à voix basse. Il n'y a pas d'autres mots. Inadmissible, tout à fait inadmissible. Comment peut-on oser ? C'est une infamie qui mériterait plus que la peine de mort. Ne vois-tu donc rien ?

Antonin haussa les épaules pour lui signifier qu'il ne voyait pas de quoi il lui parlait.

— J'ai comptabilisé chez cet homme trois fautes de goût inacceptables. Et je pèse mes mots.

Le cœur du dandy névrosé avait manqué un battement à cette vision effroyable. Antonin roula des yeux à tant de caprices. Lloyd ne pouvait pas s'empêcher de détecter l'infime détail ou la faille superflue, des erreurs qu'il devait aussitôt corriger, au risque d'y penser toute la journée. Un jour, il lui était même arrivé d'arrêter un chasseur concurrent dans sa chasse pour lui conseiller de changer sa chemise aux motifs grossiers. Ce geste citoyen lui avait valu de perdre mille dollars de gain sur son plan retraite.

Le dandy resserra sa cravate, puis adopta une allure résolue. Il n'allait certainement pas laisser passer ça. Un grand sourire commercial aux lèvres, il accosta le client avec toute la courtoisie nécessaire pour ce type d'exercice.

— Bonjour, monsieur. Puis-je vous aider ? demanda-t-il avec une déférence surfaite.

Une phrase d'accroche qui n'enflamma pas le client. Celui-ci paraissait ne pas connaître la raison de sa venue dans cette boutique.

Au vu de son apparence, il était même certain qu'il ne s'était jamais risqué à passer un jour la porte d'un quelconque tailleur. Comment osait-on se fagoter de la sorte ? Même un pingouin avait plus de chic que lui. L'oiseau n'avait pas la démarche gracieuse, mais lui au moins, il portait le smoking.

— Oh ! euh… oui, peut-être… ânonna le client. Je cherche des chemises à manches courtes.

— Des chemises à manches courtes, qu'est-ce qu'il ne faut pas entendre, maugréa Lloyd pour lui-même.

Prenant sur lui, le dandy s'efforça de retrouver son amabilité de commerçant et reprit le cours de sa vente :

— Hum. Puis-je vous suggérer tout autre chose qui vous irait à ravir ?

— Oui, mais je…

— Ne vous inquiétez pas, suivez-moi et faites-moi confiance.

Avec une main dans son dos, Lloyd poussa son client à rejoindre la pièce dédiée aux essayages.

Pendant ce temps, le reste du groupe attendait patiemment le retour de leur camarade. Assis dans la voiture à la place du conducteur, Jim observait la rue, et Archie se reposait, les yeux fermés, sur le siège passager. Ces moments d'inactivité étaient bénéfiques pour les chasseurs. Ils leur permettaient de canaliser leur énergie et de rassembler leurs pensées. Une sorte de méditation pour maintenir leur concentration avant de s'attaquer à leur contrat. Du moins, pas pour Clyde qui s'énervait toujours contre Lloyd sur la banquette arrière :

— Merde ! Sérieusement les gars, Lloyd ne peut pas être mieux placé que moi ?

Il se redressa vivement et s'accouda entre les sièges avant.

— Et puis, c'est qui le clown entre nous ?

— Sawyer, marmonna Archie, sans ouvrir les yeux.

— Quoi ? Cet idiot de Sawyer ! s'indigna Clyde en s'étouffant presque. Y a trois jours, j'ai vu ce type bouffer entièrement une saucisse avariée. Une saucisse de cinq cents grammes aussi grosse que l'cul d'une vache. Il l'a enfournée dans sa bouche, comme une dinde qu'on aurait farcie jusqu'au croupion. Et cinq minutes après, il a tout recraché par-derrière. J'mens pas, c'était comme voir de la merde sortir d'un éléphant. Ça n'en finissait pas !

Aucun de ses deux amis ne réagit à cette chute ignoble. En plein désarroi, Clyde se renversa lourdement dans son siège. Il se demanda comment son monde avait pu basculer dans la misère à cause d'une grande perche bigleuse préférant une partie de cricket à un combat de boxe anglaise.

— Fait chier, Sawyer, merde ! tonna-t-il en donnant un coup de pied dans le siège d'Archie, ce qui le fit sursauter.

Dans le salon d'essayage, Lloyd regroupa tous les vêtements et accessoires indispensables pour l'incroyable transformation de l'homme fade en homme du monde. Il attendit que le client se change dans une cabine, puis il lui demanda de sortir pour lui faire revêtir une veste de costume d'une grande marque anglaise. Lloyd constata le résultat final et fut très fier de ses choix vestimentaires. Le client portait un ensemble chic qui valait plus que son salaire annuel dans la compagnie d'assurances par laquelle il était employé. Jamais il ne pourrait se le payer, sauf s'il s'endettait sur les dix prochaines années. Comme pour achever son chef-d'œuvre, le dandy épousseta des mains les épaules de l'acheteur.

— Parfait, tout simplement parfait, dit-il, souriant.

— Euh… mais pour le prix, c'est… grimaça le client.

— Ne vous inquiétez pas. Vous faites une très bonne affaire. Et ne dit-on pas que chaque chose a son prix ?

— Si vous le dites.

Lloyd plaça son élégante marionnette face à un grand miroir. Le client resta dubitatif devant son reflet et aussi le clin d'œil du tailleur extatique.

— Toutefois… encore un détail.

Le vendeur improvisé retourna face à lui le client par les épaules.

— Votre cravate est mal ajustée. Je vais vous l'arranger. Ne bougez pas, cher ami.

Lloyd rajusta la cravate, le client l'en remercia. Le nœud se resserra.

— Ça ira comme ça, signifia le client, asphyxié.

En un battement de cils, la gaieté de l'aimable vendeur se transforma en une froideur glaciale. Les yeux du client s'écarquillèrent d'épouvante. Il venait de comprendre. Malheureusement, il était déjà trop tard pour refuser l'offre commerciale. D'un coup sec, Lloyd serra de toutes ses forces le bout de tissu autour du cou de sa proie. Le client se débattit, mais le manque d'oxygène l'obligea à rester sur place. C'en était presque comique. Avec ses mocassins défraîchis dérapant sur le parquet verni, il était comme un Fred Astaire faisant un numéro de claquettes sur une patinoire. Il ouvrait et fermait sa bouche tel un poisson hors de l'eau, pour happer le peu d'air qu'il arrivait à dérober. L'aspect de son teint passa par différentes couleurs. D'abord blême, puis rouge, pour finalement prendre une nuance bleuâtre.

Amer, Lloyd murmura à sa proie :

— Ne jamais boutonner sa veste entièrement.

Le Cygne ne lâcha pas son étreinte, jusqu'à ce que le client tourne de l'œil, suffoque et meure. Les bras croisés, Antonin attendait, impatient, la fin de la suppression, tandis qu'à ses côtés, l'apprenti s'empêchait de s'évanouir devant ce pernicieux défilé de l'horreur. Le corps, dépourvu de force, chuta mollement. Les yeux vitreux du client étaient exorbités et sa bouche restée entrouverte, comme dans l'espoir d'obtenir un nouveau souffle de vie. Lloyd le détroussa de son portefeuille. En plus de mener à bien son contrat, il avait fait d'une pierre deux coups en débarrassant la planète de cet abject individu aux goûts condamnables. Le dandy était un adepte du recyclage et se souciait de tout temps de son environnement, surtout visuel. Devant les yeux ahuris du stagiaire, il se para de son chapeau en revenant avec nonchalance dans la salle de vente et lança :

— Commandement numéro un : toujours s'habiller avec goût.

Au suivant. Ce fut au tour d'Archie de remplir sa mission. Il se rendit pour cela chez un barbier du quartier d'à côté. Par la porte d'entrée semi-vitrée de la boutique, il jeta un œil à ses acolytes restés dans la voiture, puis tourna le panneau d'horaires « ouvert » en « fermé ». Derrière lui, un homme ventripotent était confortablement installé dans un large fauteuil en cuir. Il attendait qu'on s'occupe de lui, ses deux gros bras appuyés sur les accoudoirs et ses petites jambes étendues sur un repose-pieds. C'était un homme d'affaires qui profitait de sa pause pour se faire raser la barbe. En sentinelle, Antonin et le stagiaire tenaient compagnie à leur collègue dans l'espace d'attente. Ils lorgnaient la scène par-dessus leur magazine qui annonçait en couverture les titres *« Prenez soin de vous »* au-dessus de la photo d'un couple sur un canapé, et *« Devenez un vrai mâle »* illustré par un homme musclé en sous-vêtement étriqué. Entre eux deux, un vieil homme endormi d'environ soixante-quinze ans tenait faiblement une revue sur laquelle figurait une femme allongée sur le sable fin d'une plage ensoleillée, avec le slogan : « Faites une pause. » Il s'agissait du propriétaire de la boutique, qu'Archie avait pris soin de neutraliser au chloroforme, après que celui-ci eut posé une serviette chaude sur le visage de l'homme d'affaires, une méthode employée par les barbiers pour ne pas fragiliser la peau par l'aller-retour de la lame. Ainsi, l'homme se croyait toujours le seul client du salon.

L'homme au chapeau melon s'approcha du client à la vue occultée et prépara le nécessaire pour son rasage « spécial

Archibald ». Il disposa sur un plateau : un blaireau, une serviette, de la mousse à raser et l'élément essentiel, un coupe-chou. Ne suspectant pas la supercherie, le client discuta avec Archie comme s'il s'agissait encore du vieux barbier qui l'avait accueilli un peu plus tôt.

— Je vous prie de vous dépêcher, exigea le client d'un ton impératif. J'ai un rendez-vous qui m'attend dans moins d'une demi-heure.

— L'efficacité est notre seul mot d'ordre, monsieur, répondit Archie.

— Eh, qui c'est qui cause ? Vous n'êtes pas Stan ! s'étonna le client subitement.

— Exact, je suis son neveu. Il m'a engagé comme apprenti.

— Mouais… bah, j'aime pas trop ça. Ça fait toujours des erreurs, les apprentis…

— Ne vous inquiétez pas, je serai aussi doux qu'un agneau.

— Bon, je veux bien vous faire confiance. Mais seulement parce que vous êtes de la famille du vieux Stan… Alors, pas de bêtises, le neveu, hein ! notifia le client en dressant son index en l'air en signe d'avertissement.

— Promis, monsieur.

Archie se mit au travail. Il prit le blaireau et trempa ses poils dans un bol d'eau tiède en écoutant l'homme d'affaires lui faire la conversation.

— Il me faut ce poste. Cet idiot d'Hernandez n'arrête pas de faire de la lèche au patron. Il a peut-être les bonnes idées et il fait de meilleurs chiffres, mais ça ne suffit pas. Moi vivant, jamais ce Latino n'aura ma place. Plutôt mourir que de voir ce *Mexicano* à ce poste. Je crois même qu'il est colombien ou argentin… Arf, c'est pareil ! Ils se ressemblent tous pour moi. Ils envahissent déjà notre pays, ils ne vont pas non plus prendre notre travail. J'ai pas raison ? L'Amérique s'arrête à la frontière mexicaine, c'est pour ça qu'on appelle ça une frontière. Apparemment, ils ne comprennent pas. Ce monde devient fou. C'est comme en 56 en Alabama ! J'arrive toujours pas à croire à ce qu'il s'est passé. Hein, vous vous en souvenez, Stan ? lança l'homme d'affaires à l'intention du barbier, sans attendre de réponse particulière.

— Mon oncle est allé dans l'arrière-boutique, l'informa Archie.

— Ah ? dit simplement le client avant de reprendre, indifférent : Bah, je vais vous le dire, cette année-là, la Cour suprême a déclaré anticonstitutionnelle la ségrégation raciale dans les bus. Franchement, je vous jure, dans quel monde vit-on ?

Un mépris à peine déguisé se dessina sur sa mine bouffie à cette putride réflexion. Imperturbable, Archie fit comme si de rien n'était. Il mélangea la mousse blanche avec son blaireau, comme pour faire monter une mayonnaise.

— Vous voulez savoir ce que moi, je trouve anticonstitutionnel ? continua de proférer le client. C'est d'avoir laissé cette ville devenir une vraie décharge en offrant à ces gens-là plus de liberté. Et vous savez à qui on doit toute cette pagaille ? Aux démocrates et aux femmes ! Oui monsieur, parfaitement. Depuis qu'elles ont le droit de vote, tout part à vau-l'eau dans c'pays. Manquerait plus que la mienne travaille, tiens ! Je lui ai dit, à ma femme. Nicole, une épouse, ça doit rester aux fourneaux, pas au bureau. Non mais. Une p'tite claque et elle est repartie à son ménage. Faut pas leur laisser croire qu'elles peuvent faire les tâches d'un homme. Si les rênes de ce pays sont tenues par des hommes, c'est qu'il y a de bonnes raisons. Vous imaginez si l'une d'elles était à la tête du pays ? Bon Dieu, ce jour-là, moi je vous le dis, ça serait la fin de tout. J'espère ne plus être de ce monde, si cela devait arriver.

Toujours sans un mot, Archie plia la serviette chaude en quatre pour ne recouvrir que les yeux du client. Peu habitué à ces manières, celui-ci demanda au barbier pourquoi il n'ôtait pas intégralement le tissu mouillé. Le chasseur vanta les mérites d'une méthode révolutionnaire qui, apprise à son école de barbiers imaginaire, permettait au client de se détendre pendant les soins procurés.

— Vraiment ? fit le client, abasourdi. C'est la première fois que j'entends une chose pareille.

— Ah ! mais c'est que dans notre métier, nous faisons évoluer les techniques, signala Archie. Croyez-moi monsieur, vous serez encore plus détendu que lorsque vous êtes entré. Regardez notre président, aussi frais qu'un nouveau-né.

— Eh bien, faites.

Sitôt dit, sitôt fait. Archie badigeonna de mousse à raser avec sa brosse la partie inférieure du visage du client. Un bruit indistinct parvint à leurs oreilles lorsqu'il atteignit son cou : le vrai barbier avait accidentellement fait tomber son magazine à ses pieds. Redoutant de s'être fait repérer, Antonin ferma les yeux et le stagiaire se liquéfia sur sa chaise en cachant son visage empourpré avec sa revue.

— Qu'est-ce que c'était ? s'alarma l'homme d'affaires. Stan ? C'est vous ?

— Ce n'est rien, mentit spontanément Archie. Je… j'ai fait tomber mon rasoir.

— J'espère que vous serez plus habile lorsque vous me raserez la barbe.

— Bien évidemment, monsieur. Dans notre métier, la précision est un art, dit Archie en prenant possession du coupe-chou pour faire jouer son reflet avec la lame.

Adossé contre le pare-chocs avant de la voiture, Clyde fumait une cigarette en râlant toujours contre Lloyd, confiné dans la voiture. Hors de question pour lui de partager le même air que ce rat de bibliothèque. Il était encore bien trop secoué par ce qu'il venait d'apprendre. Lloyd Steadworthy, meilleur chasseur que lui… Non mais, et puis quoi encore ? Autant dire que Gary était l'employé de l'année, pendant qu'on y était !

Dans le véhicule, personne ne parlait. Jim somnolait derrière le volant tandis que Lloyd, assis sur le siège passager, lisait la nouvelle

*L'Homme des foules* d'Edgar Allan Poe. Les vitres remontées du véhicule les isolaient des désagréables bruits citadins et des commentaires déplaisants de leur ami. Un bonheur sensoriel délectable pour les deux hommes. Pas de dispute ni de question crétine. Ils profitèrent tous deux de ce silence commun, du moins jusqu'à…

— C'est un temps splendide, n'est-il pas ?

Au grand dam de Jim, Lloyd s'était arrêté de lire et voulait maintenant entamer une conversation. Une activité sociale dont ne raffolait pas le grand brun, et à laquelle il rechigna à participer. Manque de chance pour le taiseux, son abstention ne gêna aucunement le dandy, capable de palabrer avec son propre reflet.

— Ce soleil, ce ciel bleu, ces feuilles d'arbres aux multiples couleurs, énuméra-t-il, réjoui. Vraiment, je trouve New York resplendissant à cette époque de l'année.

Le regard de Jim resta obstinément fixé sur la rue.

— Ah ! le silence. N'y a-t-il rien de plus merveilleux que le silence ?

Jim soupira légèrement.

— Cela me rappelle le temps où, lorsque j'étais encore enfant, j'allais rendre visite à ma chère tante Hélène. Elle me disait toujours : « Mon petit Lloyd, profite de ces moments de plénitude parce que l'on ne sait jamais comment tournera le monde demain. »

Les lèvres pincées, Jim présentait des signes d'agacement. Il tapotait le volant de ses doigts tandis que la veine de sa tempe droite se gonflait à la mesure des mots débités.

— Je me souviens que j'adorais m'asseoir sous ce petit cerisier au fond de son grand jardin, continua de psalmodier Lloyd rêveusement. Je consacrais ces chaudes journées d'été à lire du Baudelaire. Parfois, il m'arrivait de sentir une fine brise caresser mon visage et…

Trop, c'est trop. Plus rapide qu'une gazelle fuyant un lion à sa poursuite, Jim quitta le véhicule en claquant la portière pour rejoindre Clyde au coin fumeurs. Il demanda du feu à son collègue et vénéra le boucan urbain, beaucoup plus agréable à son sens que celui de l'autoradio humain qui émettait en continu sur le siège avant. Heurté par ce choix, Lloyd haussa un sourcil à ce lâche et inapproprié abandon. Être frappé avec un gant au visage aurait été tout aussi douloureux. Le dandy ravala sa dignité d'un raclement de gorge, rouvrit son livre à son marque-page et retourna à sa lecture en soupirant :

— Charmant…

Maintenant, Archie rasait délicatement la joue de son client aveuglé. Il mania son rasoir en plusieurs va-et-vient. Après deux passages supplémentaires, il incisa superficiellement la peau distendue de l'individu.

— Eh ! faites donc attention, enragea l'homme d'affaires en se redressant brusquement.

Quel maladroit ! La coupure ressemblait à celle d'une griffe de chat, mais restait malgré tout profonde. Une goutte de sang roula le long de la joue charnue. Archie corrigea rapidement son erreur avec un mouchoir. Le bout de tissu s'imprégna du liquide rougeâtre au contact de la blessure. Il n'était vraiment pas fait pour ce métier. La peau nettoyée, il jeta le déchet sanglant dans une poubelle et reprit le cours de sa tâche pour laquelle il était payé.

— Pardonnez-moi, monsieur, s'excusa-t-il, je n'ai pas encore acquis tous les gestes du métier.

— Peut-être, mais moi, je ne veux pas finir en steak haché. Alors maîtrise ta lame, le neveu, ou c'est moi qui m'improviserai barbier.

— C'est tout nouveau pour moi, monsieur. Dans mon ancien job, on ne faisait pas dans le détail. Pour tout vous dire, on tranchait plutôt dans le vif.

— Ah bon ? Et qu'est-ce que c'était, votre gagne-pain, avant de couper des tifs ?

Le regard d'Archie passa de droite à gauche à la recherche du parfait mensonge.

— J'étais… boucher.

Le client s'affola de cette réponse.

— Bouch… !

D'un geste ferme, Archie obligea l'homme d'affaires à rester dans son siège. Il prolongea son rasage et chatouilla les lèvres du client avec sa lame.

— Détendez-vous. J'ai presque terminé…

La Pie effleura la gorge boudinée de la lame qu'il nettoya, replaça, glissa encore. L'apprenti barbier se surprit à prendre vite le coup de main. Ce n'était tout compte fait pas si compliqué. D'une main sûre, il répéta ces gestes plusieurs fois. La peau prenait vie à chaque coup de lame. Elle se mouvait comme une vague. La lame d'acier effaçait tous les poils disgracieux sur son passage. Avec ses doigts, Archie étira la peau pour atteindre au plus près l'épiderme. La beauté du geste l'émouvait presque. C'était une chorégraphie qui ne tolérait aucune étourderie. Chaque carré de mousse disparaissait pour laisser place à une peau douce et sans défauts. La lame s'aventura plus bas. Et encore plus bas. Elle descendit sous le menton adipeux puis, lentement, elle vint se poser pile sur la pomme d'Adam. La petite chose se mit à bouger à son effleurement. Les yeux d'Archie étincelèrent. Fini de jouer. Concentré, le chasseur posa une main ferme sur le cou. De l'autre, il pressa légèrement le rasoir dans la peau et… *SLASH !* Du sang fusa. La lame grise devint rouge translucide. Une longue entaille traversait la gorge du client ouverte en deux. Le sang épais s'écoula sans discontinuer par la déchirure, comme l'eau d'un robinet qu'on aurait oublié de refermer. Il s'agissait, pour le barbier novice, d'une faute professionnelle pour le moins meurtrière. Pas sûr qu'après ça, la technique Archibald ferait des émules dans le monde de la coiffure, ou recevrait de bons retours client.

— T'aurais pu le faire dès le début, gronda Antonin en balançant sa revue.

— Je suis perfectionniste et j'aime bien lorsqu'ils sont présentables, rétorqua Archie alors qu'il rasait un dernier coin de barbe du mort. Si j'étais le Tout-Puissant, j'apprécierais cette note d'attention.

Excédé, Antonin soupira et leva les bras au ciel.

La bande effectua un autre déplacement. La voiture était à présent garée entre une Cadillac Eldorado et une Packard Super Eight rutilantes, sur le parking d'un terrain de golf huppé. Les chasseurs se trouvaient devant les grilles d'un club sportif très sélect. Un lieu cossu accessible avec une carte de membre exclusivement décernée à ceux qui en avaient les moyens ou le pouvoir. Sans surprise, Clyde ne détenait ni l'un ni l'autre. Néanmoins, sa roublardise lui avait toujours permis de forcer toutes sortes de serrures. Il en avait vu d'autres, et ces nantis seraient bien incapables de lui interdire l'entrée. L'astuce fut vite trouvée. Il ouvrit le coffre du break et tira une grosse valise qui contenait un pêle-mêle de vêtements. Il récupéra des affaires et refila deux tenues à ses compères. Entre deux voitures, les trois chasseurs se dépêchèrent de se changer. Les habits tombèrent un à un pour être vite remplacés par d'autres. Leurs poils mis à nu se hissèrent au contact du froid. Tremblotant, Antonin et le stagiaire s'échangèrent à la hâte des vêtements correspondant à leur taille. Gilets en laine sans manches, pantalons bouffants, chaussettes longues et casquettes plates s'enfilèrent successivement. L'essayage terminé, ils étaient la copie conforme de joueurs de golf. Sauf Clyde qui avait opté pour une autre tenue, plus personnelle. En se regardant dans la vitre arrière de la Ford, il agrafa une épinglette en or sur le revers de sa veste et se recoiffa en glissant une main dans ses cheveux. Opérationnel, il passa le contrôle élitiste sans accroc, embarquant avec lui Antonin et le stagiaire dans sa mission.

Dans la voiture, Jim était resté à la place du conducteur, Lloyd à celle du passager et Archie sur la banquette arrière. Les deux hommes menaient depuis plusieurs minutes un grand débat, au désespoir du conducteur.

— Ce que tu dis est irrationnel, s'exaspéra Archie. Comment une petite chose aussi belle et innocente, et qui procure autant de plaisir, pourrait-elle tuer un homme ? C'est comme un bonbon qui fondrait dans la bouche ou une tarte aux pommes sortant du four.

— Ce n'est pas moi qui le dis mais la science, répliqua Lloyd.

— Ouais, eh bien, si tu veux mon avis, la science devrait s'étouffer avec sa connerie.

Pour démontrer son point de vue, Archie présenta une cigarette comme s'il s'agissait d'un objet divin entre le visage des deux hommes inflexibles.

— Car crois-moi, cette merveille, c'est les vignes du paradis, ajouta-t-il.

— Il est sûr qu'à l'allure où tu les fumes, tu y atterriras plus vite que tu ne le penses.

— Non. Et tu sais pourquoi ? Parce que je suis comme un caramel. Si tu me croques, tu te casseras les dents, et si tu veux que je disparaisse, il faudra que tu me suces très longtemps.

Plus qu'agacé, Jim rabattit son chapeau sur ses yeux et poussa un long soupir. Il avait hâte que cette journée se termine.

Une heure plus tard, un homme habillé tout de blanc avec une casquette plate sur la tête arrivait à la fin de sa partie sur le parcours de golf. Il ne lui restait plus qu'un coup pour réaliser un birdie et aller fêter sa réussite au bar du club avec un bon verre de rhum. Il observa la position de sa balle, puis le trou signalé par un drapeau rouge. C'était la cible qu'il devait atteindre pour couronner son jeu d'un franc succès. Il évalua la distance entre lui et son objectif. Deux mètres, pas plus. Un coup qui relevait plus de la concentration que de la technique. Pour cette frappe délicate, il avait besoin du club adéquat. Le joueur tendit son bras vers son caddie qui n'était autre que Clyde. Quoi de mieux pour intégrer un club, où les apparences jouaient un rôle primordial, que de revêtir l'uniforme du personnel dont les membres ne retenaient jamais le nom ou le visage ? L'Écossais sortit un putter du sac de golf pour l'offrir au golfeur. Un peu plus loin, Antonin et le stagiaire, faisant mine de choisir des clubs, observaient discrètement la scène. Il n'y avait pas de vent, le ciel était clair et le soleil ne l'aveuglait pas. Toutes les conditions étaient réunies pour que le joueur réussisse sa tentative. Rien ne pourrait le faire échouer. En exerçant une rotation de son buste, il chercha la meilleure posture pour se situer dans l'axe parfait de sa future victoire. Les mains croisées dans le dos, Clyde regardait le sportif s'appliquer.

— C'est une splendide journée pour une partie de golf, s'exalta le golfeur, club en main. Ne trouvez-vous pas, Patrick ?

— Très belle, monsieur, confirma Clyde.

— Ne le prenez pas mal, Patrick, mais j'aurais aimé que Jeffrey soit présent. Il a le don de me porter chance, surtout lors de phases critiques comme celle-ci.

— J'essayerai de faire de mon mieux pour être à la hauteur, monsieur.

— Merci, mon ami. Ce pauvre Jeffrey, il est vraiment dommage qu'il soit tombé malade par une pareille journée. Savez-vous ce qui a pu lui arriver ?

— Une allergie aux crustacés à son petit déjeuner, monsieur.

Le joueur fronça les sourcils.

— Aux crustacés ? répéta-t-il, incrédule.

— Oui, monsieur. Une coquille dans son œuf.

L'homme à la casquette se mit à rire de bon cœur à la blague.

— Personnellement, même malade, je ne rate jamais une journée de golf, si cela peut me permettre d'éviter ma femme.

Toujours à geindre, à demander plus. On est bien mieux entre hommes, n'est-ce pas, Patrick ?

— Je ne sais pas, monsieur. J'aime ma femme.

Le golfeur se gaussa, puis se replongea derechef dans sa partie. Dos au sac de golf, le caddie trompeur le suivit faussement dans son hilarité, puis exploita cette inattention pour tirer subrepticement une batte de baseball de l'étui à clubs. Il avait en tête une autre partie de jeu et il comptait bien tripler ses points. Le joueur visualisa son coup. D'un geste précis, il poussa la petite balle blanche dans son axe avec son putter. Le prétendu salarié en profita pour s'approcher derrière lui sans faire de bruit. L'expression de son visage se crispa tandis qu'il levait sa batte en l'air. Il amorça son swing, visa le crâne du sportif et… *BAM !* Coup magistral et fatal. Le type perdit instantanément connaissance sur l'herbe fraîchement tondue du parcours. L'occasion de voir sa balle continuer victorieusement sa route dans le trou s'envola, tout comme celle de profiter de l'offre promotionnelle sur tous les cocktails servis au bar du club. Parfois, il valait mieux rester chez soi avec sa femme.

Clyde s'accroupit près du corps inerte et l'invectiva :

— Personnellement, c'est grâce à des types comme vous que je ne manque jamais une journée de travail, *monsieur*.

Indigné, il confisqua la casquette plate sur le crâne ensanglanté du vainqueur le plus malchanceux du jour.

Changement de décor. Dans le centre-ville, une galerie d'art organisait le vernissage d'un artiste à la mode. Des amateurs d'art triés sur le volet étaient venus admirer une exposition en avant-première. L'agencement de la réception était chic et détendu. Les invités discouraient sur les tableaux exposés tout en festoyant autour d'alcools et de petits-fours gracieusement offerts par des serveurs endimanchés. En vérité, la plupart s'étaient déplacés plus pour la mention de *buffet gratuit* sur le carton d'invitation que pour s'émerveiller de la dextérité d'un artiste adulé par bon nombre d'entre eux.

Ce coup-ci, c'était à Jim d'enseigner sa virtuosité dans l'art du crime. Avant toute chose, trouver la cible. Le Rossignol s'exila en douce derrière un panneau d'exposition afin d'inspecter les alentours. Il avait préféré pour ce contrat revêtir la tenue de serveur à celle d'admirateur. Ce choix rusé lui évitait d'interagir directement avec la masse pour laquelle il éprouvait une franche aversion. Dans la peau de visiteurs, Antonin et le stagiaire s'étaient parés de leurs habits de tous les jours pour être de la partie. Lloyd s'incrusta lui aussi à la fête. Il fut au départ convenu que le dandy resterait dans la voiture, mais en tant qu'amoureux des arts, celui-ci n'aurait voulu pour rien au monde manquer une occasion de se cultiver. Et s'il pouvait en plus s'éloigner de Clyde, c'était la cerise sur le gâteau.

— T'étais obligé de venir ?

Lloyd détacha son regard d'un tableau pour le porter sur le visage interrogatif d'Antonin.

— Rares sont les sorties culturelles que nous pratiquons, répondit-il. D'autant que la peinture me fascine tout particulièrement. D'un coup de pinceau, l'artiste donne vie à une création qui, à l'origine, errait dans son imagination et…

— Ça va, j'ai compris…

Tout en gardant un œil inquiet sur les convives, le stagiaire demanda à son mentor :

— Euh, pardonnez-moi, mais comment votre Rossignol va-t-il réussir à faire disparaître sa proie avec autant de monde ?

— La chasse est une affaire de déguisement, alors tais-toi, regarde et apprends, ordonna Antonin.

L'apprenti obtempéra. Il se concentra avec zèle sur l'assemblée et localisa Jim en smoking serpentant parmi les invités avec un plateau en argent sur une main. Son visage était sérieux et son maintien semblable à celui des serveurs des grands palaces. Dans sa course, le chasseur frôla un homme, une femme âgée, un couple.

Il ne s'arrêta pas, jusqu'à jeter son dévolu sur un visiteur dégustant un verre de vin devant une peinture abstraite dont il ne parvenait pas à saisir le sens. Que ce soit à l'envers ou à l'endroit, ces drôles de formes n'en avaient pas. Il aurait bien offert une règle à ce peintre farfelu pour corriger ces traits informels. Jim le tira de sa contemplation d'un raclement de gorge. Il inclina imperceptiblement son plateau sur lequel était posé un papier plié en deux. Le destinataire prit le message et remercia le serveur qui se retira dans la foule. Ses yeux brillèrent. Apparemment, l'objet du billet avait fait naître en lui un grand intérêt. Il regarda tout autour de lui, puis cibla avec un grand sourire une porte indiquant : « Interdit au public ». Ce vernissage prenait une tournure fort intéressante.

Au-dehors, la voiture des chasseurs était garée dans une rue avoisinant la galerie. Clyde assis sur le siège passager, et Archie allongé, ses longues jambes repliées, sur la banquette arrière. L'homme au chapeau melon commençait à trouver le temps long. Il passa du chant au sifflotement puis pratiqua avec sa bouche de drôles de grimaces pour tromper son ennui. Après cinq minutes, il consulta sa montre et fit retomber lourdement sa main sur son torse.

— Tu crois qu'ils ont bientôt terminé ? demanda-t-il à son ami.

Tout aussi las, Clyde mâchait la bouche ouverte un chewing-gum qui avait perdu toute sa saveur.

— J'sais pas, répondit-il, entre deux masticages.

Archie se redressa sur ses coudes et geignit :

— J'meurs de faim…

Clyde fouilla un sac à ses pieds. Il trouva une pomme donnée par sa femme en cas de fringale et la jeta à son ami à l'aveuglette. Excellent sportif dans sa jeunesse, Archie eut le réflexe d'empaumer le fruit à quelques centimètres à peine de son visage inexpressif. René Magritte aurait pu se servir d'Archie comme modèle pour peindre une deuxième fois son œuvre, *Le Fils de l'homme,* si la pomme lancée n'avait pas été rouge.

Dans la galerie, le visiteur poussa la porte interdite au public. Cette pièce stockait un ensemble de toiles vierges et de tableaux achevés. De différentes tailles, certains étaient accrochés sur les murs, d'autres se trouvaient sur le plancher. L'homme entra dans le capharnaüm artistique sur la pointe des pieds. Il n'avait pas le droit de se trouver ici, mais braver cet interdit pour un autre, encore plus orgasmique, l'appâtait follement.

— Madame Jenkins ? chuchota-t-il avec son message à la main. Êtes-vous ici ? J'ai reçu la note que vous m'avez fait transmettre.

Jim se tenait dissimulé dans un recoin de la réserve. Caché par des peintures, il regarda le visiteur faire quelques pas dans la pièce en tenant dans une main un pistolet semi-automatique High Standard HDM. Un modèle d'arme équipé d'un silencieux, efficace et apprécié par les chasseurs pour supprimer un individu dans un murmure.

— Je suis surpris que vous m'ayez convié à cette rencontre.

Jim brandit son arme et ferma un œil pour verrouiller son objectif.

— Moi qui pensais que votre mari vous suffisait…

La respiration du chasseur était posée. Son cœur battait au ralenti. Il ôta la sécurité de l'arme et pressa la détente à mi-chemin. Le regard aiguisé, il attendit que le visiteur atteigne la position idéale. Celui-ci s'avança d'un pas, puis d'un second. Lorsqu'il se trouva devant une grande toile vierge, trois tirs furent portés dans son dos. Le son des coups de feu fut aussi sourd que des chuchotements. Le visiteur s'effondra comme une masse sur le support blanc et glissa de tout son long jusqu'au sol. Une longue traînée de sang dessina sa chute sur la toile.

Du côté des visiteurs, les trois autres chasseurs faisaient le pied de grue devant la porte interdite. Encore une minute de patience.

Les yeux fixés sur sa montre, Antonin attendit que la trotteuse achève son tour, puis confirma que le travail était fait.

— La mort silencieuse ! s'extasia Lloyd. Il est dommage que le directeur ne puisse pas commander tout un lot de ces petits bijoux mécaniques…

Lorsque aucun regard ne fut plus porté sur eux, les trois hommes rejoignirent Jim qui rangeait son arme à feu dans une mallette ouverte aux pieds du corps sanguinolent. Cette suppression proprement exécutée laissa le stagiaire muet d'admiration. Pas de quoi impressionner toutefois les chasseurs spécialistes. Pour eux, l'exercice était aussi naturel que de nouer une cravate les yeux fermés. D'entrée, le regard de Lloyd fut attiré par la toile de sang. Il ignora royalement le cadavre et l'enjamba pour être au plus près de la peinture. En ajustant ses lunettes, il l'expertisa avec fascination. C'était un art vivant qu'il n'avait jamais eu la possibilité de voir, et il était enchanté d'être le premier à assister à une telle prouesse artistique. Tel un critique, il commenta, exalté, en agitant les mains, la toile :

— C'est tout à fait fascinant. Ce mélange entre puissance et agressivité ! Cette explosion de rouge incarnant la lutte des classes, avec cette ligne sans trajectoire, symbole d'un nouvel avenir. J'y vois clairement une représentation de la société actuelle. C'est splendide. L'art est un inépuisable moyen d'expression.

Jim récupéra le message et le portefeuille du visiteur pour effacer toute trace de sa descente.

— Comment avez-vous fait pour l'attirer ici ? demanda l'apprenti, encore sonné par tant de facilité.

Le grand brun tendit le message à Antonin :

*« Rejoignez-moi dans la salle interdite au public. Je brûle de vous voir,*

*Martha Jenkins. »*

— L'art de la séduction, répondit le mentor.

Le contrat achevé, ils quittèrent le vernissage et retournèrent à leur voiture. Les chasseurs échangèrent encore leurs places : Lloyd bouscula Clyde sur la banquette arrière en faisant abstraction de ses plaintes.

— Mes amis, un artiste est né ! s'exclama-t-il sur un ton réjoui.

— Allons-y, le soleil ne va pas tarder à se coucher, dit Antonin.

Le moteur au ralenti, Jim embraya, lança la voiture et s'engagea sur la route.

Prochaine destination, Grand Central Terminal. Une gigantesque gare ferroviaire située dans le quartier de Midtown en plein cœur de Manhattan. Très prisée par la population, elle accueillait chaque jour des milliers de voyageurs et desservait plusieurs comtés de l'État de New York. L'architecture à la fois impressionnante et somptueuse du bâtiment était à l'image de son pays. Le majestueux hall principal était en marbre couleur crème avec, en arrière-plan, deux massifs escaliers symétriques placés de chaque côté. Enclavées dans les murs, des fenêtres aux dimensions vertigineuses étaient renforcées par des grilles en fer qui filtraient la lueur du jour en stries et créaient des puits de lumière, comme le faisceau d'un phare guidant les navires en perdition dans la nuit. En attendant leur train, les voyageurs pouvaient lever leur regard sur le plafond éclairé par des centaines d'ampoules et peint de deux mille cinq cents étoiles, avec des personnages symbolisant des constellations de la Voie lactée ; un ciel imaginaire qui gardait éveillés les voyageurs en perte de repères. Le hall de la gare grouillait de monde. Certains se bousculaient pour attraper leur train sur le départ ou acheter leurs billets aux guichets placés sur les parties latérales. D'autres s'agaçaient du temps d'attente pour obtenir un renseignement au point d'information circulaire, couronné d'une grosse horloge cuivrée à quatre faces au fond d'opale. Tous étaient en quête d'une direction, accoutumée ou inconnue. Plusieurs voix se confondaient pour former un chœur inaudible. C'était une effervescence perpétuelle que seuls les habitués parvenaient à traverser sans être pris d'une crise de panique. Dans ce désordre général, les six chasseurs s'étaient dispersés à des points stratégiques pour identifier les individus. Lloyd et Archie s'étaient positionnés sur chaque balcon dans l'allée surplombant les deux escaliers. L'un sondait la foule ; le second fixait les portes d'accès. Jim et Clyde se trouvaient dans un coin du hall. À l'opposé, Antonin et le stagiaire étaient adossés contre un mur et surveillaient les allées et venues des voyageurs.

Peu avant de gagner son poste, Antonin avait pris le temps d'acheter, au coin de la rue, un hot-dog à un vendeur ambulant. Les déplacements l'avaient affamé et sa mauvaise humeur prenait vite le dessus lorsque son ventre criait famine. Il n'y avait rien de mieux qu'un hot-dog pour se remplir l'estomac, en bon New-Yorkais qu'il était. Entre anxiété et excitation, l'apprenti gesticulait sur place en écoutant son mentor décontracté lui expliquer le système des contrats.

— Le même contrat peut être donné à plusieurs chasseurs, dit Antonin, la bouche pleine. C'est le mode « migration ». Ça permet d'entretenir la compétition et la motivation d'une prime de risque. Plus il y a de personnes sur le même contrat, plus la prime est élevée.

— Comme pour les primes de risque offertes pour les contrats de jour ? demanda le stagiaire.

— C'est ça.

La jeune recrue grimaça en regardant Antonin manger voracement son sandwich. Le pain scindé en deux, avec une saucisse au milieu, contenait plus de sauce que de garniture. La sauce jaunâtre et rouge s'écoulait de tous les côtés à chaque bouchée. Visiblement, les différentes tueries n'avaient pas affecté l'appétit démesuré du chasseur.

— Mais… reprit le stagiaire interrogatif, comment obtenez-vous ces renseignements sur vos proies ? Faites-vous des filatures ?

— Les chasseurs ne font pas d'observation, répondit Antonin en veillant sur la foule. D'autres s'en chargent à notre place. Ils nous fournissent un rapport avec tous les renseignements et ensuite, c'est à nous de mettre en place la meilleure stratégie pour réussir notre mission.

— Qui sont ces personnes ?

— Les rapporteurs.

— Ils sont dans l'Entreprise ?

— Personne ne connaît leur identité.

— Vous ne les avez jamais vus ?

— Si un chasseur venait à connaître l'identité d'un rapporteur, il pourrait y avoir un conflit d'intérêts.

— Ces rapporteurs, ils ne pourraient pas un jour devenir des chasseurs ?

Son hot-dog en suspens, Antonin ancra son regard sérieux dans celui du stagiaire.

— Comprends bien que dans notre job, on n'a pas le droit à l'erreur, dit-il en agitant son écœurant sandwich devant son nez plissé. Certains sont faits pour supprimer et d'autres pour renifler. Les vrais chasseurs ont ça dans le sang.

— Et après que le travail soit fait, que deviennent les proies lorsqu'elles ont été supprimées ?

Le mentor prit une nouvelle bouchée.

— Des nettoyeurs viennent chercher les corps et purifier les lieux.

Il mâcha avec mollesse sa nourriture, le regard perdu dans le vide.

— Comme si rien ne s'était passé… Ce sont des fantômes qui apparaissent et disparaissent sans jamais laisser de trace. Dans le milieu, on les surnomme « les glacières ».

— Pourquoi ?

— Pourquoi ? répéta Antonin, amusé.

Le visage de l'instructeur se fit plus austère :

— On dit que leurs yeux sont aussi froids que l'Antarctique et qu'un seul contact avec leur peau gèlerait ton sang tel un sorbet à la fraise dont ils se délecteraient comme toi de ton bacon grillé du matin.

Le stagiaire déglutit et eut un sursaut lorsque Antonin mordit voracement son hot-dog. Il se reprit et demanda :

— Comment savent-ils lorsqu'ils doivent agir ?

— Et toi, comment sais-tu quand tu dois appuyer sur la détente ?

Antonin lécha un à un ses doigts tachés de sauce.

— Pour eux, c'est la même chose. Chacun sa place, chacun son job.

— Et… comment sait-on lorsqu'on est à sa place ?

— Si t'es là, c'est qu'il doit y avoir une raison. Pour le moment, tu es dans la phase d'initiation et…

Soudain, le blond avisa un voyageur qui venait de faire son entrée dans la gare. C'était la cible de son contrat.

— Tu vas apprendre ici même, conclut-il.

Le stagiaire suivit le regard de son mentor et comprit avec stupeur ce que le chasseur attendait de lui. C'était impossible. North était devenu complètement fou. Il ne pouvait pas faire ça ici, au vu et au su de tous !

— Attendez, ne me dites pas que… vous voulez que je supprime un homme en plein milieu d'une gare bondée ? demanda le stagiaire en avalant sa salive.

— D'abord, c'est une proie, pas un homme, rectifia Antonin durement. Et si tu avais lu ton manuel, tu saurais qu'on doit utiliser la méthode de la chasse à l'approche. Tu vas suivre ta proie pour la guider jusqu'à un angle mort.

Un attaché-case à la main, l'homme se déplaça rapidement dans la foule, empêchant le stagiaire de le suivre correctement des yeux.

— Elle arrive, signala Antonin. OK, écoute bien, voilà ce que tu vas faire : tu vas suivre discrètement la proie, puis dès que tu vois une occasion de la dériver de son chemin, ne réfléchis pas et agis. En général pour ce type d'exercice, le mieux, c'est de prendre un flingue. Sauf que là, c'est trop risqué, y a trop de monde. Tu vas devoir prendre ton cran d'arrêt. Tu l'as ?

Le stagiaire toucha un côté bombé de son manteau pour montrer que c'était le cas.

— Bien. Prépare-toi.

Le voyageur s'aventura dans leur secteur. Les deux chasseurs s'élancèrent puis s'immobilisèrent brusquement. Clyde venait de quitter son poste pour les arrêter, l'air grave.

— Les gars, on a un problème. On n'est pas tout seuls.

D'un regard, il indiqua un renfoncement du hall. Deux hommes en costume, visiblement pas très commodes, étaient en train de les observer avec l'expression d'une haine indicible. Antonin était au fait de leur identité et cela compromettait tout son programme.

— Merde ! Des migrateurs, ragea-t-il.

— Qui sont-ils ? l'interrogea le stagiaire, perturbé par ces nouveaux arrivants.

— Des chasseurs d'un autre territoire.

— Ils viennent de Floride, ajouta Clyde.

Les deux migrateurs fixaient leur proie avec rapacité en débattant de la méthode pour l'atteindre. Manifestement, le contrat d'Antonin avait été classé en mode migration, et son employeur s'était bien gardé de l'en informer. Quand l'Entreprise vous testait, c'était à tous les niveaux. Tout n'était pas perdu pour autant. Il avait encore une chance de réussir. Normalement, tous les coups étaient permis sur ce genre de contrats. Mais pas cette fois. Provoquer un esclandre pour récupérer leur dû avec une telle affluence de voyageurs était inenvisageable. Dans ce cas de figure, il n'y avait alors qu'une règle qui s'appliquait : le premier arrivé était le premier servi.

— On doit changer de tactique, préconisa Antonin.

— Chasse aux toiles ? proposa Clyde.

Antonin hocha la tête et dit :

— Je vais la retrancher dans les toilettes. Aigle, tu t'occupes de faire le ménage.

Il n'y avait pas de temps à perdre. Pendant que Clyde s'empressait d'avertir ses amis dispersés de leur projet, le stagiaire s'alarmait de la situation qui dégénérait. Le défaitiste suait à grosses gouttes et voyait déjà un règlement de comptes se dérouler en plein milieu de la gare, avec échanges de coups de feu et flicaille à leurs trousses. Il était trop jeune pour la pendaison. Son cou se raidit à l'idée de cette fin dramatique. Il le caressa pour faire partir la sensation d'étouffement et demanda à son mentor comment il comptait procéder pour cette mission périlleuse. En pleine réflexion, Antonin regarda le voyageur puis le reste de son hot-dog coulant dans sa main.

Un instant plus tard, Clyde entra dans les toilettes pour hommes de la gare. Il esquiva les urinoirs et se dirigea vers les cabines sanitaires. Comme dans beaucoup de lieux publics, celles-ci étaient cloisonnées et alignées les unes après les autres. En poussant la porte d'une des cabines, il ne put s'empêcher de lâcher un sifflement épaté. Il devait avouer que l'endroit était plutôt classe, pour des latrines. En général, les toilettes qu'il fréquentait n'atteignaient pas ce niveau de propreté, surtout chez les hommes. Là, on avait affaire au saint des saints des lieux d'aisances. Chaque cabinet était parfaitement entretenu, tout comme le sol et les lavabos, d'une brillance éclatante. Zéro tache, zéro mauvaise odeur. Il se croyait presque dans l'une de ces publicités pour ménagères prêchant l'efficacité d'un produit « débouche-chiottes ». C'était si propre qu'il se demanda si ce n'étaient pas des nettoyeurs de l'Entreprise qui faisaient le ménage. En tout cas, il ne manquerait pas d'en faire les louanges à ses potes de comptoir.

Clyde soulagea sa vessie en sifflotant. Sa petite affaire terminée, il sortit de la cabine pour aller se laver les mains aux lavabos. Deux hommes soignaient leur apparence de chaque côté. L'un d'eux se sécha les mains avec la dernière serviette à usage unique qu'il jeta dans une poubelle et quitta les toilettes. Le chasseur leva son regard sur le miroir. Dans le reflet, il scruta les portes des cabines fermées et vit Archie sortir de l'une d'elles en fredonnant un air de jazz. L'homme au chapeau melon remplaça l'individu qui venait de quitter les lieux, bousculant légèrement au passage Clyde qui s'essuyait les mains sur son pantalon. Étonnamment, celui-ci se recula vivement et s'emporta dans une totale démesure :

— Eh ! Tu pourrais t'excuser.

— À quel sujet ? demanda Archie d'un ton poli.

— Tu m'as bousculé, tocard !

— Je vous ai à peine effleuré.

Déchaîné, Clyde brandit son poing pour l'intimider.

— Excuse-toi ou j'te fous mon poing dans ta tronche, fulmina-t-il.

— Je vous prierai de me parler autrement, répliqua Archie, effaré.

— J'te parle comme j'veux, sale merde.

— Un instant. Qu'est-ce que vous venez de dire ?

— Quel mot t'as pas compris ?

Plus grand que lui, Archie croisa ses bras musclés et abaissa sa tête afin de regarder dans les yeux l'odieux petit personnage.

— Sans doute les deux, cul rose, l'insulta-t-il en prenant un air de défi.

Ce fut le mot de trop. Le poing de Clyde se comprima. Il regarda rageusement Archie puis se jeta violemment sur lui. Une bagarre éclata sous les yeux éberlués de l'homme qui arrangeait sa chevelure. De l'autre côté, Lloyd entendit les cris et les coups à travers la porte du couloir. C'était le signal. Le dandy se prépara mentalement avec un exercice de respiration. Il inspira par le nez et expira par la bouche. Trois fois de suite. Il était à présent prêt pour le rôle de sa vie. Ce n'était peut-être pas les planches prestigieuses de Broadway, toutefois, les cours de théâtre amateur pris dans son adolescence avec M^me Roberts feraient largement l'affaire. Il avait toujours et encore en horreur cet imbécile de Zachary Lewis qui avait eu l'effronterie de lui voler le rôle principal dans la pièce *Hamlet* de William Shakespeare. C'était le moment ou jamais de montrer comment un vrai drame devait se jouer. Il refoula difficilement sa verve de comédien et entra comme une tornade dans les toilettes. À l'intérieur, Archie et Clyde se battaient comme des chiffonniers. Le plus petit repoussa le plus grand contre un mur des toilettes. En position de force, Clyde tenta un coup de poing, mais se fit brutalement rétamer au sol par son adversaire. Lloyd hésita à regarder encore un peu l'homme râblé se faire malmener. Il se ravisa à contrecœur, pensant à la mission qu'il devait accomplir. Être ou ne pas être, telle est la question ! Faussement scandalisé, l'acteur s'élança côté cour et s'exclama, avec des gestes grandiloquents :

— Dieu du ciel ! Ces hommes sont en train de s'entre-tuer.

Tel un monarque, il pointa du doigt le seul voyageur présent.

— Vous ! Allez chercher du secours, je me charge de les séparer.

L'homme ne bougea pas d'un iota. Lloyd n'avait pas dû employer le bon ton.

— Qu'attendez-vous ? Dépêchez-vous ! s'agaça le dandy en brassant de l'air autour de lui.

L'individu effrayé se plia sans résistance à sa volonté. Un petit soupir suffisant sortit de la bouche de Lloyd à cette éclatante réussite. Dès qu'ils furent seuls, Archie et Clyde arrêtèrent leur combat fictif. L'Écossais, mains sur les genoux, tenta de reprendre son souffle en jetant un regard révolté à son meilleur ami.

— Cul rose, sérieusement ? T'as pas trouvé mieux que ça ?

Rieur, Archie donna une tape dans le dos de Clyde pour se faire pardonner cette ridicule insulte.

Le voyageur se trouvait encore dans le hall de la gare. Sur un afficheur à palettes, il s'assura de l'horaire de départ de son train et prit la direction des quais d'un pas pressé. C'était maintenant ou jamais. Le regard acéré, Antonin le pista en se frayant un passage dans la foule avec son hot-dog à la main. Plus que dix mètres. Les deux chasseurs de Floride se lancèrent à leur tour dans la course. Les mots « pas de quartier » étaient inscrits sur leurs visages hargneux. Sur son chemin, Antonin joua des coudes. *Surtout ne pas perdre de vue la cible*, se répéta-t-il. Six mètres. En face, les migrateurs allongèrent le pas. La collision était proche. Deux mètres. Il accéléra, fonça droit devant puis ce fut l'accident. Boum ! Antonin et le voyageur s'entrechoquèrent violemment, comme deux voitures roulant en sens inverse. Le hot-dog plein de sauce échappa de la main du chasseur, venant s'écraser sur le beau costume italien de la cible. Le voyageur s'écarta du trouble-fête. Il reprit conscience et constata les dégâts, furieux. Une grosse tache graisseuse orangée, puante et dégoulinante, recouvrait le revers de sa veste.

— Bon sang ! s'écria-t-il. Vous ne pouvez pas faire plus attention ?

— Veuillez m'excuser, déplora Antonin, embarrassé. Je ne vous avais pas vu.

— Vous savez combien ce costume m'a coûté ?

— Je suis confus… Je ne regardais pas où j'allais. Comme le dit ma femme, j'ai la tête en l'air. Encore la semaine dernière, en partant pour le boulot, j'ai laissé ma tasse de café sur le toit de ma voiture. À peine un mètre et elle s'est fracassée sur le pare-brise. Encore heureux que ce n'était pas le petit dernier !

Antonin ravala spontanément son rire en voyant que le voyageur ne partageait aucunement son envie de plaisanter. Changement de méthode. Le chasseur troqua sa bonne humeur contre un feint désarroi.

— Écoutez, je tiens vraiment à me faire pardonner, reprit-il, le regard navré et une main sur le cœur. Je peux vous aider à nettoyer votre costume. Et pour la peine occasionnée, je vous offre un café.

Le voyageur jeta un regard nerveux sur sa montre.

— Mon train part dans dix minutes à peine, gronda-t-il. Je ne peux pas me permettre de le rater.

— Accordez-moi au moins le temps de vous débarrasser de cette tache. Vous en aurez seulement pour deux minutes. Je m'y connais, je travaille pour un pressing. Faites-moi confiance.

Pour preuve, Antonin fit agilement apparaître une carte de visite Holywool entre deux doigts.

— Je vous fais la promesse que vous ne raterez pas votre train. Dans ma boîte, je suis le roi des situations de crise.

Le voyageur restait indécis. Il ne pouvait décemment pas parader dans cette tenue. Cela faisait plus d'un an qu'il attendait d'être muté au niveau 16 de sa société. Et se faire remarquer par le patron comme l'employé souillon du niveau 15 ne ferait pas croître ses chances d'ascension. S'il se présentait ainsi, le voilà bon pour être relégué aux tâches ingrates du niveau 12. La vision de ces montées et descentes l'étourdit. Résigné, il accepta tout compte fait la proposition. Antonin l'en remercia et l'invita à l'accompagner jusqu'aux toilettes. Du coin de l'œil, il aperçut avec soulagement les deux chasseurs de Floride, rageurs, cessant leur poursuite. Fin de partie. New York venait de triompher, c'était désormais chasse gardée.

Les bras croisés et les crocs acérés, Jim gardait la porte des toilettes pour hommes côté couloir. Toute personne se verrait refuser l'entrée sans le bon mot de passe. Il était comme ces chiens de garde attachés à un poteau, prêts à vous mordre si vous vous approchez trop près. Dans le cas présent, il valait mieux ne pas avoir d'envie pressante.

Lorsque Antonin et le stagiaire arrivèrent en compagnie du voyageur, le gardien frappa trois coups contre la porte pour alerter ses compères. Il s'en dégagea pour laisser Lloyd sortir. Puis le voyageur entra dans les latrines, dans une colère noire. Avant le début des festivités, Antonin donna au groupe ses dernières directives :

— Lloyd, tu fais le guet et t'empêches tout le monde d'entrer. Jim, tu te planques dans une cabine avec les autres.

Jim s'exécuta, Antonin se tourna vers le stagiaire.

— On n'a pas beaucoup de temps. T'es prêt ?

Le grand maigrichon hocha gravement la tête et entra avec son mentor dans les toilettes. Personne dans les environs. C'est en tout cas ce que l'on pouvait croire au premier coup d'œil. En baissant son regard, Antonin vit trois paires de chaussures par les interstices des cabines. Tout était en place. Ses amis étaient prêts à l'action. Ils n'attendaient plus que le top départ. Le chasseur alla voir le voyageur qui peinait à retirer la sauce de son costume sur le rebord du lavabo. Embêté, il s'excusa encore.

— Monsieur, je suis sincèrement désolé. Si je n'étais pas aussi maladroit, je…

— Ça n'a plus d'importance, maugréa l'homme. Dites-moi seulement comment décrasser cette… chose.

— Bien sûr. Commencez par humidifier la partie tachée.

Le voyageur à l'ouvrage, Antonin se tourna vers le stagiaire. Il glissa son pouce sur sa gorge en signe de mise à mort. Le chasseur débutant comprit le message et sortit malhabilement son cran d'arrêt.

— Maintenant, prenez du savon.

Antonin fit signe à l'élève de se dépêcher.

— Vous l'étalez sur le tissu.

L'apprenti se rapprocha lentement du voyageur.

— Puis vous frottez d'un coup sec.

— D'un coup sec ? répéta le voyageur, interloqué.

Dans un moment d'égarement, Antonin venait de se tromper d'interlocuteur.

— Euh, je voulais dire énergiquement, rectifia-t-il.

La lame de son cran d'arrêt dressée, le stagiaire patientait derrière le voyageur. Le sang battait à ses oreilles, ses pupilles se dilatèrent, son souffle s'écourta. Les sons environnants se décuplèrent. Goutte d'eau, tuyauterie, frottements sur le vêtement. Tout était devenu plus intense. Une folie mélangée à de la férocité bouillonna en lui. C'était une sensation nouvelle que celle d'imaginer détenir le destin de cet être entre ses mains. Il était le seul à décider quand sa vie s'arrêterait. Le seul à posséder ce pouvoir presque divin. Il raffermit sa prise sur son couteau, se colla à la proie et l'égorgea avec rapidité. Le voyageur ne comprit pas dans l'immédiat ce qu'il venait de se passer. Il continua de frotter le textile dans un état second jusqu'au moment où des gouttes rouges se mirent à perler l'une après l'autre sur sa chemise déjà salie. Un étourdissement l'envahit. Il fronça les sourcils et s'accrocha brusquement au lavabo. Que lui arrivait-il ? Il leva son regard sur le miroir et fut confronté à un flot ininterrompu de sang. Chancelant et traversé de spasmes, il recula en maintenant vainement le liquide épais qui jaillissait de son cou fendu. Les yeux ronds, Antonin regarda la scène stoïque, puis…

— Putain… Putain de merde ! Mais c'est pas vrai ! s'écria Antonin.

Pissant le sang, le voyageur, toujours vivant, tentait de rester debout. Incroyable ! L'élève venait de maladroitement sectionner la carotide. Le résultat ? Catastrophique. Du sang se répandait partout dans les toilettes, sur le sol, les murs, les lavabos. Une vague rouge dévasta le paradis des cabinets publics. La chute serait dure pour le classement de Clyde. S'il continuait de pleuvoir ainsi, serait bientôt de notoriété publique la comparaison avec des toilettes de chantier.

Interpellés par les éclats de voix, les trois hommes sortirent des cabines pour regarder, effarés, le cirque qui se jouait.

— Ce con a coupé la carotide ! s'étrangla Antonin, sidéré.

— Oh ! bordel… lâcha Clyde dans un souffle.

— Quoi ? Ce n'est pas ce qu'il fallait faire ? paniqua le stagiaire.

— T'as rien appris dans le manuel qu'on t'a donné ? s'égosilla Antonin en agitant ses bras dans tous les sens. Il faut éviter de faire couler trop de sang quand on est dans ce genre de situation !

— Euh, les gars, dit Clyde. Ça commence à devenir une vraie piscine par ici.

Antonin tourna lentement son regard dépité sur le pauvre voyageur qui vacillait comme un homme ivre. Il n'avait jamais rien vu de tel de toute sa carrière. Le mutilé suffoquait et se vidait de son sang en continu. C'était pire qu'un film d'horreur. Jack l'Éventreur en aurait vomi ses céréales, devant une telle atrocité. Antonin s'arracha les cheveux et jeta :

— Putain, j'suis un homme mort.

— Ma parole, il se vide plus vite que Sawyer, commenta Clyde, stupéfait.

Archie s'approcha du voyageur en pleine agonie et dont les yeux demandaient pitié.

— S'cusez-le monsieur, dit-il avec une grimace gênée, c'est son premier jour au petit.

— Faudrait p't-être l'achever, non ? ajouta Clyde, la tête inclinée.

Personne ne bougea. Jim soupira. C'était toujours aux mêmes de nettoyer les miettes sur la table. Il arracha le couteau des mains du stagiaire, se campa devant le mort en sursis et l'acheva proprement. Le voyageur s'écroula d'abord à genoux. Il resta figé ainsi cinq secondes puis il s'effondra sur le ventre pour gésir la face dans une flaque de sang. Un silence. Clyde arqua un sourcil et tourna son regard blasé sur un Antonin anéanti.

— Bon. Et maintenant ? demanda Clyde.

Soudain, Lloyd débarqua en urgence dans les toilettes.

— Messieurs, nous allons bientôt avoir de la compagnie…

Il se tut subitement quand son regard convergea sur la proie noyée dans son propre sang.

— Seigneur Dieu.

— Que se passe-t-il, Lloyd ? s'agaça Antonin.

— Je croyais qu'on devait utiliser des noms de code pendant… commença le stagiaire.

— Toi, boucle-la, le coupa Antonin en le pointant d'un doigt menaçant. Tu l'ouvres encore et j'te jure que tu finis comme lui. Alors, Lloyd ?

— Eh bien, j'étais venu vous dire que deux agents de sécurité n'allaient pas tarder à nous rendre visite.

La tête entre ses bras, Antonin enragea :

— Putain de… MERDE !

— Le bon côté des choses, dit Clyde, c'est que quand je serai au trou, Adelia ne pourra pas me jeter de boîte de conserve à la figure. Enfin, si les barreaux tiennent.

— Qu'est-ce qu'on fait ? s'affola Archie. La sécurité va rappliquer d'une minute à l'autre !

— Fermez-la tous ! ordonna Antonin. Je dois réfléchir…

Le temps pressait. Le jeune homme leur tourna le dos pour reconsidérer la situation. Il devait à tout prix trouver une idée pour les sortir de cette galère. S'il ne réglait pas ce problème dans l'heure, il pouvait dire adieu à sa promotion et même s'attendre à recevoir un blâme du patron. Pris d'un coup de chaud, il alla se rafraîchir le visage au jet d'eau d'un robinet. Foutu stagiaire ! Premier jour et déjà une ânerie au compteur. Étaient-ils tous aussi stupides ou était-ce seulement lui ? Qu'aurait fait Teddy s'il avait été à sa place ? Déjà, il n'aurait pas fini dans ce merdier. Ensuite, il aurait gardé son calme. Respiré un bon coup. Allumé une cigarette. Et c'est là qu'il aurait eu une idée de génie. Sauf que… il n'était pas lui. Peut-être devait-il penser autrement ? Un plan, un plan… Tout ce qu'il avait prévu jusqu'à présent l'avait conduit à l'échec. Suivre les règles ne suffisait pas. Parfois, on était tenu d'improviser. Tout en fumant, il se remémora le conseil tordu d'un chasseur cinglé qu'il avait un jour rencontré sur un contrat : « Écoute-moi bien, gamin, quand le plan A fonctionne pas, passe direct au C. Le plan A, c'est fait pour ceux qui n'ont pas de couilles. Le B, pour ceux qui en ont qu'une. Et le C, pour ceux qu'en ont une paire. Ton plan te paraît bon ? Change-le. Un plan, c'est pas fait pour être bon, un plan, ça doit être fou. Parce que crois-moi gamin, y a que les timbrés qui s'en sortent dans la vie. Tu sais pourquoi ? Ils n'ont pas de règles. Eux, ils sont libres. Et quand t'es libre dans ta caboche, ça veut dire que t'es pas un putain de chieur de mouton ! Alors sois fou, petit, et laisse les autres penser comme tout le monde. Toi, tu seras déjà loin quand ils comprendront que tout ça, c'était que de l'esbroufe. »

Un plan C, c'est ce dont il avait besoin. Il se pencha sur le lavabo et regarda un filet d'eau allié à du sang s'écouler jusqu'au trou d'évacuation. Le panaché rougeâtre tourbillonna pour disparaître dans un léger bruit de dégorgement. Antonin leva son regard sur le miroir. Il contempla son reflet puis cibla les cabines derrière lui. Une idée avait jailli dans son cerveau en surchauffe. Il avait trouvé son plan C. C'était surréaliste, mais cela pouvait fonctionner. Il l'espérait au plus profond de lui, ou ils étaient tous bons pour le pilori. Maître de lui-même, il jeta sa cigarette et fit volte-face vers ses amis pour leur annoncer :

— OK… voilà le plan.

L'homme viré des toilettes par Lloyd avait informé les deux agents de sécurité de la bagarre. Clyde guetta leur arrivée par la porte. Pour le moment, pas l'ombre d'un uniforme à signaler. Il la referma pour écouter la fin du stratagème d'Antonin. Chacun était d'accord pour dire que c'était insensé, inconscient et dément, mais qu'ils l'étaient assez eux-mêmes pour l'appliquer.

— On suit le plan et tout se passera bien, conclut Antonin. Le stagiaire, fais comme Jim. Enfile ton manteau par-devant, ensuite tu mettras celui de Lloyd à la proie pour camoufler le sang.

— Puis-je savoir pourquoi nous devons prendre mon manteau ? s'offusqua Lloyd en jetant le vêtement au visage du stagiaire.

— C'est toi le plus grand, ça couvrira plus de surface.

— C'est de la discrimination. Et je vous signale que ce manteau a été confectionné sur mesure. Il y a plus de trente heures de travail investies dedans. C'est une pièce unique, contrairement à vos chiffons qu'on peut trouver dans la friperie du coin.

— Continue de geindre et j'vais pas tarder à te chiffonner la face, gronda Clyde.

— On se dépêche, les pressa Antonin en tapant dans ses mains, refilez-moi vos vestes.

Chacun ôta rapidement son vêtement et le remit au jeune homme. Sauf Lloyd qui ne broncha pas. Le voyant faire, Antonin soupira et tendit sa main dans sa direction pour réclamer froidement :

— Ta veste, Lloyd.

— Hors de question.

— Lloyd !

Au ton sévère de son ami, Lloyd grommela et donna sa veste à son corps défendant.

— Vous me devez deux cents dollars, rouspéta-t-il.

— Va surveiller l'extérieur, Lloyd.

Le dandy quitta la pièce fâché, en maudissant cette journée. Antonin, remarquant que le stagiaire restait inactif, s'empressa de le bousculer.

— Qu'est-ce que t'attends ? Qu'on soit devant le juge ?

Le gringalet sursauta puis commença à déplacer le corps.

— Et fais gaffe au sang.

Suivant la recommandation de son mentor, la recrue enleva son manteau pour l'enfiler comme un tablier. Antonin oscilla de la tête. La jeunesse allait de mal en pis. Il lança ensuite les vestes à Jim afin qu'il les passe sous l'eau des robinets, puis il rassembla plusieurs rouleaux de papier toilette récupérés dans les cabines.

Au bout du couloir, des pas résonnèrent. Les deux agents de sécurité faisaient route vers le lieu défendu. Lloyd, pris de panique, se précipita contre la porte.

— Messieurs, scanda-t-il théâtralement, je vous en prie, cessez cette violence !

En entendant l'alerte du dandy, Archie et Clyde échangèrent un regard entendu. C'était la deuxième étape du plan. Antonin et Jim épongèrent difficilement le sol des toilettes arrosé de sauce humaine avec des morceaux de papier toilette. Le nettoyage s'avéra ardu, car à chaque frottement contre le carrelage, le papier fin se désagrégeait aussitôt dans leurs mains. Une fois le plus gros du sang enlevé, ils utilisèrent ensuite les vestes humidifiées comme des serpillières pour essuyer proprement les traces restantes, pendant que le stagiaire traînait lourdement la dépouille, par les aisselles, pour la dissimuler dans une cabine.

Les deux agents de sécurité étaient parvenus près de l'entrée des toilettes. Entre-temps, quelques badauds s'étaient regroupés pour regarder ce qui était en train de se passer, mais ils furent vite chassés par la sécurité. Naturellement, Lloyd refusa de suivre le mouvement et s'enracina devant la porte pour retenir les deux hommes armés. Comme chien de garde, il avait certes plus la tête d'un corgi que celle d'un berger allemand. Cependant, il était aussi teigneux et chassait aussi efficacement les nuisibles que ces petites bêtes. Pour y parvenir, il expliqua aux agents de sécurité d'un ton outré :

— J'ai essayé de les séparer, mais l'un d'eux m'a jeté à la porte. Quel malotru !

— *Sale fils de pute ! T'as baisé ma femme !* s'écria Clyde, derrière la porte.

Le dandy capta l'expression interrogative des agents.

— Histoire extraconjugale, expliqua-t-il laconiquement. Sa femme l'a trompé avec son avocat.

— *J'vais t'éclater ta p'tite gueule d'haricot pinto !* cria Archie.

Les deux agents se lancèrent un regard perplexe.

— Tout ça à cause d'une boîte de conserve. Vous pouvez le croire ? dit Lloyd, quelque peu mal à l'aise.

Dans les toilettes, Archie et Clyde s'étaient plaqués contre la porte pour empêcher les agents de sécurité d'entrer. Ils continuèrent leur bagarre imaginaire et entendirent la voix étouffée de Lloyd s'exclamer :

— *Messieurs, je vous en prie, renoncez donc à cette absurde dispute et venez plutôt discuter de tout cela autour d'un bon thé !*

Ils comprirent à ces mots qu'ils devaient maintenir plus fermement leur position. Un agent de sécurité tenta de forcer l'ouverture. La porte trembla, sans succès. Les deux amis imitèrent des coups de poing frappés contre la porte en poursuivant encore plus fort leur engueulade.

— C'est pas d'ma faute si ta femme aime mieux baiser avec des mecs qui en ont dans le pantalon ! cria Archie.

— J'vais tellement te cogner que tu pourras plus te relever, hurla Clyde. Enculé de mes deux !

Le duo de nettoyeurs termina de récurer les lieux du crime. Dans une cabine, le stagiaire tenta gauchement de faire tenir le corps du voyageur sur un siège de toilettes. Plus lourd que lui, celui-ci se baladait comme un tonneau sans attache sur un navire en pleine mer. Tantôt à droite, tantôt à gauche.

— On défonce la porte, commanda un agent de sécurité.

— Euh, je ne crois pas que ce soit une bonne idée, grimaça Lloyd.

— Reculez-vous monsieur, ordonna le second agent en poussant le négociateur sur le côté.

L'espace dégagé, son collègue prit de l'élan et rassembla toute la force dont il allait avoir besoin. À cet instant précis, la tenue rayée obligatoire pour les prisonniers passa devant les yeux du dandy effarouché. Même s'il ne devait attendre qu'une semaine pour passer sur la chaise électrique, il ne porterait certainement pas cette atroce combinaison zébrée ! En fermant les yeux, il implora les dieux de la comédie de venir à son secours, et s'exclama tragiquement avec un geste affecté de la main :

— Grands dieux non, ne défoncez pas la porte !

Le message passé, Archie et Clyde pressèrent celle-ci plus encore. *BAM !* La porte vacilla.

Exténué, Clyde demanda à ses amis :

— C'est bientôt fini ? Ça devient difficile de tenir par ici.

*BAM !*

— Encore deux minutes, répondit Antonin en frictionnant une dernière tache de sang.

*BAM !* Leur besogne accomplie, Antonin et Jim regroupèrent les rouleaux de papier toilette ainsi que les vestes et manteaux imprégnés de sang pour les cacher dans la cuvette du mort. Les deux agents de sécurité n'abandonnèrent pas leur intervention. Ils continuèrent de forcer la porte sans relâche. *BAM !* Cette nouvelle attaque l'avait légèrement entrouverte. L'énergie s'amenuisait du côté d'Archie et de Clyde. Le barrage allait bientôt céder. Antonin ferma la porte de la cabine, puis Jim et lui rejoignirent leurs amis en plein effort.

— On est bons, confirma Antonin.

— Attendez ! s'exclama Archie, secoué par une autre charge. S'ils voient des traces de sang, il faut leur faire penser que c'était à cause de la baston.

Antonin poussa un juron. Il n'avait pas pensé à ce détail. *BAM !* Il pinça les lèvres en signe de réflexion. La solution était simple, mais elle n'allait pas du tout leur plaire. Mais parfois, un sacrifice était nécessaire pour servir le bien commun.

— On n'a pas le choix, dit Antonin, l'un de vous doit avoir une blessure apparente.

— Fait chier, cracha Clyde, j'savais qu'on aurait dû prendre Lloyd.

Il ferma ses yeux. *BAM ! BAM !* Sa femme allait immanquablement lui demander des comptes. L'air soucieux, il regarda Archie avec beaucoup d'appréhension. Il redoutait la force de l'athlète, grand amateur de boxe. De pénibles jours de rémission l'attendaient, mais c'était pour la bonne cause. *BAM !*

— OK, cogne-moi, se dévoua Clyde d'un air résolu.

— Quoi ? fit Archie.

— Cogne-moi j'te dis.

— J'vais pas te cogner.

— File-moi une beigne, merde !

— Mais…

Jim se sentait las de ces simagrées. Un nouveau coup d'éponge s'imposait. Il se plaça stoïquement face à Clyde qui le fixa avec incompréhension. Que lui voulait-il ? Deux secondes avaient passé lorsque Jim décocha un gros coup de poing sur le visage de son ami. Une douleur foudroyante se propagea dans le nez de l'Écossais après cette frappe magistrale.

— AÏE ! PUTAIN DE BORDEL DE…

Le nez en sang, il se plia en deux en tenant douloureusement celui-ci entre ses mains.

— Il m'a fait trop mal, ce con.

À ce titre déshonorant, Jim se mit en colère et serra le poing. Clyde comprit qu'il venait d'ébranler la susceptibilité du chasseur. Il ne parlait peut-être pas, mais il avait l'ouïe fine et il n'appréciait guère qu'on lui manque de respect. Du sang suintant de ses narines, le bouc émissaire s'excusa pour ne pas recevoir un nouveau coup. Ces contretemps réglés, Antonin assigna Archie et Clyde à une nouvelle tâche.

— Vous vous chargez d'éloigner tout le monde. Nous, on se planque dans les toilettes.

Archie valida la distribution des rôles à la place de Clyde, gémissant devant un Jim insensible à sa souffrance. Les combattants attendirent que leurs collègues se cachent dans une cabine pour relâcher la pression. Puis ils se distancèrent rapidement de la porte et attendirent une autre charge des agents. Qui ne tarda pas à arriver. Le deuxième agent de sécurité prit à son tour de l'élan. Il fonça sur la porte, qui s'ouvrit à la volée. L'agent déboula à pleine vitesse dans les toilettes et se rattrapa de justesse pour ne pas tomber. Son collègue le rejoignit, suivi de Lloyd, et ce qu'il vit le laissa sans voix. Croyant rêver, il cligna des yeux pour se réveiller. Archie et Clyde, débraillés et en sang, se serraient cordialement la main, comme deux honnêtes citoyens qui venaient de se rencontrer dans le wagon d'un train.

— Je suis sincèrement désolé, dit Clyde avec complaisance. Je sais vraiment pas ce qui m'a pris.

— Ce n'est rien, cher ami, répondit Archie, sur le même ton. On fait tous des erreurs de jugement.

— Que se passe-t-il ici ? les interrogea un des agents. On nous a signalé une bagarre.

Un échange de regards gênés se fit entre les deux amis.

— Oui, c'est vrai, dit Clyde, mais tout est rentré dans l'ordre. Rien qu'un p'tit malentendu sans importance.

— Euh, veuillez m'excuser, intervint Archie en vérifiant l'heure sur sa montre. Il faut que je me presse si je ne veux pas rater mon train. Puis-je m'en aller, messieurs ?

— Une minute ! l'arrêta un agent en levant sa main. On doit procéder à un examen des lieux pour s'assurer que rien n'a été endommagé, sinon c'est vous qui payerez la facture.

— Comme si j'en avais les moyens, marmonna Clyde.

L'agent fit le tour des toilettes. Il inspecta les lieux en baladant son regard dans tous les recoins. Ses yeux exercés aux inspections rigoureuses cherchèrent tout ce qui pouvait relever de la dégradation de bien public. Il vérifia les urinoirs, les tuyauteries, les miroirs. *A priori*, tout semblait en parfait état. Il passa ensuite aux lavabos. En penchant sa tête sous une vasque, il releva une trace de sang, mais pas de gros dommages. L'autre agent longea les cabines cloisonnées. Cachés à l'intérieur, les trois chasseurs s'étaient accroupis sur la cuvette de leur cabinet. Ainsi perchés, leurs pieds ne pouvaient être vus. Une position aussi astucieuse que douloureuse, et les premiers engourdissements se faisaient déjà ressentir. Antonin chercha un moyen de rester stable et appuya ses mains contre chaque paroi de la cabine. Son visage se crispa, ses muscles se tétanisèrent. Il retint son souffle quand il aperçut les rangers de l'agent défiler sous l'interstice. De la sueur commença à perler sur son front. Un son, et deux morts de plus seraient à comptabiliser. Quoi qu'il se passe, on les avait entraînés pour toutes les situations. Devant la cabine du cadavre, une trace de sang séchée s'étalait sur le sol. Le stagiaire faisait tout son possible avec le mort dans ses bras pour ne pas faire de bruit. L'agent s'approcha dangereusement de la porte de l'horreur. Le cœur des chasseurs bondit. À deux pas du pire, Clyde se précipita devant la porte pour faire obstacle. Il posa nonchalamment un pied sur la tache et déclara avec un sourire forcé :

— C'est bon, les gars, tout est réglé. J'ai eu pire, vous savez. Je suis marié.

Il montra sa main gauche pour preuve de sa malchance.

— D'ailleurs, si on pouvait éviter que cette affaire lui revienne aux oreilles, ça m'arrangerait, implora-t-il en joignant ses mains en prière.

— Quel grand romantique, répliqua Lloyd. Comme je vous le disais, monsieur essaye de récupérer sa femme.

Lloyd appuya son regard à l'adresse de Clyde.

— Euh, ouais ! répondit spontanément l'Écossais. Je l'aime comme un fou, j'essaye de ne pas faire de vagues.

— D'après ce que j'ai compris, c'est plutôt votre femme qui devrait se tenir à carreau, répliqua l'agent. C'est quand même elle qui a fricoté avec votre avocat.

— Mon avocat ? répéta Clyde, perdu.

L'agent désigna d'un signe de tête Archie qui réprima une expression de surprise.

— Ouais, c'est vrai… mais vous savez, j'suis pas non plus un saint. J'ai aussi fricoté avec sa femme, alors maintenant, on peut dire qu'on est quittes.

— Exact, confirma Archie. Tout est pardonné.

— Drôle d'histoire, hein ? dit Clyde avec un curieux sourire.

— Comme vous dites…

Désirant désamorcer définitivement la situation, Lloyd balança avec enthousiasme une réplique dont lui seul avait le secret :

— Ah, les hommes ! Rien ne vaut une bonne joute pour mettre fin à une querelle.

À bout, Clyde se retint de balancer un coup de poing dans la mâchoire du dandy. Il fallait toujours qu'il en fasse trop.

— Maintenant que tout est réglé, pouvons-nous partir ? demanda-t-il. Monsieur l'avocat est pressé. Il plaide une grosse affaire au tribunal, je dois l'accompagner en tant que témoin. Un agent de sécurité s'est fait descendre d'une balle en pleine tête pendant un braquage. À peine trente ans, le garçon, triste histoire… Les coupables ont été arrêtés. Je veux faire mon devoir de citoyen pour envoyer ces pourritures en prison. Sans moi, le dossier s'écroule, ça serait dommage d'arriver en retard.

Les deux agents considérèrent Clyde un moment. Ils ne parurent pas tout à fait convaincus par ses arguments, mais décidèrent de ne pas approfondir leur investigation. Aucun dégât n'était à déclarer. De plus, c'était bientôt la fin de leur service, et coup de chance, ce soir on diffusait un match de boxe à la télévision. La paperasse de cet incident ne ferait que retarder leur retour à la maison. Ils n'allaient certainement pas manquer les premières minutes du combat à cause de deux idiots cocus. Les agents autorisèrent les fauteurs de troubles à partir. Archie replaça sa cravate puis son chapeau, et s'en alla en passant furtivement entre les deux agents de sécurité suspicieux. L'un d'eux indiqua à Clyde qu'ils redonneraient le libre accès aux toilettes après qu'il se serait rafraîchi. À la suite de leur départ, Clyde aspergea son nez endolori au lavabo, libérant ainsi Antonin et Jim de leur cachette.

— On laisse le corps ici, dit Antonin, les nettoyeurs feront le reste. Lloyd, tu sors le premier et tu tiens la sécurité éloignée. Clyde, tu partiras après moi. Jim et…

Le stagiaire manquait à l'appel. Affolé, Antonin tournoya sur lui-même en jetant des regards frénétiques.

— Il est où, l'autre abruti ?

— Probablement en train d'faire dans son froc, railla Clyde.

Antonin lâcha un nouveau juron et s'approcha à grands pas de la cabine utilisée comme cercueil de fortune. À peine fut-elle ouverte qu'il se pétrifia. Le stagiaire se tenait debout en déséquilibre sur le siège des toilettes, soutenant gauchement le cadavre contre lui. Les bras de ce dernier gigotaient en tous sens alors que ses pieds dérapaient dans le vide chaque fois que le stagiaire le hissait pour lui faire retrouver l'équilibre. Le reste du groupe prit part à la scène et la regarda avec incrédulité. L'imbécile avait l'air d'une girafe assise sur un tricycle pour enfant.

— Quel drôle d'oiseau, dit Lloyd avec un sourcil levé.

— Hé, *flamingo* ! l'interpella Clyde. Vire ton cul des chiottes avant que j'me serve de toi pour les récurer.

L'apprenti fut délogé de son trône par un sec « dégage » d'Antonin qui le remplaça pour faire tenir convenablement le mort sur l'assise des toilettes. Le chasseur verrouilla la cabine de l'intérieur, l'escalada par sa paroi pour ressortir par la cabine voisine et commanda à Lloyd de partir. Le plan C avait fonctionné. Il suffisait maintenant de ne pas se faire remarquer, bien que cela tînt du miracle avec la bande d'hurluberlus qu'il se trimbalait. Trop de bavures avaient été commises en très peu de temps. Pour le stagiaire, le danger d'un licenciement n'avait jamais été aussi proche. Et ce n'était pas son seul problème, son bailleur le menaçait chaque matin de le jeter dehors s'il ne payait pas son loyer avant la fin de la semaine. Il allait devoir se racheter coûte que coûte auprès de son mentor, sans quoi il finirait par se retrouver sans toit. La figure abattue, il traîna la patte jusqu'à son instructeur furieux.

— Monsieur… je suis…

— Tais-toi ! tonna Antonin. J't'ai déjà dit que je ne voulais plus t'entendre. Tout ce qui compte, c'est qu'on sorte d'ici au plus vite.

Dans le couloir menant aux toilettes, Lloyd cibla les deux agents de sécurité attendant la sortie de Clyde. Le dandy avait pour ordre de détourner leur vigilance. Ils ne devaient surtout pas déceler l'existence des autres complices qui avaient participé en coulisse à cette comédie. Pour les distraire, il s'affubla de son plus beau sourire et les aborda avec tout le charme qui lui était coutumier :

— Re-bonjour, messieurs. Pourriez-vous m'aider à résoudre un problème de direction ? Après ce chapitre mouvementé, me voilà incapable de trouver mon train pour Boston.

Inutile de dire qu'un train pour Boston était impossible à trouver dans cette gare, puisqu'elle ne desservait pas ce territoire. Épiant la scène par la porte des toilettes, Clyde signifia à ses amis de rejoindre le hall. Ils dépassèrent la sécurité accaparée par Lloyd, qui se hâta de clore la conversation lorsque Clyde fut dans son champ visuel.

— Maintenant que j'y songe… Il me semble m'être trompé de destination. Et peut-être même de gare. Au temps pour moi.

Confus, Lloyd s'éloigna à reculons des deux agents de sécurité, salués parallèlement par un signe militaire de Clyde.

En chemise et bretelles, l'équipe de chasseurs traversa le hall de la gare avec le plus de naturel possible. À leur passage, certains voyageurs étonnés les dévisagèrent comme des bêtes curieuses. Difficile de passer inaperçu avec des accoutrements aussi légers pour un mois de novembre. Surtout le binôme de nettoyeurs qui avait fini en débardeur, en raison de l'abandon de leur chemise maculée de sang lors du lessivage.

— Je me sens souillé, grogna Lloyd en gardant la tête haute, malgré sa honte immense.

Tout en marchant, Antonin et Jim lui jetèrent un regard mauvais.

— La prime, tu la divises, marmonna sèchement Clyde pour Antonin.

Ils quittèrent la gare et se dirigèrent vers Archie qui les attendait près de la voiture. En vrac, le stagiaire titubait en s'efforçant de marcher droit. Cette dernière mission lui avait complètement retourné l'estomac. Il avait le teint encore plus verdâtre qu'un cornichon flottant dans un bocal. La bile remonta par son œsophage et créa dans sa gorge une boule d'acidité qui le fit tousser. Il se tint douloureusement le ventre puis, n'en pouvant plus, se précipita derrière une poubelle pour recracher tout son déjeuner.

— Pff… V'là qu'il dégobille sur ses godasses, pesta Clyde. Il va pas faire long feu, moi j'vous l'dis.

Chemin faisant, le groupe eut la malchance de retomber sur les deux chasseurs de Floride, Hicks et Gage, qui avaient tenté de voler leur bien. Un autre homme les accompagnait : le chef de la bande, Curtis Yap. Curtis était haï et méprisé par les chasseurs new-yorkais et de bien d'autres contrées. Psychopathe, raciste, misogyne… Il cochait toutes les cases du parfait minable. Le chasseur avait un visage émacié et les cheveux coiffés en arrière. Filiforme, les muscles ne faisaient pas partie de son armure charnelle. La couleur de ses yeux était d'un noir si intense qu'il était difficile de distinguer ses pupilles, lesquelles ne se révélaient qu'à la vue du sang frais. Un vil sourire narquois ne quittait jamais sa gueule déplaisante. Il aimait sortir sa langue lorsque la situation était à son avantage. Sa désastreuse dentition, à l'abandon, avait l'aspect et l'odeur putride des souillures abandonnées dans les caniveaux. Yap savait que la force physique n'était pas son point fort, alors il misait tout sur l'intelligence et la ruse qui étaient sa corne d'abondance. Dans son Entreprise, il avait pour nom de code « Alligator ». Un animal qui, disait-on, lui collait indiscutablement à la peau. Il aimait le chaos perpétuel et les bains de sang. Il n'avait foi en rien et ne craignait pas la mort. Cette façon de voir la vie lui permettait de commettre les pires atrocités sans en ressentir le moindre remords. Le plaisir pervers du chasseur était de voir ses proies souffrir sous ses yeux jusqu'à ce qu'elles le supplient de les achever par sa main souveraine. La majorité des chasseurs évitaient d'être en compétition avec Yap, car personne ne savait ce qu'il se mijotait dans ce crâne fêlé. En un claquement de doigts, il pouvait passer du tolérable au pire monstre que la terre ait porté.

Entouré de ses deux colosses, il jeta et rattrapa en l'air une pièce frappée d'un crocodile avec la devise : « N'attends pas le sang. » Il lambina jusqu'au groupe de chasseurs new-yorkais qu'il salua avec toute l'arrogance qui était la sienne :

— Tiens, tiens, tiens, mais dites-moi… Ne serait-ce pas cette bande de piafs au grand complet ? Enfin presque.

Il fit passer son regard vicieux de droite à gauche.

— Votre petite maman n'est pas avec vous ? Sûrement à grappiller les restes du père que j'ai laissés dans le caniveau ce matin. Il ne doit plus en rester grand-chose. J'ai vu un rat s'enfuir avec un morceau d'intestin. J'crois qu'il s'est fait un joyeux gueuleton.

L'expression scabreuse sur son visage desséché corroborait sa monstrueuse histoire. Yap n'avait jamais caché son plaisir à raconter ses anecdotes débectantes.

— Je l'avoue, je l'ai un peu aidé à en retirer la moitié. Faut bien nourrir sa famille.

— T'en fais pas pour lui, répliqua Clyde. Il doit avoir mieux à faire, comme buter des fumiers de ton espèce.

— Ouh, mais c'est qu'il prendrait sa défense, le p'tit.

— Il n'a besoin de personne pour se défendre. S'il était devant toi, il te saignerait comme le porc que tu es.

Yap lui offrit un autre sourire acerbe.

— Paraît que le Michigan vous a devancés, dit-il, goguenard. Ça fait quoi, de descendre du podium ?

— Ça fait quoi de ne l'avoir jamais atteint ?

Clyde et Curtis s'affrontèrent du regard comme des chiens sauvages prêts à se battre pour leur territoire. C'était plus que de la rivalité : de la haine pure. Les deux hommes s'exécraient depuis tellement d'années que le simple fait de se voir leur donnait l'envie de lutter jusqu'à la mort.

— Qu'est-ce que tu fiches ici, Yap ? demanda Antonin sur un ton révolté.

Yap haussa les épaules.

— Comme vous, je cherche du sang frais, répondit-il.

— T'en as pas assez sur ton territoire ? fulmina Clyde.

— C'est pas c'qui manque, mais j'avais envie de voir du pays, de faire un peu de tourisme. Je n'avais jamais pris le temps de visiter la statue de la Liberté. J'voulais voir c'que cette chérie cachait sous sa robe, et m'assurer qu'elle n'avait pas de couilles. Comme toi, Clydie. Même si j'avoue que te faire chier était mon idée première sur ma liste de choses à faire.

— Beau projet, Curtis, mais si tu veux faire quelque chose d'utile, j'te conseille de retourner dans ton trou et de te faire couper la queue dans tes foutus marais. L'humanité t'en remerciera et moi avec.

— Y a de la bave qui te coule au menton, Clyde. On sait tous les deux que tu rêverais d'avoir une paire comme la mienne. Quand bien même j'te la donnerais, tu ne saurais pas quoi en faire. Ça serait du gâchis. Y a pas mal d'admiratrices qui attendent leur tour et j'veux pas les priver d'un peu de bon temps. Promis mon poussin, je t'ajoute sur la liste d'attente.

Il toisa le stagiaire puis s'intéressa de nouveau à Clyde, pour médire :

— Mais t'inquiète pas… On va pas traîner dans ta ville de pisseuses. New York, c'est pour les petits joueurs. Nous, c'était pour nous échauffer.

— Où est-ce que vous allez ? demanda Antonin.

— Dans le Sud. Texas.

— Dans ce cas, bonne chance, se moqua Lloyd. Vous en aurez grand besoin.

Le regard de Yap s'éloigna derrière le groupe, et le dégoût déforma ses lèvres craquelées. Quelque chose le répugnait.

— J'en aurais moins besoin que lui s'il venait à traverser la frontière. Un pied dans le territoire et c'est lui qui serait le festin.

Clyde avisa la raison de l'écœurement de son rival et sut qu'il parlait de son ami Archie.

— Il est dommage de ne plus voir ces fruits pourris pendouiller sur les arbres. Vraiment regrettable.

L'atrocité de trop. Une fureur anima Clyde qui fonça violemment sur Yap. Jim et Antonin l'arrêtèrent juste à temps, à une seconde près. Antonin l'empoigna par les épaules et lui commanda de laisser tomber, mais Clyde conservait ses yeux rivés sur Curtis et il refusa de suivre l'ordre de son ami. Pendant un bref instant, Antonin réussit à accrocher son regard enfiellé et il ajouta que s'exposer à un règlement de comptes serait trop risqué. Ces mots ne furent pas entendus par l'Écossais qui voulait en découdre ici et maintenant.

— Un jour, tu seras seul Curtis, le menaça Clyde, la mâchoire crispée. Tu penseras être sauf. Mais *ce jour-là*, j'serai là, derrière toi, dans l'ombre. Et ce jour-là, j'te jure devant Dieu de te trancher la gorge et d'éviscérer tes boyaux avec ton propre couteau pour la merde que t'es. J'te planterai et j'ferai du hachis avec ta carcasse jusqu'à c'que tu me supplies à genoux de t'achever.

— Oublie pas d'ajouter tes couilles avec, répliqua Yap. Pour c'que tu t'en sers, ça sera toujours ça dont tu pourras te gaver. On dit que t'es tellement fauché que tu vis dans un taudis dont même un clochard refuserait de se servir comme pissotière.

D'une impulsion brutale, Clyde tenta de se dégager de l'emprise de ses amis, sans succès. Jim le tira par les épaules et l'emmena de force à leur voiture. Clyde résista, obligeant le chasseur à le pousser avec plus de fermeté.

Yap le regarda, hilare, s'éloigner en s'écriant :

— C'est ça ! Va te cacher dans ton nid, laisse les grands faire le travail à ta place !

Il cracha dans sa direction pour le maudire.

— Toujours aussi amusant, ce Clyde.

— Cassez-vous d'ici, ordonna Antonin.

— Vous avez eu de la chance, c'coup-ci, Canari. La prochaine fois, on s'laissera pas faire.

— La chance n'existe pas, seul le résultat compte.

— C'est ta môman qui t'a appris ça ?

Le jeune chasseur serra les dents. Il partageait le même désir que Clyde, envoyer cet être abominable en enfer. Or, sur ce territoire, ce rêve lui était interdit. Il jeta un regard hostile à Yap, affichant un sourire aussi tordu que son esprit, puis se détourna de l'être infâme pour retrouver ses amis.

— Oh, et Canari ! cria le chasseur de Floride en formant un porte-voix avec ses mains. Dis à ta chouette que si jamais on revoit sa p'tite mijaurée sur notre chemin, on se fera une joie d'en faire une déco de sapin de Noël.

Yap et sa bande se bidonnèrent en regardant le groupe battre en retraite.

Pris d'une envie pressante, un homme entra dans les toilettes de la gare. Plusieurs cabines étaient indisponibles. Il faut dire que les chasseurs avaient créé un embouteillage monstre en monopolisant les lieux pour leur petite affaire. En passant de porte en porte, l'homme remarqua que celle occupée par le cadavre était entrouverte. Il la poussa de la paume et surprise… La cabine était vide et immaculée. Les nettoyeurs étaient passés par là. Tout avait été assaini. Le cabinet autrefois sordide était devenu le plus propre de toute la gare. Rien n'aurait pu laisser imaginer qu'un crime abject y avait eu lieu quelques minutes plus tôt. L'homme entra et ferma la porte derrière lui.

Ces mésaventures avaient passablement irrité les chasseurs new-yorkais, et le besoin urgent de respirer loin de la foule se faisait ressentir. Le Fort Washington Park était le lieu idéal pour décompresser sans être ennuyé par la populace. Rares étaient les promeneurs qui venaient par ici. La bande avait pour tradition de s'y retrouver près d'un petit phare rouge au nom de Jeffrey's Hook Light, implanté sur les abords du fleuve. Le seul point négatif de ce jardin secret était le ballet incessant des véhicules sur le pont George-Washington qui courait au-dessus du parc longeant l'Hudson River. Ce bruit de fond continu ne leur était pas désagréable pour autant. On avait vite fait de s'habituer à l'agitation lorsqu'on vivait dans une grande ville comme New York.

Ces trêves au grand air leur permettaient de se ressourcer pour mieux revenir à la réalité. Quand on faisait ce job, il était indispensable de se raccrocher à un endroit où l'horreur n'avait pas ses droits. Beaucoup des leurs avaient fini par perdre pied après des années de service dans l'Organisation. Certains souffraient d'une détresse, parfois mortelle, que les hauts dirigeants préféraient mettre sous le tapis. En désaccord avec ce silence assassin, Lloyd critiquait bruyamment cet état de fait et se battait pour ceux qu'on avait abandonnés à leur sort. Lors d'une assemblée de responsables, il s'était même levé de table et avait crié à tous ces technocrates : « Quand le bateau coule, ça signifie que le capitaine n'a pas su écouter à temps l'équipage pour éviter les récifs ! » Un combat quotidien, mais jamais vain.

Comme toujours, Archie et Clyde s'exercèrent à jeter des cailloux sur des boîtes de conserve empilées. Ce dernier les avait mises de côté, après chaque repas, pour les recycler en chamboule-tout. Tout en regardant les bateaux passer, Antonin et Jim se relaxaient en fumant au bord de l'eau. Lloyd avait opté pour un banc avec une vue panoramique sur le fleuve et le parc. Les yeux fermés et les mains croisées derrière la tête, il se prélassait devant la beauté du crépuscule qui diffusait ses dernières chaleurs. Le vent léger caressait sa peau hâlée. Le pépiement des oiseaux dans les arbres lui rappelait des souvenirs heureux. Ceux, inoubliables, de bavardages d'enfants et de saveurs sucrées qui collaient aux dents. Un moment enchanteur qu'il apprécia jusqu'à l'apparition d'une silhouette venant lui faire de l'ombre. Sans ouvrir les yeux, il siffla le responsable de cette éclipse humaine.

— Tu ne parles peut-être pas, mais tu m'empêches de capter mon petit bonheur quotidien.

— Oh ! pardonnez-moi, répondit le stagiaire d'un ton mal assuré. Je ne voulais pas… Veuillez m'excuser.

— Veux-tu arrêter de t'excuser ? Tu vas finir par me donner le mal du pays. Viens plutôt profiter avec moi des derniers rayons de ce soleil radieux.

Incapable de refuser, l'apprenti obéit docilement. Il tritura ses mains et jeta plusieurs regards hésitants au dandy ensommeillé.

— Raconte-moi ce qui te préoccupe tant, dit Lloyd qui sentait son regard angoissé le scruter.

— Il n'y a rien, monsieur, répondit le stagiaire, sans réussir à cacher son malaise.

— J'entends d'ici les engrenages de ton cerveau s'enclencher. De la fumée va finir par sortir de tes oreilles si tu continues de réfléchir ainsi. Cela serait d'ailleurs un miracle si ça arrivait à Clyde…

— Je… je… me demandais si on allait me renvoyer. J'ai commis une erreur impardonnable et…

Lloyd stoppa sa méditation pour se focaliser sur le stagiaire inquiet.

— Et ?

— Et si North n'avait pas été là…

— Nous faisons tous des erreurs. Crois-tu que nous soyons devenus des experts dès le premier jour ?

— Oui, mais je suis sûr que vous, vous n'avez jamais sectionné la carotide d'un homme dans une gare bondée.

— Non, il est vrai que cela ne m'est jamais arrivé. Ce qui ne signifie pas que je n'ai jamais fait d'erreur. Et surtout pas eux, ajouta Lloyd en désignant ses amis du regard. Fais-moi confiance, fiston, avant d'être ce qu'ils sont aujourd'hui, ils étaient de vrais maladroits de la gâchette.

— Vraiment ?

Lloyd changea de position pour mieux narrer son histoire. Il croisa ses longues jambes l'une sur l'autre et posa son coude sur le dossier du banc pour laisser pendre sa main dans le vide.

— Pour son premier jour à New York, Clyde a eu la bonne idée de supprimer sa proie dans une piscine, révéla-t-il, provoquant une expression estomaquée chez le stagiaire. Une idée brillante qui nous a valu de retirer toute l'eau, qui virait au cocktail Monaco. Et Archibald, lui, a failli supprimer la mauvaise personne.

— Comment ?

— Des jumeaux. Dieu soit loué, Ted était présent ce jour-là. Désormais, il a pris le réflexe de relire au moins trois fois son contrat. D'où son perfectionnisme, parfois un peu exagéré. Quant à Tony, il a cédé à la mauvaise tentation que nous avons tous eue à un moment donné de notre carrière.

— Laquelle ?

Lloyd regarda, peiné, le jeune homme qui appréciait sa cigarette sur la rive.

— Celle d'user de son statut pour une affaire personnelle. Un acte formellement interdit par l'Entreprise.

Perdu dans ses pensées, le stagiaire prenait toute la mesure de ces dernières paroles. Les conditions de ce travail se révélaient bien plus complexes qu'il ne le pensait. Il espéra que cet emploi ne lui ferait pas regretter son ancien poste carcéral. De toute façon, il était trop tard pour faire machine arrière. Il revint à l'instant présent et demanda à connaître une erreur commise par Jim. Lloyd prit un instant de réflexion. À la lenteur de sa réponse, l'apprenti s'attendait à une révélation rocambolesque, mais il fut bien déçu.

— Étrangement, pour Jim, je n'ai pas le souvenir d'une quelconque erreur de sa part. On peut dire qu'il est un oiseau rare que beaucoup nous envient. Ses mains expriment l'inaudible de ses pensées avec talent et ingéniosité. Il fut un temps où il aspirait à devenir un pianiste professionnel. Considéré comme un virtuose par ses pairs, il était promis à un brillant avenir.

S'interrompant dans son récit, Lloyd observa, songeur, l'homme taciturne qui échangeait en langue des signes avec Antonin.

— Une ambition révolue, dit-il tristement.

— Que s'est-il passé ? demanda le stagiaire, curieux.

— La vie coûte cher et ses démons l'ont rattrapé. Ils nous rattrapent toujours… Du jour au lendemain, il a tout abandonné. Les concerts, le public, la musique. L'un des musiciens les plus doués de sa génération a laissé place à l'un des plus grands chasseurs de ce pays.

Le regard du stagiaire s'accrocha ensuite à Antonin.

— Et North ? Qui lui a donné son nom ?

— C'est son mentor, Ted. Il l'a recueilli le jour où il avait tout perdu. Il l'a pris sous son aile et l'a guidé pour être celui qu'il est aujourd'hui.

Derrière eux, Archie avait couché trois boîtes de conserve. Sa réussite fut vite amoindrie par un sermon de Clyde qui l'accusait d'avoir triché. Cette chamaillerie alerta le stagiaire qui dévia son regard vers les deux amis. Une autre interrogation lui vint à l'esprit. Mais il douta d'obtenir une réponse.

— Avec toutes ces règles… ne faut-il pas correspondre à une certaine norme pour être un chasseur ? osa-t-il demander d'une voix incertaine.

Les sourcils de Lloyd se froncèrent derrière ses lunettes. À la direction du regard du nouveau, il comprit que cette odieuse question était ouvertement dirigée contre l'homme au chapeau melon et il se domina pour ne pas déverser son fiel.

— Dans la chasse, il n'y a pas de critères distinguant un chasseur d'un autre, répondit Lloyd d'un ton péremptoire. Nous sommes tous du même sang. De la même famille. Seule l'expérience compte.

— Ce n'est pas ce qu'avait l'air de dire votre migrateur de Floride.

— À ta place, j'éviterais de prendre en compte tout ce que profère Yap. Il n'est pas comme nous.

— Il ne fait pas partie des vôtres ?

— Il fait partie, à défaut, de l'Organisation. Lui, ce qu'il affectionne, c'est faire souffrir ses proies. Il les traque sans relâche, les torture. Même la chasse a ses règles. Yap a depuis longtemps franchi la ligne de la cruauté.

— Et vous ? Pensez-vous ne jamais l'avoir franchie ?

Le dandy médita sur cette question légitime.

— Cela m'est arrivé, mais il me suffit de poser mon regard sur ce monde pour me défaire de toute culpabilité. Bien qu'il arrive que quelques fantômes me rendent visite, ajouta-t-il sombrement pour lui-même.

Lloyd sortit sa pièce d'Entreprise de sa poche et la donna au stagiaire afin qu'il puisse l'admirer.

— Quoi qu'il en soit, c'est seulement au fur et à mesure de tes contrats que tu gagneras en expérience dans tes techniques d'approche. Pour un jour rejoindre cette grande famille et devenir à jamais l'un des nôtres.

Entre son pouce et son index, le jeune homme fit pivoter la pièce sur ses deux faces. Elle se mit à luire en reproduisant l'éclat du soleil couchant. Il n'avait pas encore la satisfaction d'avoir sa propre médaille, mais il se promettait de tout faire pour l'obtenir et gagner sa place auprès des meilleurs. D'être le numéro un.

— Au fil des ans, tu pourras gravir le classement, continua Lloyd, et pourquoi pas prétendre un jour à être l'employé du mois ou même de l'année. Qui sait ?

L'apprenti interpréta cette promesse d'avenir comme le saint Graal. Le soleil se dissipait peu à peu dans le ciel maintenant voilé. Il était temps de rentrer. Quand le moment d'évasion prit fin, Clyde dit au groupe :

— Magnez-vous, les gars, faut que je rentre avant que la nuit tombe.

— Ce ne serait pas plutôt ta femme qui te l'a ordonné ? plaisanta Archie.

— La ferme.

Le stagiaire rendit la pièce à son propriétaire. Antonin et Jim se redressèrent et se débarrassèrent de leur cigarette. Chacun se prépara pour reprendre tranquillement le chemin de la voiture. À l'exception de Lloyd qui, toujours assis, ne semblait pas vouloir quitter sa place au soleil. En passant près du banc, Antonin interpella le dandy qui refusa poliment de les suivre. Il déclara vouloir prolonger ce moment de tranquillité et rentrer seul afin d'éviter tout autre déboire avec Clyde. Il avait déjà atteint son quota de prises de bec avec l'Écossais. Ne trouvant rien à redire, Antonin souhaita une bonne fin de soirée à son ami. Le stagiaire suivait ses pas lorsque, brusquement, Lloyd l'arrêta en fixant l'horizon.

— Eh, petit !

Le jeune homme se tourna à demi.

— La première nuit est la plus difficile. Quand le sommeil te fuira, garde les yeux fermés. C'est un conseil.

Cette déroutante recommandation laissa le stagiaire incrédule. Il jeta un dernier regard au chasseur contemplatif et rejoignit le groupe en silence.

À la nuit tombée, une éreintante journée de travail se clôtura pour Richard. Étouffé sous une avalanche de bureaucratie et d'appels téléphoniques, il n'avait qu'une hâte, retrouver la douceur de son foyer et les bras aimants de son épouse. Il ferma son bureau à clé, longea le couloir menant à salle de réception en saluant au passage des chasseurs de nuit qui veillaient dans la salle de repos. Bientôt, il pourrait déguster un bon gigot préparé par sa femme et un vieux scotch des Highlands qu'il gardait pour ces jours à rallonge. Devant l'entrée du pressing, il retrouva sa voiture, une Ford Crestline Fordor Sedan de 1954. Richard aimait les belles choses. Et lors de son achat, il avait été séduit par sa distinction haut de gamme et sa carrosserie marron avec un toit crème. La vie de chef d'entreprise n'était pas de tout repos, mais elle accordait néanmoins quelques privilèges.

En échappant à l'heure de pointe, il réalisa un court trajet en voiture jusqu'au quartier de l'Upper East Side. Ce quartier chic se trouvait au nord de Manhattan, à l'ouest de Central Park. Il était peuplé par une population aisée qui avait accès à tout un tas de services pour fortunés : restaurants gastronomiques, écoles privées, boutiques de luxe… La vie y était grandement agréable. Richard ferma la porte de son véhicule, gravit les marches de son perron. Quand il passa la porte d'entrée de sa maison, la pression du travail s'envola. Ses épaules se relâchèrent, sa migraine cessa. Il n'existait aucun autre endroit au monde où il se sentît aussi bien. La broderie à la main « *Home Sweet Home* » réalisée par sa femme, encadrée sur un mur de l'entrée, résumait parfaitement ce sentiment de bonheur. Il n'y avait rien de tel que la chaleur d'un bon foyer pour oublier tous ses soucis. Entre modernité et authenticité, le domicile des Shepherd était spacieux et décoré avec beaucoup de goût. La femme de Richard en était la raison. Elle avait à charge l'entretien du foyer ainsi que l'éducation des enfants qu'elle disciplinait avec fermeté, et ce, sans jamais élever la voix. Elle était une mère à la fois aimante et stricte. Les absences de son mari étant fréquentes, elle ne s'autorisait pour ainsi dire que peu de pauses, et faisait en sorte que tout soit absolument parfait pour son retour.

Le plafonnier du vestibule éteint, Richard appuya sur l'interrupteur de l'entrée. La lumière refusa de s'activer. Étrange. Il renouvela l'action, rien n'y fit. L'ampoule avait sans doute fini par griller. Il devrait penser à la changer. Épuisé, il se délesta de son manteau et de son chapeau dans le noir.

— Chérie, je suis de retour. Pardonne-moi d'avoir été si long. Il me restait de la paperasse à terminer.

Personne ne lui répondit. Il appuya sur l'interrupteur du couloir. Pareillement à l'entrée, aucune lumière ne jaillit. Il semblait y avoir un court-circuit. Il devait se rendre au sous-sol pour établir un diagnostic du panneau de contrôle, afin de vérifier si le disjoncteur avait sauté et rétablir le courant. Une lampe de poche serait nécessaire, la cave étant trop obscure pour jouer les électriciens à tâtons. Un accident était si vite arrivé ! Et il ne pouvait pas se permettre de se retrouver alité alors que le bon fonctionnement de l'Entreprise reposait entièrement sur ses épaules. Un grand nombre de personnes comptaient sur lui.

Richard prit la direction du salon en traversant le couloir sombre. Il appela encore sa femme. Toujours rien. Peut-être dormait-elle déjà ? Il entra dans son salon plongé, comme le reste, dans la pénombre. Ses yeux s'acclimatèrent rapidement à l'obscurité. Il n'eut aucun mal à identifier l'emplacement des meubles qui se détachèrent progressivement de l'opacité ambiante. Le grand buffet dans lequel la lampe de poche était rangée se trouvait au fond de la pièce. Il s'apprêtait à s'y diriger lorsqu'une lumière fulgurante l'immobilisa. Un puissant faisceau venait d'être braqué sur son visage. Richard plaça instinctivement une main devant ses yeux éblouis. À contre-jour, il devina les contours d'une silhouette, assise dans l'ombre, le visant avec une lampe de poche d'une main et un pistolet de l'autre.

— Bonsoir, monsieur Shepherd, dit une voix.

Richard sut par son timbre grave et profond que son invité imposé était un homme dont l'identité lui était étrangère. Aveuglé, il voulut s'avancer pour mettre un visage sur cette forme ténébreuse. L'intrus l'arrêta dans son action.

— Restez où vous êtes, directeur.

Sa voix était à la fois cinglante et posée.

— Vous conviendrez qu'il serait dommage que votre femme soit obligée de rapporter à l'Entreprise ce magnifique tapis venu d'Italie imprégné du sang de son adultère de mari. Posez lentement votre arme sur le sol et faites-la glisser à mes pieds, ordonna-t-il en agitant son pistolet.

— Qui êtes-vous ? réclama Richard, perturbé.

— Ne jouez pas les innocents. C'est un rôle que vous n'avez jamais su interpréter. N'en déplaise à tous vos figurants qui exécutent passivement la moindre de vos directives.

Richard s'inquiéta subitement du sort des siens.

— Où est ma famille ? Evelyn !

— Calmez-vous. Le seul objet de ma visite est de converser avec vous en toute convivialité.

L'inconnu mit en lumière son arme pour appuyer ses termes.

— Ceci n'est qu'une simple précaution contre votre instinct de survie. Coopérez, et il ne restera qu'un accessoire. Désobéissez, et il deviendra une nécessité. Il ne tient qu'à vous de déterminer son rôle.

Richard serra les dents et capitula lentement. Il était trop risqué de désobéir dans cette obscurité. L'inconnu s'arqua dans son assise pour prendre l'arme à ses pieds.

— Sage décision. Nous pouvons désormais discuter entre hommes civilisés.

— Qu'avez-vous fait à ma famille ? tonitrua Richard.

— N'ayez pas d'inquiétude. Ils sont partis, il y a quatre heures de cela pour être plus précis. Spring ne vous a rien dit ? C'est étonnant. Elle qui est d'ordinaire si professionnelle. Les enfants sont allés rendre une petite visite à leurs grands-parents en compagnie de leur mère. Celle-ci a apparemment omis de vous en informer ou… vous deviez être trop occupé à jouer les don Juan auprès de votre Célimène. Très jolie. Vous n'êtes pas très bon acteur, mais on peut dire que vous avez bon goût, approuva-t-il en tournant son regard vers un cadre photo posé sur un guéridon.

En voyant l'indésirable s'emparer impunément de l'objet, les lèvres de Richard se retroussèrent avec dégoût. Pour cause, le cliché noir et blanc représentait l'échange des vœux de mariage de Richard et de sa femme. Cette amertume fit se réjouir un peu plus le malfrat qui contempla la photographie avec une certaine perversité dans le regard.

— Surtout en matière de femmes, souffla-t-il avec désir en s'attardant sur le corps plaisant de la mariée.

La colère de Richard s'amplifia.

— Qui êtes-vous et que me voulez-vous ?

Le quidam reposa la photo et répondit sur un ton indifférent :

— Qui je suis n'a aucune importance. Ce que je veux : la justice d'un ordre rétabli. Je n'ai pas de temps à perdre et tel que je vous connais, vous non plus. Je sais qui vous êtes et ce que vous faites. Votre société de nettoyage n'est plus un secret pour moi depuis fort longtemps.

— Il ne l'est pour personne.

— Arrêtez, Richard. Je vous l'ai déjà dit, vous êtes un piètre comédien. Je sais comment vous fonctionnez. Cessons ces absurdes simagrées, vous voulez bien ?

Richard fulmina à cette impertinence.

— Récemment, reprit l'inconnu, je me suis aperçu que l'on m'avait vulgairement dupé. Tout comme vous, et par la même personne. Un homme d'une loyauté sans borne, digne d'une confiance aveugle, doté d'une intelligence sans faille et d'une capacité de manipulation indécente. Naturellement, je ne parle pas de moi. Ce serait bien trop philosophique que de se duper soi-même. Il s'agit de votre bras droit.

Il jeta un dossier aux pieds de Richard.

— Je sais ce que vous pensez : un homme de cette envergure ne vous trahirait jamais. Et quand bien même, après toutes ces années, vous l'auriez remarqué. Si vous pensez être le seul maître du jeu sur cet échiquier, j'ai bien peur que le monde dans lequel vous vivez ne soit que douce illusion.

Richard ramassa le dossier pour découvrir avec stupéfaction l'identité du traître en question.

— Mon supposé associé m'a volé une part de notre marché qui me revenait de droit. Vous comprendrez que je ne puisse cautionner un tel comportement. J'ai pour principe de dire qu'à l'instant où la pointe de votre plume touche la page d'un contrat, vous avez l'obligation de le respecter jusqu'à son terme. Sans quoi, ce mot perdrait tout son sens, n'est-ce pas ? Et qu'est-ce qu'un mot qui n'a pas de sens, aucune règle ? Même les animaux les plus sauvages en possèdent. Alors, voyez cela comme une vengeance ou comme un abus d'autorité mêlé à du narcissisme, mais je souhaite réformer mes rangs et changer de stratégie. Néanmoins, j'ai besoin de vous pour y parvenir.

— De moi ? demanda Richard, encore sous le choc.

— Hormis vos compétences d'homme d'affaires, il y a derrière une manœuvre du plus grand effet. Je ne peux pas tout vous expliquer en détail, mais sachez que vous aurez été le leurre de ce piège. Autrement dit, il serait préférable de nous associer contre cet ennemi commun. Nous gagnerions au change. Surtout face à un homme qui serait prêt à revêtir la robe du corbeau pour jouer les avocats du diable.

— Comment pourrais-je vous croire ?

— Vous croyez bien au reflet de votre miroir.

Richard contracta ses tempes à cette remarque blessante.

— Je suis un homme doté d'une grande patience. Je vous laisse le temps de la réflexion et le soin de faire toutes les recherches que vous jugerez utiles. Je reprendrai sous peu contact avec vous. Tournez-vous et agenouillez-vous.

Le directeur obéit contre son gré.

— Les mains sur la tête, je vous prie.

Les mains de Richard mises en évidence sur le haut de son crâne, l'homme de l'ombre se déplaça jusqu'à lui pour lui retirer son deuxième pistolet dissimulé sous sa veste. Ce faisant, il dévoila la chevalière portée à sa main droite. Il se pencha à l'oreille du directeur dominé et murmura froidement :

— Ne me sous-estimez surtout pas, monsieur Shepherd. Ou vous pourriez finir en charogne.

Il se détourna et déclara en dernière instance :

— Vous avez le choix ou non de me faire confiance. Toutefois, à votre place, je réfléchirais à deux fois aux retombées médiatiques qui pourraient résulter de votre décision si celle-ci n'est pas la bonne.

L'inconnu s'en alla comme il était entré, sans bruit et sans difficulté. La tête basse, Richard se retrouva seul dans le noir. Les fantômes du passé sortaient de leur placard. Plus rien ne serait comme avant. Le scotch et le gigot allaient devoir attendre.

# CHAPITRE V
## Porte-à-porte

*New York, novembre 1958.*

Le jour d'après, Theodore et Lloyd s'étaient associés pour un contrat commun. Pour le coup, il n'était pas question de course-poursuite ou de migrateurs. L'objectif du jour était de présenter des produits du pressing Holywool afin de démontrer leur efficacité à des clients disposés à les expérimenter. Une présentation bien ficelée qui se finissait toujours par un bonus spécial offert par les démarcheurs. Dans le langage de l'Entreprise, on appelait ça « faire du porte-à-porte ». Pas un chasseur n'aimait cette corvée. C'étaient des missions rapides mais ennuyeuses, qui rapportaient moins que les traques habituelles.

En cette belle matinée, les deux amis furent envoyés dans un lotissement habité par des retraités et des familles en apparence idylliques. L'endroit était calme et charmant. Un havre de paix excentré, à l'écart des tumultes de la vie citadine. Toutes les maisons se ressemblaient, à quelques détails près, séparées par des clôtures en bois pour éviter les intrusions nuisibles dans la vie privée de chacun. Des coups d'œil furtifs à travers les rideaux permettaient de rester au courant des dernières rumeurs du voisinage. À dire vrai, il ne se passait rien d'exaltant dans la vie de ces habitants. L'ennui chez eux était parfois si fort qu'ils s'amusaient à distiller, à coups de chuchotements et de messes basses, une pincée de ragots dans les oreilles de leurs voisins avides de commérages. Cela pouvait aller du simple jardin mal entretenu au mari qui trompait sa femme avec sa secrétaire. Peu importait le propos, ou que cela soit vrai ou faux. Il n'y avait rien de tel que la médisance collective pour garantir de bonnes relations entre voisins. Le parfum du scandale avait le pouvoir de rassembler ceux qui, d'ordinaire, ne s'entendaient pas le reste de l'année.

Theodore ouvrit le coffre de sa Riley, rangée le long d'un trottoir jouxtant une maison sur deux étages. Depuis qu'ils avaient quitté le pressing, son ami lui balançait des conseils sur sa vie de célibataire, rejetés par de longs soupirs de l'homme au costume bleu.

— Tout ce que je veux te dire, Ted, c'est que tu ne devrais pas te sentir coupable de vouloir prendre du bon temps, préconisa Lloyd en employant un ton infantilisant. Nous avons tous besoin d'un peu d'amour et de fantaisie dans notre vie. Surtout dans la tienne, qui est parfois aussi monotone et morose qu'un jour de pluie. Certes, nous sommes anglais et habitués au mauvais temps. Reconnais tout de même qu'à ce jour, il ne s'agit plus d'averses, mais de mousson !

Theodore sortit du coffre une mallette bleu ciel avec une impression de la marque Holywool sur le dessus. Il la donna à Lloyd avec un air vanné. Tout ce charabia de psychologie de comptoir commençait à lui échauffer les oreilles. Bientôt, son ami allait lui sortir qu'il choisissait toujours la même marque de voiture en raison d'un complexe d'Œdipe non résolu. Une analyse qu'il lui avait un jour exposée et qui s'était conclue par un verre d'eau jeté à la figure.

— Arrête, Lloyd, s'agaça Theodore. Tu sais que je déteste quand tu fais ça.

— Quoi donc ?

En extirpant une mallette de couleur marron, l'homme au costume bleu jeta un regard sévère au dandy.

— Ta psycho à deux balles, pesta-t-il en fermant le coffre aussi sec.

Mallette à la main, les deux amis se mirent en marche et longèrent plusieurs maisons ceinturées par des pelouses coupées au millimètre près. Le numéro de l'adresse de chaque propriétaire figurait à l'entrée. Et celui qu'ils recherchaient ne se trouvait plus très loin. En chemin, Lloyd tenta de faire changer d'avis son ami réfractaire sur le sujet abordé.

— Pourtant, la psychanalyse est un bon moyen de faire une introspection et de voir ce que tu pourrais changer chez toi afin d'améliorer ta façon de communiquer avec les autres.

— J'en ai rien à cirer de ma façon de communiquer, rétorqua Theodore, exaspéré. Je suis très bien comme je suis.

— Tu veux dire que finir ta vie tout seul dans ton fauteuil en cuir avec un gin-tonic à la main et une cigarette à la bouche te convient ?

Theodore pila brusquement devant Lloyd. Il le toisa et, tout en faisant de grands moulinets de ses bras, il éclata de colère :

— Parfaitement ! La seule personne que ça dérange, c'est toi. Tu fiches toutes tes angoisses sur moi, parce que tu sais que tu es dans la même situation. Alors m'emmerde plus avec toutes ces conneries de psychologie à la mords-moi-le-nœud ou je te promets que cette fois, ça sera nettement plus douloureux qu'un verre d'eau, ce que tu recevras sur la figure !

Il avait vidé son sac, il respirait enfin. Après un court silence, Lloyd s'extasia :

— Tu vois !

— Je vois quoi ?

— Tu fais toi aussi de la psychanalyse.

Theodore leva les yeux au ciel.

— J'abandonne…

— Je te conseille de lire quelques livres sur le sujet, déclara Lloyd qui n'avait pas perdu son enthousiasme. Je te ferai une liste.

C'est très enrichissant et je suis persuadé qu'ils te seront très utiles. Je vois bien qu'il y a quelque chose qui ne va pas en toi.

Lloyd fit de drôles de mouvements hasardeux à proximité du visage de son ami contrarié.

— Il y a trop de… et qu'un jour… ça risque de…

Il mima une explosion censée symboliser son malaise intérieur.

— Comprends-tu ?

Theodore était ahuri. Tout ce que cet homme disait n'avait strictement aucun sens. Il se demanda même s'il ne devrait pas un jour confectionner un dictionnaire dédié à sa personne pour décrypter ses paroles parfois sans queue ni tête.

— Non, je ne comprends pas. Je vais même te dire que tu commences sérieusement à me taper sur le système. Tu le vois, là ?

Les yeux de Lloyd se plissèrent.

— Oui, je commence à le percevoir…

— Parfait, maintenant, si cela ne te dérange pas trop, j'aimerais qu'on plie rapidement ce contrat parce que faire du porte-à-porte, ça m'emmerde !

Le dandy acquiesça à la requête d'un hochement de tête.

— Bien, fit Theodore, plus calme.

Ils reprirent leur marche pour s'arrêter à une dizaine de mètres devant le portillon d'une maison en boiseries blanches. Avant toute chose, ils s'assurèrent que le numéro accolé à la porte concordait avec celui du domicile recherché. Une erreur de chiffre et c'était le drame assuré. Ils passèrent la barrière de bois. Un court chemin en pierre les guida jusqu'au porche. Tout le long, de drôles de bonshommes miniatures, barbus et grassouillets, formaient une haie d'honneur. C'étaient des nains de jardin consignés au rang de gardes du corps, qui interdisaient formellement de piétiner le beau gazon. Certains tenaient une pioche, d'autres une pelle, en guise d'arme de dissuasion. L'un d'eux arborait un sourire arrogant qui lui remontait jusqu'aux oreilles. Une allégresse exagérée qui donna l'impression à l'homme au costume bleu qu'il se fichait de lui. Il eut envie de sortir son revolver pour lui montrer de quoi il était fait, mais il se contrôla pour éviter une boucherie au pays des gnomes. Pas sûr que les nettoyeurs apprécieraient ce ménage supplémentaire. Ils avaient déjà fort à faire.

Abrités sous le porche en bois, les deux hommes se tenaient côte à côte face à la porte d'entrée. Theodore frappa avec son poing. Le temps qu'on vienne leur ouvrir, Lloyd demanda à son ami bougon :

— Mmh, au fait, as-tu bu ton thé ce matin ?

— Pas eu le temps.

— Je comprends mieux.

Un ange passa, puis Lloyd dit :

— Le bonheur ne peut exister que dans l'acceptation.

— Lloyd.

— Oui, mon ami ?

— La ferme.

Un verrou s'enclencha. La porte s'ouvrit et révéla une vieille femme de quatre-vingts ans portant une robe-tablier rouge et des lunettes rondes à double foyer. Elle était un peu rabougrie par les années, et son visage ridé peint d'une belle vieillesse. Le genre de grand-mère qui avait toujours des confiseries au fond de son sac à main pour ses petits-enfants.

— Madame Carter ? demanda Theodore.

La vieille dame rehaussa ses lunettes pour mieux distinguer ses visiteurs. Ses verres épais créaient un effet de loupe et doublaient de ce fait le volume de ses yeux. Theodore aurait même pu décrire avec précision les détails de ses iris couleur chocolat.

— Oui ? C'est à quel sujet ? demanda M^me^ Carter d'une voix traînante.

— Nous désirerions nous entretenir avec votre mari, M. Carter.

— Oh, Arthur ! Il n'est pas ici.

M^me Carter referma aussitôt la porte. Ayant anticipé le geste, Theodore la bloqua à temps avec son pied. L'octogénaire fut contrainte de rouvrir la porte.

— Madame Carter…

— Oui, c'est à quel sujet ?

— Savez-vous quand il sera de retour ?

— Qui ça ?

— Votre mari.

— Arthur ? Il est parti faire quelques courses.

Theodore bouillonna. Voyant son ami perdre patience, Lloyd s'empressa de prendre le relais :

— Madame Carter, sans vous commander, serait-il possible d'attendre son retour à l'intérieur ? Nous sommes démarcheurs pour une boutique de pressing et votre mari nous a dit être très intéressé par notre gamme de produits. Nous souhaitons lui en faire la présentation.

— Arthur est absent, mais vous pouvez l'attendre à l'intérieur si vous le souhaitez. J'ai fait du thé.

Ce dernier mot adoucit instantanément l'humeur massacrante de Theodore. Ce breuvage était pour lui aussi lénitif et efficace qu'une injection de morphine. M^me Carter s'effaça de la porte pour permettre à ses nouveaux invités d'entrer. L'homme au costume bleu ne se fit pas prier. Il se faufila rapidement à l'intérieur de la maison, au risque de subir une nouvelle conversation affligeante. Lloyd le suivit avec un peu moins d'entrain, en se demandant quelle mouche l'avait piqué. La maîtresse de maison les invita à s'installer dans la cuisine pour leur servir une boisson chaude. Ils se retrouvèrent tous les trois assis autour d'une table ronde nappée d'une toile en lin blanc brodée avec des motifs fleuris. Cela n'était qu'un accessoire désuet noyé dans un musée d'antiquités. Le mobilier volumineux était vieillot, voire en mauvais état. Tous les murs étaient recouverts de tapisseries à gros imprimés floraux. Des souvenirs poussiéreux traînaient ici et là. Des piles de journaux anciens s'amoncelaient dans le salon. Sans oublier l'importante collection de chats en céramique qui fit frémir Theodore sur son siège. Un vrai chat devait certainement demeurer là. Il avait vu une gamelle près de l'entrée contenant une quantité effroyable de nourriture. Avec un tel régime, le chasseur se demanda même comment l'animal pouvait passer à travers la chatière.

Le temps semblait s'être arrêté. Le tic-tac régulier de la pendule en bois résonnait aux quatre coins de la petite cuisine. Theodore y jeta un œil. La trotteuse se déplaçait aussi lentement que sa propriétaire. Il soupira et regarda M^me^ Carter, les mains tremblantes, verser du thé dans sa tasse. Elle peinait à faire le moindre geste et sa mémoire était tout aussi mauvaise. Lloyd dégusta son thé en roulant chaque arôme sur sa langue.

— Votre thé est excellent, madame Carter, complimenta-t-il de manière affable.

— Je vous en prie, appelez-moi Martha, répliqua la vieille femme.

— Madame Carter, maugréa Theodore, quand pensez-vous que votre mari sera de retour ?

— Il ne devrait plus tarder. Il est parti faire des courses.

Theodore inspira, agacé. M^me^ Carter lui offrit une tasse de thé fumante et demanda :

— À quelle association m'avez-vous dit appartenir ?

— En fait, nous ne sommes pas une association, rectifia Lloyd. Nous travaillons pour la société Holywool, spécialisée dans le nettoyage de vêtements.

Il glissa une carte de visite du pressing à la vieille dame. Avec ses petits doigts fripés, M^me^ Carter la tira vers elle pour la lire avec difficulté. Elle éloigna la carte, puis l'approcha plusieurs fois devant ses yeux. Malgré ses verres énormes, impossible de déchiffrer les inscriptions. L'étroitesse de la police d'écriture n'était pas adaptée à sa vue de taupe.

— Et vous dites qu'Arthur vous a contactés ? demanda-t-elle.

— C'est exact, confirma Lloyd.

— C'est étrange. Arthur ne m'a pas prévenue.

— Peut-être vous en a-t-il parlé, mais cela vous sera sorti de la tête, répliqua Theodore.

Lloyd lança un regard de reproche à Theodore qui afficha un air innocent. Un bruit de clé se fit entendre dans l'entrée.

— Oh ! Ça doit être Arthur, signala Mme Carter.

— Vous pensez… marmonna Theodore, sa tasse au bord des lèvres.

Mme Carter se leva de table pour accueillir son mari. Elle dut cependant patienter un temps considérable pour enfin le voir apparaître dans la cuisine. M. Carter avait quatre-vingt-dix ans et portait des lunettes identiques à celles de sa femme. Il avait aussi un visage gracieux qui démontrait une vie passée sans aucune malignité. De sa main tremblante, le vieil homme transportait un large filet à provisions rempli de victuailles. Dedans s'entassaient une dizaine de boîtes de nourriture pour chats. La charge lourde touchait pratiquement le sol, ce qui avait pour conséquence de tasser un peu plus son petit corps malingre. À le voir ainsi, on pouvait imaginer qu'une simple pression du doigt le ferait tomber à la renverse.

— Arthur, ces messieurs aimeraient te parler, dit Mme Carter.

Le vieil homme posa son fardeau à ses pieds. Comme sa femme, sa vue n'était pas celle d'un pilote de chasse. Les visages des nouveaux venus lui apparaissaient flous. Il plissa les yeux pour affiner sa vision derrière ses loupes. Cela n'eut aucun effet.

— Oui ? C'est à quel sujet ? demanda M. Carter de la même voix traînante.

Theodore et Lloyd échangèrent un regard désabusé.

— Ils disent être des démarcheurs pour…

Lloyd se leva prestement pour couper la parole à Mme Carter.

— Nous appartenons à la société de pressing Holywool. Vous nous avez dit être intéressé par notre gamme de produits. Nous avons dès lors pris l'initiative de vous en faire la présentation à votre domicile.

— C'est étrange, souleva M. Carter, perplexe. Je n'ai pas le souvenir de vous avoir déjà rencontrés.

— C'est normal, répondit Theodore. Ce jour-là, il devait s'agir de l'un de nos collègues.

— Ah ?

— Serait-il possible de s'installer dans votre séjour ? enchaîna Lloyd.

Victime de surdité, M. Carter tendit l'oreille pour que Lloyd répète sa question.

— Pouvons-nous nous rendre dans votre séjour ? répéta plus fortement le dandy en articulant.

— Les toilettes ? Elles sont à l'étage. Si ça ne vous dérange pas, je propose que nous nous installions dans le séjour, ça sera plus confortable.

Lloyd acquiesça poliment. M. Carter demanda à sa femme de ranger les courses et de faire du thé pour leurs invités. La vieille dame s'exécuta sans protester. Devant l'air médusé de Theodore, elle prépara une nouvelle bouilloire, comme si les dernières minutes vécues n'avaient jamais eu lieu. Lloyd lui fit signe de laisser faire et récupéra la carte de visite pour ne rien laisser de leur passage. Le vieillard invita les deux hommes à le suivre dans la pièce d'à côté.

Une fois dans le séjour, Arthur traîna avec lenteur jusqu'à un fauteuil protégé par une housse en plastique. Il s'y installa dans un bruit désagréable de crépitation et se concentra sur les démarcheurs assis sur un canapé lui aussi entièrement recouvert du même revêtement. En face, une commode mettait en scène plusieurs photos de famille à différents moments de la vie du couple Carter. Sur l'une d'elles, des enfants enlaçaient Mme Carter au pied d'un sapin de Noël et sur une autre, des adultes fêtaient joyeusement le quatre-vingt-dixième anniversaire de M. Carter.

Avec maîtrise, Lloyd posa la mallette Holywool sur la table basse qui leur faisait face. Toujours sur un ton élevé, il débuta son argumentation :

— Nous allons procéder à un rapide descriptif de nos produits. Après quoi, vous nous ferez savoir si vous souhaitez ou non passer commande.

Il ouvrit la mallette pour sortir un produit de type paillettes de savon. Une outrancière jubilation se figea sur son visage. À ce jour, le dandy n'avait jamais raté aucune vente. Il avait toujours eu cette fibre négociatrice et aucun client ne résistait à sa passion communicative.

— Voici notre premier produit. Le « Rien de plus », annonça-t-il avec gaieté. Un produit d'expert laissant sur tous vos vêtements une odeur champêtre. En plus, nous vous garantissons une totale propreté pour chaque chemise tachée.

Il donna le produit à Arthur qui l'observa consciencieusement, et prit une boîte de lessive.

— Pour toute ménagère qui se respecte, je vous présente la lessive « Foudre d'enfer » qui préserve la couleur d'antan de vos habits.

Theodore saisit un contenant de liquide adoucissant dans la mallette marron qu'il fit passer à son ami.

— Et le produit phare de notre collection, dit Lloyd en ménageant un léger suspense : « Plume du paradis » ! Le meilleur des adoucissants, la promesse pour tous vos vêtements d'une douceur comparable à celle d'une plume d'oiseau. Certains de nos clients ont même tenté une envolée. Malencontreusement, tous n'ont pas atterri au même endroit.

Le dandy augmenta d'un cran son exaltation, déjà hors limite aux yeux de Theodore.

— En guise de prime de fidélité, nous sommes prêts à vous le vendre à moitié prix. Bien entendu, si vous n'êtes pas encore totalement convaincu de son efficacité, nous vous proposons une démonstration immédiate.

Lloyd claqua des doigts. En réponse, Theodore sortit un vieux chiffon crasseux de la mallette bleu ciel.

— Ce chiffon paraît vieux et usé, continua Lloyd. On pourrait penser qu'il est à jeter, non ?

M. Carter hocha positivement la tête.

— Balivernes ! réfuta le démarcheur en le pointant du doigt.

M. Carter secoua négativement la tête.

— Et pourquoi, me direz-vous ?

— Pourquoi ? questionna le vieil homme, époustouflé par l'énergie du dandy.

— C'est une très bonne question, dit Lloyd en agitant son index. Grâce à nous, aucun vêtement n'est à jeter, car nous avons le pouvoir de lui rendre une seconde jeunesse.

En entrelaçant ses mains noueuses, M. Carter regarda, avec de grands yeux émerveillés, l'associé du vendeur sous stimulants verser sur le chiffon un peu du produit adoucissant. Hypnotisé par la technique, le client naïf ne se doutait pas qu'il était en train d'assister à une odieuse publicité mensongère. Car en vérité, la bouteille présentée ne contenait pas une seule goutte d'adoucissant. On l'avait remplacé par un produit plus puissant, connu sous le nom de chloroforme. Les vapeurs de ce liquide avaient la faculté de vous anesthésier en quelques secondes. Un secret de polichinelle largement exploité par les chasseurs pour neutraliser leurs proies. À l'aide d'une gestuelle mercantile, Lloyd mit en évidence l'efficacité du produit en direct de son canapé :

— Voyez comme le produit se répartit convenablement sur le tissu. Qui plus est, il dégage un doux parfum de rose. Voulez-vous le sentir ?

Theodore tendit le chiffon à M. Carter.

— Allez-y, l'autorisa Lloyd, je vous en prie. Le client est roi.

M. Carter renifla légèrement le chiffon.

— Sentez-vous cette bonne odeur de printemps ?

— Ça pique un peu, non ? se plaignit le vieil homme.

— Cela est tout à fait normal. Ce sont les premiers effluves. Il faut prendre une grande inspiration pour découvrir toute la fraîcheur de ce produit. Allez-y ! Inspirez, monsieur Carter.

Lloyd mima l'action de prendre une grande inspiration. M. Carter s'exécuta. Un léger vertige le submergea. Lloyd n'était plus qu'à deux doigts de conclure sa vente. Il lui suffisait à présent d'infliger le coup de grâce avec sa botte secrète.

— Placez bien le chiffon sur votre visage, puis inspirez très profondément, encore une fois.

M. Carter respira un grand coup et, une seconde plus tard, s'évanouit lourdement dans son fauteuil. L'affaire conclue, Lloyd et Theodore fixèrent, impassibles, le vieil homme piteusement avachi, la mâchoire pendante.

— On le met dans la salle de bains, lança Theodore.

Ils se levèrent et transportèrent le corps inconscient de M. Carter en dehors du salon, l'un le tenant par les bras et l'autre par les pieds, sans se soucier de Mme Carter péniblement occupée à ranger les courses dans la cuisine.

Quelques efforts plus tard, le corps était déplacé dans la salle de bains. Assis sur le rebord d'une baignoire sur pieds, Lloyd ignorait Theodore, en train d'étouffer M. Carter près de ses chaussures en cuir lustré. La motivation pour donner un coup de main à son ami l'avait très vite quitté. En effet, le dandy feuilletait entre ses mains un petit carnet de comptes qu'il consultait avec un air préoccupé. Les chiffres n'étaient pas très glorieux, et il s'angoissait pour son budget de fin de mois. Les temps étaient durs, même pour ceux qui s'avéraient à l'abri du besoin.

— Je sens que ce mois-ci, je vais avoir du mal à payer mes factures, dit-il avec inquiétude.

Theodore s'interrompit dans sa tâche pour répondre à son ami :

— Surtout avec tous ces absurdes contrats de porte-à-porte. Ça rapporte peut-être à l'Entreprise, mais pour nous, ce n'est pas rentable.

À terre, le vieil homme manifesta des signes de vie imprévisibles. Theodore soupira et recommença à l'étouffer avec ses mains en poursuivant sa discussion :

— En faire cinq dans un mois, cela équivaudrait à une mission passeri. Le calcul est vite fait.

— Alors, pourquoi acceptes-tu d'en faire ?

M. Carter livra un dernier gémissement et périt définitivement entre les mains du chasseur. Theodore plongea sa main dans la mallette marron ouverte à ses côtés. Elle contenait tout un attirail de tueur à gages. Du traditionnel fil de pêche à la seringue en passant par le liquide mortel. Le corps était chaud et tarderait à atteindre sa rigidité cadavérique. Cette incidence fâcheuse compliquait son déplacement, car les membres du vieillard étaient aussi mollassons qu'une biscotte trempée dans du lait chaud. Afin de faciliter son transport, Theodore opta pour un rouleau de ruban adhésif dont il lia les pieds et les mains de sa proie.

— Le temps passe, répondit-il, et courir comme un gamin est moins facile qu'il y a vingt ans.

— Eh bien, fais comme moi. Accepte toutes les missions de proximité et les démarchages. Évidemment, tu gagneras moins qu'avec les traques, mais tu pourras continuer sans pour autant te fatiguer.

— Peut-être…

Theodore ôta délicatement les lunettes du nez de M. Carter pour les ranger dans la mallette. Lloyd passa ensuite le corps du vieil homme par la fenêtre de la salle de bains, pendant que son ami l'agrippait avec difficulté côté jardin.

— Tu en as discuté avec Antonin ? lui demanda Lloyd.

L'homme au costume bleu reposa le corps sur l'herbe et se redressa, avec un mal de dos, pour lui dire qu'il n'avait pas encore trouvé le moment idéal pour lui en parler.

Deux minutes plus tard, Lloyd, accoudé à la fenêtre, regardait Theodore dans le jardin cherchant un moyen de camoufler le cadavre pour faciliter la tâche aux nettoyeurs, et éviter aux voisins de faire une découverte macabre qui ferait les beaux jours du quartier et des journaux locaux. Encore une fois, l'activité n'avait pas séduit le dandy, qui préférait continuer sa remise en question.

— Peut-être que ce n'est pas le métier qui t'use mais l'endroit, fit-il remarquer.

Theodore repéra une bâche dans une brouette accolée à un arbre qu'il rapporta près du corps.

— Qu'est-ce que tu veux dire ?

— New York n'est peut-être plus ce qu'il te faut. Tu connais cette ville comme si tu y étais né. Il te faut changer d'air. Tout quitter pour d'autres horizons, pour un nouveau départ. Tu l'as déjà fait, pourquoi ne pas recommencer ?

À la seule force de ses bras, Theodore entreprit de transporter M. Carter dans la brouette.

— Et j'irais où ? grimaça-t-il, handicapé par son lourd chargement.

— Je ne sais pas. Pourquoi pas Londres ? On y est à bonne école, tu pourras jouer les instructeurs pour les petits nouveaux et puis, tu connais déjà les lieux.

Une imperceptible tristesse était passée dans les yeux de l'homme au costume bleu.

— C'est du passé…

Soudain, le bruissement d'un feuillage se fit entendre. Réflexe de chasseur, Theodore glissa sa main sous sa veste pour saisir son arme à feu. Ce qu'il redoutait plus que tout, c'était la visite d'un voisin fouineur. Prétendre que M. Carter faisait une sieste dans sa brouette ne serait pas un argument acceptable. Le bruit se répéta. Lloyd siffla son ami en indiquant de son index deux yeux verts étincelants émergeant à travers une haie. Un énorme chat noir en jaillit, et il s'approcha dans une attitude hostile de Theodore en se dandinant. À vue d'œil, l'animal approchait les dix kilos. Il devait sûrement appartenir aux Carter. Tout ce qu'il pouvait craindre de lui, c'était un coup de patte faiblard. Le chasseur se détendit et laissa retomber sa main dans le vide. Le félin en surpoids émit un feulement à son adresse, puis se sauva comme il put lorsque, d'un geste vif, le corps de son maître fut recouvert avec la bâche. La bestiole chassée, Theodore poussa la brouette pour la dissimuler au fond du jardin.

— Ou la France, proposa Lloyd. Il est vrai qu'ils ne sont pas réputés pour être la fine fleur de la chasse… Cela dit, tu pourras toujours voir la vie en rose. Boire ta tasse de thé matinale à une terrasse parisienne, sous des airs d'accordéon. Traquer la vieille dame qui t'aura volé tes croissants de ta boulangerie préférée. Et à la fin de ta journée, du haut des toits de Paris, tu penseras à nous en contemplant la majestueuse « Dame de fer ». Je t'envie déjà.

Theodore rit doucement et revint auprès de Lloyd qui affichait un sourire rêveur.

— Tu sais ce que l'on dit dans le métier, reprit le dandy : c'est seulement le jour où ta main tremblera que tu sauras qu'il faut raccrocher.

— Je sais. Je redoute seulement qu'elle ne tremble jamais.

L'abominable paquet-cadeau emballé, les deux amis retrouvèrent la maîtresse de maison dans la cuisine pour annoncer leur départ. Elle venait de refaire du thé et versait maintenant du liquide chaud dans une tasse.

— Madame Carter, l'appela Lloyd, nous allons devoir vous laisser.

— Vous ne voulez pas attendre Arthur ? demanda la vieille dame.

Theodore était sidéré.

— Euh, non, répondit Lloyd, nous avons encore beaucoup de travail. Et je crains que nous n'ayons plus le temps ni la possibilité d'attendre…

— Comme vous voudrez.

Mme Carter prit une assiette de cookies qu'elle proposa aux deux hommes.

— Voulez-vous un cookie ? Ce n'est pas bon de partir le ventre vide. Surtout quand on travaille pour une association humanitaire.

Le dandy refusa poliment l'offre, *a contrario* de son ami qui ne se gêna pas pour dérober un biscuit. C'était une bien maigre récompense après tous ces efforts fournis. Sur ce délicieux pourboire, l'homme au costume bleu quitta les lieux, sans un au revoir ni un merci. Drôles de manières. Lloyd se demandait parfois s'il était vraiment anglais.

— Merci encore pour votre sollicitude, madame Carter, la remercia le démarcheur.

Lloyd la regarda avec tristesse verser maladroitement du thé dans une tasse. La vie n'était pas rose pour tout le monde. Avec un soupir peiné, il plaça son chapeau sur la tête et s'en alla rattraper son ami déjà à l'air libre.

— Tu aurais pu refuser, le sermonna Lloyd.

— J'avais faim et je te signale que j'ai quasiment fait tout le boulot.

Lloyd secoua la tête tandis que Theodore le devançait en croquant dans son gâteau.

En milieu d'après-midi, Richard s'éclipsa en tapinois de l'Entreprise. Il rejoignit un endroit à la périphérie de la ville, dont son entourage n'avait pas connaissance. Un hôtel sur plusieurs étages qui louait essentiellement des chambres à des couples venus s'offrir quelques minutes de plaisir en dehors des sentiers battus. Et Richard était l'un de leurs plus fidèles clients. Cela faisait plusieurs années qu'il entretenait une liaison extraconjugale ignorée de sa femme. Il n'avait pas su résister à l'appel de la tentation libertine. Une faiblesse qu'il se faisait pardonner par l'achat de bouquets de fleurs et de bijoux. Nombreuses avaient été les compositions florales égayant les dîners familiaux, et nombreuses avaient été les belles parures illuminant le visage de la femme trompée par l'homme qui lui avait promis fidélité. Richard se consolait chaque jour avec la pensée qu'il ne leur donnait pas le même amour. L'un était primitif ; l'autre sincère. Le choix n'avait jamais été à faire, jusqu'à ce que cet intrus l'y oblige.

Superstitieux, il réservait toujours le même numéro de chambre. Le neuf, un chiffre porte-bonheur avec lequel il espérait se protéger du coup du sort. Il en était de même avec sa marque favorite de cigarettes, Lucky Strike. L'illustration du paquet blanc reprenait la forme d'une mouche de cible rouge. En les fumant, Richard était convaincu qu'il viserait toujours dans le mille. Puissent-elles ne jamais atteindre son cœur.

Face à la fenêtre de sa chambre, Richard contempla le ciel d'orage avec une cigarette fumante entre deux doigts. Le cadre de la fenêtre était un tableau avec la ville de New York pour modèle. Une composition presque dantesque. La vague menaçante et sombre d'un énorme nuage s'abattant sur les tours géantes tremblant sous sa divine puissance. La vision d'un monde déchaîné où les êtres vivants n'étaient rien face aux forces la nature. Cette perspective déclenchait toujours la même émotion chez Richard. Maîtrise et vertige. Tout était si trouble, en bas. Il ne distinguait que des chapeaux et quelques parapluies ouverts se baladant comme si rien ne pouvait les retenir. Des points en mouvement sans aucune espèce d'importance. Rien de précis, et pourtant, c'était ce qu'il aimait, ce flou infini.

La chambre d'hôtel était dépouillée. Il y avait un lit double drapé d'un couvre-lit ivoire, avec deux tables de chevet, placées de chaque côté. Au centre, un coin salon était aménagé avec une table et deux fauteuils au dossier en forme de médaillon. Sur la droite, une commode et l'accès à une salle d'eau pour se rafraîchir. La décoration intérieure était tout aussi sobre que l'ameublement. Une nature morte accrochée sur un mur faisait miroir avec la coupelle de fruits posée sur la table. Rien de très chaleureux, mais c'était un effort décoratif appréciable de la part des gérants qui contribuait à rendre les lieux moins impersonnels. Bien entendu, Richard se fichait éperdument de ces détails superflus. Comme d'autres clients, son seul intérêt était la personne avec qui il partageait ce pied-à-terre.

Derrière lui, une femme était assise, ses jambes fuselées croisées, sur un fauteuil, un fume-cigarette à la main. À la fois très attirante et sensuelle, elle portait une robe noire élégante qui épousait délicieusement ses formes, dont le décolleté mettait en valeur un pendentif accroché à son cou. Elle était de la catégorie de femmes hors-concours qui ne laissaient aucun homme indifférent et qui aimaient les manipuler. Pourtant, la gent masculine aimait croire qu'elle pouvait les séduire.

Richard ne l'avait pas invitée pour badiner. Il y avait plus urgent à régler. Tout juste rentré, il lui avait lancé un bonjour expéditif, puis s'était empressé de lui raconter sa rencontre inquiétante avec cet homme mystérieux à son domicile. Le récit fut court, mais les détails importants et nombreux. Quand il se fit silencieux, elle se mit à réfléchir avec intensité à chaque partie de la narration. Sa première réflexion lui fit déduire que le court-circuit dont il avait été victime n'était sûrement pas le fruit d'un malheureux hasard.

Elle absorba avec lenteur une bouffée qu'elle expulsa entre ses lèvres fines maquillées d'un rose délicat.

— Dois-je comprendre que cet homme sans visage sait qui tu es et ce que nous faisons ? demanda-t-elle.

— Il est au courant pour l'Entreprise, répondit Richard. En ce qui concerne nos affaires, j'en doute.

— Comment a-t-il appris son existence ? Je croyais que tout était fait pour qu'elle reste secrète.

— Il y a eu une fuite.

— Une taupe ?

— Pas exactement. L'homme qui s'est introduit à mon domicile m'a dit être associé avec l'un de mes employés.

— As-tu connaissance de son identité ?

— Le dossier, sur la table.

Elle l'attrapa, l'ouvrit et détacha la photo de Theodore épinglée en première page.

— Qui est-ce ?

Richard tira une bouffée.

— Theodore Woodrow, révéla-t-il.

— Ce nom m'est familier.

— Je t'en ai déjà parlé, il s'agit de mon meilleur chasseur.

— Crois-tu réellement que ce Woodrow et cet homme sont associés ?

— Je ne sais pas. Je n'ai aucune confiance en cet homme mystère.

Richard se tut un instant.

— L'incertitude ne nous est pas permise, dit-il d'un ton impérieux. La menace est trop sérieuse et les enjeux bien trop grands pour que nous prenions cela à la légère.

— Surtout depuis Chicago, ajouta la femme qui tapotait le bout de sa cigarette contre le cendrier pour ôter le surplus de cendres.

— S'il est au fait pour Woodrow, c'est qu'il doit détenir des informations majeures sur l'Entreprise. Il faut que nous en apprenions plus sur leur association sans que Woodrow s'en rende compte.

— Envoie un de tes hommes à son domicile, et l'affaire sera vite réglée.

— Non, trop risqué. Ils pourraient se poser des questions et remonter jusqu'à moi.

— Que proposes-tu ?

Richard se tourna, l'air intéressé.

— Connais-tu le principe de la chasse aux toiles ?

— Non, mais j'aime apprendre, répondit la femme en expulsant voluptueusement sa fumée.

Les deux démarcheurs retournèrent à l'Entreprise pour attester l'exécution de leur contrat. Theodore déposa les lunettes de sa proie sur le comptoir de réception puis signa, après Lloyd, le registre de chasse réglementaire. Spring inventoria les lunettes et remercia l'homme au costume bleu pour son don. Elle s'apprêtait à passer à tout autre chose lorsqu'elle fut prise d'une subite pensée :

— Ah ! Monsieur Woodrow, j'ai un message pour vous. Le directeur souhaite vous voir. Il a ajouté que c'était important.

— Vous a-t-il dit pour quel motif ?

— Non, monsieur.

— Encore une prime pour son meilleur employé, plaisanta Lloyd.

Theodore émit une grimace sceptique.

— Vu le budget, je peux déjà tirer un trait sur des vacances au bord de mer. On va se boire un verre tout à l'heure ?

— Une prochaine fois, il faut que je termine un compte rendu pour le directeur. Le privilège des employés diligents.

Theodore rangea son stylo dans sa veste en souhaitant bon courage à son ami. Lloyd lui alloua un sourire, puis l'homme au costume bleu rallia à pas pressés le bureau de Richard. Il n'avait aucune idée de la raison de cette convocation. Tout ce qu'il espérait, c'était que son patron n'aille pas encore l'obliger à faire du porte-à-porte cette semaine. Il s'arrêta devant une porte avec une plaque dorée : « DIRECTEUR SHEPHERD ». Il frappa trois fois, attendit le « entrez » d'usage et ouvrit la porte.

*Chicago, décembre 1939.*

Derrière un bureau, un homme, d'une cinquantaine d'années en costume noir était en réunion avec deux de ses hommes de main. Il s'agissait d'Edward Holloway. Un homme d'affaires important et craint dans tout Chicago pour sa violence et ses combines mafieuses. Dépassant le mètre soixante-dix, Edward était plutôt massif et imposait son autorité naturelle lorsqu'il entrait dans une pièce. Son intelligence intuitive l'avait élevé au rang supérieur de parrain du crime organisé. Charmeur et courtois, il pouvait toutefois se montrer rustre si on commençait à le titiller. Seuls ses yeux empreints de malice dissonaient avec sa carrure de boxeur et son caractère de mauvais garçon. Le clan Holloway siégeait dans un manoir familial depuis plusieurs années. Toutes les demandes étaient traitées dans ce lieu, sécurisé par vingt hommes armés jusqu'aux dents et aboyant seulement sur les ordres du grand patron. Ensemble, ils régnaient sur la ville et sur sa politique. Un marché prospère mis en péril depuis l'apparition quelques mois plus tôt de nouveaux gangs réclamant leur part du gâteau. Partage que refusait catégoriquement le bandit. Edward était le roi et il ne comptait pas quitter son trône aussi facilement. Originaire d'Irlande, il avait appris tout ce qu'il devait savoir dans son pays sur l'art des négociations et des liens avec ses partenaires commerciaux.

Leçon numéro un : montrez à votre client que vous pouvez être de bons amis. Leçon numéro deux : dites-lui pourquoi il serait improductif de vous berner. Leçon numéro trois : s'il cherche à vous rouler, roulez-lui dessus avec votre voiture. Ces trois leçons lui avaient permis de faire sa place dans le milieu et d'imposer sa loi. Edward n'aimait pas être qualifié de truand. Il préférait le titre d'ambitieux. Le bandit était issu d'une longue lignée familiale où le pouvoir était devenu une raison de vivre. Alors, ce n'étaient pas quelques nouveaux joueurs dans la partie qui lui feraient perdre son sang-froid.

— Patron, l'interpella un sbire, vous êtes sûr que vous ne voulez pas qu'on s'en charge ?

Edward saisit avec préciosité son élégant stylo à plume dorée.

— Non, nous devons impérativement rester discrets le temps des élections.

— Les Singleton vont nous plumer si on ne fait rien, fit le second sbire, inquiet.

— Ne vous inquiétez pas pour ça. Je me suis occupé de tout. J'ai embauché de la main-d'œuvre pour que nous n'ayons pas à nous salir les mains.

D'un geste assuré, le gangster apposa sa signature au pied de la page d'un contrat portant un aigle en filigrane sur l'en-tête. Un bruit de pas sur du gravier leur fit redresser la tête. Un homme de main s'approcha de la fenêtre donnant sur la cour extérieure du manoir. En bas, un homme, couvert d'un long manteau et d'un chapeau, progressait dans un climat venteux. Les rafales étaient par moments si fortes qu'elles faillirent lui voler son chapeau. L'homme en pinça le bord pour le retenir et continua à avancer d'un pas grave vers le manoir. La structure de la bâtisse était imposante, large et uniforme. Couverte d'un toit en tuiles noires, elle s'élevait sur deux étages. L'ossature en pierre prenait racine dans la terre. Sa robustesse imposait un sentiment de force et de primauté à ceux qui y demeuraient. Une lignée, un héritage. Une succession qui, selon la volonté du maître, se maintenait de génération en génération. La couleur de ses murs, équivalents à des remparts, était d'un rouge brique. Une couleur de sang pour renvoyer, sans un mot, les plus couards chez eux. Les occupants détenaient une vue imprenable sur l'extérieur grâce aux grandes fenêtres disposées tout autour de la résidence, des miradors qui permettaient une surveillance accrue des environs. Au rez-de-chaussée, un escalier plat et évasé en pierre amenait jusqu'à une porte massive en bois de chêne ombragée par un porche. Assimilable à un pont-levis, elle ne pouvait s'ouvrir que sur un laissez-passer des gardes du château. Ce manoir passait, à bien des égards, pour une forteresse imprenable.

L'homme accéda à la porte de chêne à deux battants. Sur l'un d'eux était fixé un heurtoir formant la tête d'un lion à gueule ouverte aussi féroce que son propriétaire. Il l'actionna en deux coups fermes. Un bruit sourd et lourd se répercuta dans l'enceinte du manoir. Ni les murs ni les fenêtres ne tremblèrent. Subséquemment, la porte grinça tel un grognement de bête affamée parée à dévorer sa proie. L'homme s'attendit presque à rencontrer un disciple de Satan, mais il fut accueilli par un exécutant de Holloway. D'un geste hospitalier de la main, il l'invita à entrer dans l'antre du lion. Quand la porte fut fermée, un claquement sonore se propagea dans toutes les pièces. Le malfrat avait une mine austère et une arme à feu sous sa veste. Deux détails qui impliquaient une obéissance entière. On lui réquisitionna son pistolet puis on lui demanda d'attendre dans l'antichambre. L'homme de main se retira, certainement pour avertir son employeur de son arrivée. L'hôte en profita pour promener son regard dans le vestibule. Haut de plafond, ses murs étaient boisés et le sol dallé de carreaux noirs et blancs qui lui firent penser à un grand échiquier. En inclinant la tête, il examina la case sur laquelle il était positionné et espéra ne pas avoir pris celle d'un vulgaire pion.

Une minute plus tard, le sbire revint le chercher pour le conduire au premier étage. Aucun mot ne fut échangé pendant leur marche. On entendait des paroles graveleuses et des rires gras d'hommes s'élever du rez-de-chaussée. Après quelques pas, un escalier, un virage à droite et un couloir, l'exécutant fit signe à l'hôte de s'immobiliser. Il avança de trois pas et frappa contre l'encadrement d'une porte ouverte. Une voix grave lui donna l'autorisation de le faire entrer. Il claqua des talons et s'en alla. Selon toute apparence, on adoptait ici des manières de militaires. Les hommes étaient dressés comme des légionnaires de la Rome antique. En espérant que l'empereur n'était pas un adepte de la décimation à la moindre incartade. À sa porte, Edward entrevit un homme aux cheveux blancs affublé d'un costume chic. C'était lui. Il afficha un grand sourire à sa venue et s'extirpa de son fauteuil pour le recevoir avec joie.

— Directeur Shepherd. Venez, entrez, dit-il en lui faisant signe d'avancer.

La porte franchie, Richard ôta respectueusement son chapeau pour comparaître devant Edward. Il tendit sa main par-dessus le bureau et empoigna celle de son hôte. Une poignée de main révèle beaucoup de choses sur notre personne, et celle d'Edward était franche et dominatrice. La marque de son pouce laissée sur sa main attestait cet état d'esprit visant à exercer un ascendant sur l'autre. Richard savait maintenant à qui il avait affaire.

— Les garçons, laissez-nous, commanda leur chef.

Les deux hommes de main, l'un plutôt sec et l'autre plutôt robuste, dévisagèrent Richard avec animosité. Leurs prunelles noires dévoilèrent leur désir de l'attacher solidement à une chaise. Ils n'avaient aucune envie de laisser leur patron seul avec cet homme, mais se plièrent tout de même à sa volonté. Edward arrêta le plus costaud pour lui demander :

— Karl, préviens Malone que je déjeunerai avec lui après mon entrevue avec notre invité.

Karl hocha la tête et ferma la porte en sortant du bureau. Cette rencontre relevait de la confidentialité absolue. Edward était maintenant seul avec son hôte. Richard n'avait toujours pas bougé. Il se tenait là, dressé face à lui, comme l'un de ses soldats attendant les ordres.

— Ils font les méchants, dit Edward, mais au fond, ce ne sont que des gamins jouant aux cow-boys.

— Des cow-boys qui font la une des journaux, répliqua Richard.

— En effet, approuva Edward, rieur. Vous marquez un point.

Edward détailla Richard avec curiosité puis lui désigna une chaise face à son bureau.

— Je vous en prie, asseyez-vous.

Richard s'installa en évaluant sommairement le bureau de son client. Dès son entrée, son regard s'était attardé sur le volumineux bureau en bois. C'était la pièce maîtresse, avec sa bibliothèque vitrée renfermant des encyclopédies et ouvrages anciens. Le bureau était à l'image de son propriétaire, imposant et solide. Tapissé d'un sous-main en cuir noir, il était équipé de trois tiroirs insérés dans un des caissons servant de pied. Le dessus du plateau était méticuleusement rangé. Étui à stylos et documents étaient alignés. Un cadre photo trônait sur un des coins, mais Richard ne pouvait pas voir le cliché qui était jalousement retourné. Un fauteuil pivotant de cuir vert capitonné permettait au patron de se détendre sans avoir à quitter son bureau. Quelques bibelots d'art décoraient la pièce. Tous ces éléments conditionnèrent Richard à penser qu'Edward était un homme cultivé et particulièrement cérémonieux. Holloway voulait envoyer le message que ce lieu était fait pour les affaires et rien d'autre.

— Cognac ?

Richard interrompit brusquement sa contemplation et releva la tête. Il n'avait pas vu Edward atteindre le minibar.

— Whisky, répondit-il.

— Vous me surprenez, Shepherd. J'aurais pourtant pensé que votre palais était coutumier des nobles saveurs françaises, dit-il avec un froncement de sourcils tout en versant de l'alcool couleur caramel dans deux verres à pied en forme de tulipe.

Richard apprécia ce choix, car il prouvait que Holloway était un amateur éclairé en matière de spiritueux. En effet, les arômes du whisky étaient ainsi préservés et le travail de ses concepteurs apprécié à sa juste valeur. L'amateur de boisson forte était horrifié quand on osait lui servir son alcool préféré dans un verre de bar tout droit sorti d'une scène de film hollywoodien. Il ne comptait plus le nombre de fois où il avait dû poliment déguster le breuvage mal servi par des sauvages du digestif.

— Je laisse paraître beaucoup de choses, dit Richard.

— Excepté votre vrai visage, rétorqua Edward en le pointant du doigt.

— Personne ne peut savoir réellement qui nous sommes.

— Ou ce que nous cachons.

— Tout le monde a ses secrets.

— On protège simplement ce qui doit l'être.

— Ou soi-même.

Edward sourit à cette réponse. Cet homme avait de l'esprit. Une distinction qu'il cultivait avec ses collaborateurs les plus estimés. Il s'approcha de Richard pour lui tendre un des verres et garda le second entre trois doigts. En s'appuyant contre le rebord de son bureau, il fit tournoyer le liquide ambré pour en dégager et en sentir les arômes. Il en but une infime quantité, puis releva son regard brun sur son invité.

— J'ai besoin de vos services, déclara-t-il avec gravité.

— N'est-ce pas la raison de ma présence ?

— On m'a laissé entendre que vous étiez un magicien.

— Je dirais un artiste plus qu'un magicien. La magie n'existe pas, le talent oui.

— Un artiste qui a le pouvoir de faire disparaître n'importe quelle personne sur terre.

Richard siffla une gorgée de son whisky pour laisser le temps à son interlocuteur de développer sa réflexion. Les traits d'Edward s'étaient durcis. Ce qu'il avait en tête ne devait pas lui plaire et la raison ne tarda pas à suivre.

— Avez-vous entendu parler des Singleton ?

Le directeur opina de la tête.

— D'après la presse, poursuivit Edward en posant son verre, il s'agirait d'un groupe criminel qui se serait récemment développé à Chicago.

Le mafieux reprit place derrière son bureau et croisa ses mains sur celui-ci d'un air intransigeant.

— Des gamins en culotte courte s'amusant depuis quelques mois à nous voler des clients sur notre territoire.

— Quelle différence avec vos cow-boys ?

— Ceux qui travaillent pour moi font partie de ma famille, et je ferai tout pour les miens. Les autres n'ont aucune valeur pour moi.

Les deux hommes se comprirent en un seul regard. Ils avaient ce point en commun, celui des liens fraternels qui les unissaient à leurs employés. Dans un tiroir de son bureau, Holloway prit une boîte à cigares en bois ouvragé et souleva le couvercle gravé d'un trèfle à trois feuilles. La boîte contenait huit cigares cubains bagués numéro 4 de la marque Montecristo. Des cigares d'une grande qualité provenant de La Havane, très appréciés par les amateurs. Le mafieux en proposa un au directeur. En homme de bonnes manières, Richard savait qu'il aurait été impoli de refuser un présent aussi raffiné. Edward décapita leur tête avec un coupe-cigare plaqué or. Il craqua une allumette pour embraser leur bout et l'agita pour éteindre la flamme. Un nuage gris s'appesantit dans la pièce, puis des serpents de fumée ondulèrent pendant quelques secondes dans l'air avant de s'évaporer.

— Chicago ne se partage pas, reprit Edward après une bouffée. C'est un marécage où l'on peut rapidement s'enfoncer si on ne connaît pas tous les dangers cachés entre chaque fourré.

— Il suffit d'être accompagné d'un bon guide, répliqua Richard en imitant son associé.

— Une offensive majeure se joue en ce moment même.

— J'ai étudié votre dossier.

— Les Singleton cherchent à me supplanter. Je ne peux pas me permettre de leur laisser gagner du terrain. Ils prendraient confiance, et je ne vous cache pas que cela pourrait donner à d'autres l'envie de rêver à une quelconque recherche de grandeur.

— Pourquoi ne pas les éliminer vous-même ? Avec un tel savoir-faire, la tâche vous serait aisée.

Edward rejeta un jet de fumée avec une certaine arrogance.

— Contrairement à eux, je sais me coucher lorsqu'il le faut et ne pas faire l'erreur de dévoiler mon jeu au premier flop. L'expérience m'a appris à ne jamais sous-estimer mes adversaires.

— Quand souhaitez-vous agir ?

— Dans trois jours. Les Singleton vont réaliser une importante vente d'armes avec des Irlandais. La rencontre aura lieu à l'est de la ville. Une affaire que j'avais mise en place depuis plusieurs mois. Nous avons perdu l'accord de la transaction en raison de leur concurrence déloyale qui a fait chuter les prix.

Le poing gauche d'Edward se serra sur la table. Il était plus que déterminé à reconquérir sa souveraineté. Entre réflexion et manipulation, Richard garda délibérément le silence, un index posé contre ses lèvres et, entre les doigts, son cylindre fumant. Il se plaisait à faire languir le bandit atrabilaire.

Après un temps de battement, il fit rougir son cigare et revendiqua avec assurance :

— J'accepte votre dossier à une seule condition. Je veux dix pour cent de votre gain lors de cette vente en plus de la prime pour le service rendu par l'Entreprise. Je sais combien cette opération est importante à vos yeux et qu'elle rapportera plus qu'il ne faut à votre clan. De quoi rester le maître des lieux pendant plusieurs mois, voire des années.

Edward jaugea Richard du regard. Il n'était pas enclin à une quelconque négociation. Avec son cigare en biais dans sa bouche et l'extrémité de ses doigts rassemblés formant une pyramide, Shepherd était la caricature de l'intraitable chef de guerre qui donnerait l'ordre de mettre à feu et à sang une nation belligérante si toutes ses exigences n'étaient pas assouvies. Ils étaient bien de la même trempe. Le gangster éleva légèrement sa tête en signe de supériorité.

— Marché conclu, accepta-t-il. Vous prenez tous les risques, vous méritez bien cette commission.

Une interrogation passa dans son regard.

— Toutefois, une chose m'étonne. On m'avait pourtant fait comprendre que le directeur ne venait jamais rencontrer ses clients, pour des raisons de sécurité personnelle.

Sur le départ, Richard se leva de sa chaise.

— Je fais des exceptions pour les meilleurs d'entre eux.

— Heureux d'en faire partie.

— Autre chose ?

Edward rendit le contrat qu'il venait de souscrire à son nouvel associé.

— Je vous serais reconnaissant d'en garder quelques-uns en vie. Je veux avoir le plaisir de les voir souffrir de leur outrecuidance.

— Il sera fait selon vos désirs. L'Entreprise a toujours mis un point d'honneur à satisfaire ses clients.

Sans un mot de plus, Richard remit son chapeau, salua Edward de la tête et fit demi-tour pour quitter le bureau du mafieux.

# CHAPITRE VI
## Tenue correcte exigée

*New York, novembre 1958.*

En fin de journée, Theodore et Antonin s'étaient donné rendez-vous au Devil's Pack pour un dernier verre. Une habitude qu'ils avaient prise depuis qu'ils se connaissaient. À l'égal d'un père et d'un fils, ils profitaient de ces moments privilégiés pour échanger sur leur vie. En particulier, compte tenu de leur travail qui les mettait constamment à l'épreuve, l'homme au costume bleu aimait partager son expérience, dans le but d'éviter au jeune homme des erreurs pouvant le conduire à une issue fatale.

Peu de clients étaient présents à cette heure. Cette faible affluence leur permettait de parler de leurs problèmes de boulot sans avoir peur d'éveiller les oreilles indiscrètes. Ils s'étaient installés à leur table habituelle contre la baie vitrée, et Antonin avait fait le résumé complet de sa journée chaotique de la veille. De ses exploits fantasques jusqu'aux plus triviaux. Il n'avait omis aucun passage, et surtout pas celui de l'incident dans les toilettes de la gare. Une histoire qui rivaliserait très bientôt avec celle de la mémorable unique balle d'Archie. À coup sûr, leurs collègues s'en donneraient à cœur joie pour les mettre en compétition.

— Non, mais si tu l'avais vu ! fulmina Antonin. Un cave, ce type. Il y avait du sang partout, une vraie boucherie. C'était pire que l'histoire avec Jamie. J'suis sûr que si tu avais été là, tu lui aurais foutu ton poing dans la figure.

Il rapprocha son pouce et son index pour mimer un espace fin entre les deux.

— Il était à ça de tout faire foirer. Ce gars est un abruti de première. Je sais pas comment il a fait pour être admis. Il n'a rien dans le citron.

La tête ailleurs, Theodore fumait une cigarette d'un air absent en fixant un verre de *G and T* à peine entamé. Il n'écoutait qu'à moitié ce que son ami lui racontait. Il avait en pensée la conversation qu'il avait eue avec Richard. Il se demandait si cette affaire dont le directeur voulait qu'il se charge en valait la peine, et s'il se montrerait à la hauteur de ses attentes. Il n'avait pas encore fait pencher la balance. Pour : un peu plus d'argent ne ferait pas de mal à son portefeuille. La retraite approchait à grands pas et chaque dollar mis de côté lui garantissait une fin de vie prospère. Contre : ce boulot était à l'opposé de ses gènes. Il craignait, et à juste titre, que ses pulsions de chasseur viennent faire échouer toute l'opération. Toutefois, la balance se mit à pencher lourdement lorsque l'appel de l'argent tinta de plus en plus fort dans ses oreilles, au point de l'assourdir.

À la fin de son histoire, Antonin se rendit compte de l'absence de son ami. Il l'interpella par deux fois pour le faire réagir.

— Teddy ? Eh ! Tu m'écoutes ?

Theodore se ressaisit en raclant sa gorge pour revenir à la réalité.

— Excuse-moi, Tony, dit-il en se passant une main gênée sur le front. Je pensais à autre chose.

— J'vois ça. Un problème ?

Il ne pouvait rien lui cacher. Theodore tourna la tête sur le côté et souffla un filet de fumée par un coin de sa bouche.

— Un contrat, répondit-il.

— Difficile ?

— Je ne sais pas encore.

— Tu peux toujours refuser. Le directeur ne te le reprochera pas, surtout pas à toi.

— Il me l'a personnellement confié.

— C'est quoi, l'affaire ?

— Une protection.

— Quoi ? fit Antonin, étonné. Le directeur veut que tu protèges quelqu'un ?

— Mmh, la femme d'un riche client.

— Je croyais qu'il refusait ce genre de cas ?

— Moi aussi, mais d'après lui, on ne peut pas se permettre de décliner cette demande. Les clients de l'Entreprise sont moins nombreux et les comptes sont au plus mal pour ce mois-ci. C'est un client régulier avec d'énormes fonds, alors il veut tout faire pour ne pas le perdre.

— Qui est-ce ?

— Pierce Collins, dit Theodore après avoir bu un coup de son gin-tonic. Un courtier renommé, d'après ce que j'ai entendu dire. Il se serait fait pas mal d'ennemis du côté de Wall Street. Selon le directeur, il aurait fait perdre des millions à des actionnaires et maintenant, les menaces affluent à sa porte.

— Il n'y a pas de risques pour nous ?

— Le directeur dit que non. Collins est un ami proche.

— Il connaît l'Entreprise ?

— Dans les grandes lignes. Et puis, même s'il avait l'idée de parler, il sait ce qui l'attendrait.

— Tu commencerais quand ?

— Je dois la rencontrer ce soir à une collecte de fonds pour un gala de charité.

— Un peu court pour prendre une décision.

— Je ne suis pas sûr de décider de quoi que ce soit.

— J'espère pour toi qu'elle n'est pas du genre femme à chat.

— J'espère pour moi qu'elle n'est pas du genre poule de basse-cour, plaisanta-t-il.

— Pas faux. Quoique avec Archie, t'as déjà de l'expérience dans le domaine.

Les deux hommes rirent légèrement à cette amusante comparaison puis passèrent à une tout autre discussion.

Quelques heures plus tard, New York basculait dans les ténèbres d'une nuit nuageuse. Une douce musique s'envolait par la fenêtre d'un modeste appartement situé au dernier étage d'un immeuble de Midtown. L'œuvre musicale était l'« *Ave Maria* », un titre tiré de l'acte IV de l'opéra *Otello* de Verdi, une prière déchirante à la Sainte Vierge interprétée par le personnage de Desdémone et dont les paroles ne laissaient pas indifférent l'homme qui l'écoutait avec toute la félicité et l'émotion que lui inspirait cet air italien. La pointe du tourne-disque avançait sur le vinyle au rythme de sa plume dorée sur le papier, tandis qu'il finalisait l'écriture d'un message anonyme. Un faisceau lumineux rouge perça le bâillement des rideaux. La lueur colorée se reflétait sur son bureau et s'unissait avec celle d'une bougie consumée par le temps et les questionnements. Il plaça la lettre dans une enveloppe qu'il cacheta avec un bâton de cire rouge fondue par la flamme.

Vers vingt et une heures, Theodore se dépêcha de prendre la route pour se rendre dans le quartier de Times Square. À l'angle de la 44e Ouest et de la 45e Rue, il vit l'hôtel Astor où avait lieu la soirée de gala à laquelle Richard l'avait convié. Impossible de le rater. L'immense hôtel, construit dans le style Beaux-Arts, occupait un pâté de maisons. Mille chambres étaient à disposition, ainsi que plusieurs salles de loisirs et un jardin sur le toit pour bénéficier d'un retour à la nature. Tout était fait pour ne jamais s'ennuyer. Assurément, le personnel était là pour guider les clients dans un dédale de salles, d'étages et de couloirs interminables.

Ne souhaitant pas qu'un voiturier touche le volant de sa Riley, le chasseur entreprit de garer lui-même sa voiture à une trentaine de mètres de l'entrée. Il n'éprouvait aucune hostilité envers les voituriers, il n'avait juste confiance en personne pour piloter son bijou vert. Les seules fois où il avait été contraint de céder les clés de sa voiture, il avait dû régler des sommes importantes en réparation. Alors, pas question de refaire la même erreur. Il allait très bientôt atteindre son rêve, et ce n'était pas le moment de dépenser bêtement l'argent de sa cagnotte durement gagnée.

Theodore donna son manteau au vestiaire et fit son entrée dans la grande salle de bal où se déroulait une réception fastueuse. En général, il n'avait que faire des protocoles de bienséance. Or ce soir, il avait fait l'effort de revêtir le conventionnel smoking noir. Environ deux cents épicuriens guindés riaient, discutaient, et d'autres dansaient au son d'un orchestre jouant sur une scène aménagée, illuminée par des grands lustres en cristal. Ils s'étaient tous mis sur leur trente-et-un avec smoking et robe de rigueur. Avait fait le déplacement tout le gratin new-yorkais pour lequel on avait mis les petits plats dans les grands. Des serveurs en queue-de-pie circulaient avec des petits-fours et des flûtes de champagne pour rafraîchir les gosiers des convives bavards en quête des dernières rumeurs. Des acteurs qui se donnaient en spectacle pour un énième tour de piste d'ego ; un cirque ampoulé où l'avenir du monde se jouait entre les crevettes, les huîtres et le caviar magnifiquement présentés sur des plateaux en argent. Ce dressage royal leur faisait presque oublier les généreuses donations pour les nécessiteux requises.

Theodore haïssait au plus haut point ces soirées mondaines. Il ne s'y sentait pas à sa place, mais il avait accepté de s'y présenter pour faire bonne figure. Jouer le jeu, il savait le faire. Chaque enfer a ses règles. Il fallait se contenter de singer ses adhérents pour s'intégrer à la fête. Et visiblement, leurs mains enserraient toutes un verre de champagne. Il devait se procurer au plus vite ce vin du diable avant qu'on ne le prenne pour un membre du personnel. Un rien à leurs yeux prouverait qu'il était un profane.

Mains dans les poches, il balada son regard dans la salle. Des hommes richissimes, magistrats, politiques, patrons de grande entreprise conversaient dans une cacophonie vaniteuse. Ces derniers n'auraient manqué à aucun prix cette réunion. Sauver la veuve et l'orphelin n'était pas la raison. Du moins, pas la principale. Il s'agissait avant tout d'actualiser leur réseau si nécessaire à leur réputation d'hommes du monde. Entre ceux qui avaient encore la carte et ceux que l'on estimait ne plus être capables de l'offrir… cela dépendait de votre enrichissement de l'année et aussi de votre statut social. Le sien n'atteindrait jamais leur hauteur seigneuriale, et jamais il ne chercherait à s'élever plus haut que le plancher des vaches. Bienheureux avec le patrimoine spirituel hérité de ses parents, il se revendiquerait éternellement de ce rang modeste. Il préférait laisser le jeu du pouvoir aux enfants capricieux et profiter au mieux des joies simples de la vie, avant d'être définitivement rappelé par le grand patron tout en bas qui le dévorerait à la sauce tartare.

En parlant d'en finir, Theodore repéra avec soulagement Richard, discutant à côté du buffet avec un groupe d'hommes qui s'encensaient mutuellement au sujet de leur parcours respectif. En le voyant, Shepherd mit un terme à leur discussion afin de partir à sa rencontre.

— Teddy ! Heureux que tu sois là, s'exclama-t-il, les bras largement ouverts.

— M'improviser chaperon n'est pas vraiment dans mes attributions, déclara Theodore.

— Je sais, je suis conscient de ton sacrifice. C'est pour cette raison que je t'ai promis une excellente prime.

— Il me semblait que nous étions à court d'argent.

— Ne t'en fais pas pour ça, nous raclerons les fonds de tiroir. Que ne ferais-je pas pour satisfaire mon employé numéro un ?

— Dans ces conditions, une Riley Pathfinder ne serait pas de refus.

— Bon choix, approuva Richard souriant, mais je crains qu'il me soit impossible de faire passer cette dépense en frais professionnels auprès du comité. Au demeurant, ils ont trouvé une mesure budgétaire aberrante pour revaloriser les finances de l'Organisation. J'ai appris avec regret qu'ils avaient l'ambition d'établir un quota mensuel de munitions pour chaque Entreprise. Parfois, j'ai vraiment l'impression qu'ils sont en dehors des réalités. Quoi qu'il en soit, après ça, je n'ai pas osé faire la commande de nouvelles fournitures de bureau. Si ça continue ainsi, les rapporteurs finiront par graver leurs notes sur des plaques de pierre. Spring me tuerait si je lui demandais de faire des copies.

Ils sourirent, amusés par cette conclusion. Theodore portait une estime manifeste à Richard, qui favorisait les liens et le dialogue entre les employés et la hiérarchie. Une intelligence d'esprit qui n'était pas de rigueur dans toutes les Entreprises. D'autres événements les avaient aussi amenés à se rapprocher et à s'accorder une confiance mutuelle, aujourd'hui ébranlée par la révélation d'une possible trahison insoupçonnée de l'infaillible employé. Le regard de Richard se perdit dans la foule puis se fixa sur une personne précise. De l'index, il indiqua à Theodore de rester sur place.

— Attends-moi ici, je te prie. J'ai quelqu'un à te présenter.

Richard s'absenta. En attendant son retour, Theodore frappa légèrement du pied et sans qu'il l'ait vu venir, un serveur lui proposa une flûte de champagne qu'il accepta volontiers. Il s'apprêtait à boire quand la voix de Richard le freina dans son geste.

— Theodore, je te présente Mme Parker Collins.

Le chasseur se retourna. Il eut presque le souffle coupé lorsqu'il se retrouva nez à nez avec une splendide femme à la chevelure flamboyante. La charmante créature avait la quarantaine, le teint laiteux, un visage fin, les pommettes saillantes et mouchetées de quelques taches de rousseur qui remontaient jusqu'à son petit nez retroussé. Un maquillage léger venait parfaire son charme naturel. Ses longs cheveux roux avaient été relevés et attachés sous la forme d'un chignon sophistiqué retenu par une broche en or. Elle portait pour l'occasion une élégante robe de soirée verte en dentelle. Une pièce faite sur mesure, embellie de pierres de valeur au niveau du bustier, plissé pour marquer sa fine taille et à l'encolure généreusement échancrée qui laissait entrevoir ses formes plus que désirables ; le tout harmonisé avec un fin collier qui rappelait la couleur de ses grands yeux bleu-vert ensorceleurs. C'était un bijou en or serti d'une pierre d'émeraude accrochée à une chaîne du même métal précieux. Cette femme dégageait une beauté divine que seul Michel-Ange aurait pu retranscrire sur un plafond côtoyant les anges, ou encore une beauté fatale digne de « L'Enfer » de Dante par Botticelli.

— La femme de Pierce Collins, ajouta Richard.

Gentleman, Theodore salua obséquieusement la jeune femme. Il prit sa main pour l'amener à sa bouche tout en s'abstenant de l'embrasser et prononça simplement :

— Madame Collins.

— Appelez-moi Parker, rectifia la rousse. Bien que je sois mariée, il m'est encore difficile de renoncer à mon appellation de jeune fille.

— Les habitudes sont toujours difficiles à perdre, admit Theodore.

— Les habitudes non. Les principes oui.

Theodore et Parker se turent et s'analysèrent d'un œil critique.

— Alors, voilà l'homme qu'on nomme le Corbeau, dit Parker d'un ton dubitatif en détaillant Theodore du regard. En vous voyant, j'ai peine à croire que vous puissiez tuer une personne dans son sommeil.

L'homme au costume bleu ne se débina pas :

— N'éteignez pas votre lampe de chevet. Vous risqueriez d'être surprise.

— Je prends le risque, répliqua Parker avec un sourire.

— Je puis vous assurer que Theodore est l'un de mes meilleurs employés, intervint Richard.

— Je ne peux que croire le meilleur ami de mon mari.

À sa remarque, Richard gratifia Parker d'un sourire ingénu.

— Au fait, où se trouve-t-il ? demanda Theodore. J'aimerais pouvoir le saluer.

— En voyage d'affaires, dit la jeune femme, qui avait subitement perdu tout intérêt pour le sujet. Ne comptez pas sur sa présence pour ce genre de mondanités. Serrer des mains pour un revers de médaille n'a jamais été son fort.

— Étrange, pour un homme de son rang.

La rouquine perçut de l'aigreur dans l'allusion de l'Anglais et renvoya sur-le-champ la balle à son détracteur :

— Pensez-vous que son métier reflète sa personnalité ?

— Je ne le pense pas, je le crois. Les hommes d'argent ont la fâcheuse tendance à oublier les vies derrière les chiffres.

— Et vous osez le dire ? fit Parker, incrédule.

— Je n'ai jamais nié le fait que j'appartenais au club.

Parker respecta sa franchise et esquissa un discret sourire. Témoin de la scène, Richard avait suivi l'affrontement avec un enthousiasme dissimulé. Il n'était aucunement étonné de la charge électrique opposée que produisaient les deux êtres. Et pour éviter les dommages collatéraux d'une détonation imminente, il devait déserter d'urgence la ligne de front.

— Je vois que le courant semble plutôt bien passer, dit-il. Je vais en profiter pour vous abandonner. Personnellement, je suis toujours dans l'obligation de serrer quelques mains pour renouveler ma carte de membre.

Richard interpella un invité et s'en alla le rejoindre à une table. De ce fait, Theodore et Parker se retrouvèrent seuls, contraints de communiquer. Un silence s'instaura. Theodore lorgnait la magnifique femme à ses côtés en continuant de boire son alcool pétillant. La dissension était bel et bien présente. Puis l'envie d'en apprendre plus sur sa nouvelle protégée titilla le chasseur.

— Alors, comment Richard et votre mari sont-ils devenus amis ? demanda-t-il.

— Vous appelez votre employeur par son prénom ? répliqua Parker, entre étonnement et amusement.

— Nous nous connaissons depuis de nombreuses années.

— La longévité ne fait pas l'amitié.

— Nous partageons une histoire commune.

Parker comprit à cette concision que Theodore ne s'étendrait pas sur le sujet, et décida de reprendre leur discussion première.

— Pierce et Richard se sont connus il y a quelques années de cela, relata-t-elle d'un ton monotone, grâce à un ami commun, et ils ont sympathisé. Une chose en entraînant une autre, ils sont devenus ce qu'ils sont aujourd'hui.

— Et vous ? Comment avez-vous connu votre mari ?

Parker soupira, comme si elle était particulièrement agacée par cette question.

— Je trouve que vous posez beaucoup de questions pour un homme qui doit adopter le silence.

— Mon objectif est de vous protéger. Mon devoir est de concevoir chaque paramètre pour y parvenir.

— Le devoir, répéta Parker, lasse. Un libre arbitre trompeur imposé par la morale d'une société. Il nous est impossible d'y déroger sans subir le courroux de nos pairs. J'ai vu tant d'hommes partir à la guerre se battre au nom de cette vertu sans en revenir, et d'autres sombrer à leur retour dans la folie pour finir par se pendre au bout d'une corde, à force de se demander si leur lutte justifiait l'atrocité de leurs actes. Certains ont même préféré la fuite au combat, mais les malheureux ont été rattrapés par leurs frères d'armes et ont dû payer leur choix de leur vie. Combattre ou fuir. Au final, le prix reste le même. La mort gagne toujours. Un conseil, mon cher, ne vous fatiguez pas à réfléchir à la manière d'accomplir votre devoir au risque de tomber dans l'aliénation, vous mettre en travers d'une balle sera toujours plus efficace et moins pénible pour me protéger.

— Croyez-moi, je vais tout faire pour éviter d'en arriver à ce dénouement. Ce n'est pas ma première bataille. Certes, cela exige de la préparation, mais j'ai toujours eu pour principe de connaître parfaitement mes ennemis pour mieux les désarmer.

— Nous n'avons pas encore assez bu pour devenir des amis, alors accordez-moi au moins le temps de finir une coupe avant d'être de parfaits ennemis.

— Faites donc, je n'ai jamais eu le plaisir d'avoir une ennemie aussi divine.

Sur cette dernière réplique, Theodore et Parker se regardèrent avec étrangeté. Ce contact visuel créa un sentiment d'irréalité, indéfinissable et en même temps plaisant. Ils ne savaient pas ce que c'était, seulement qu'il était assez attractif pour les attiser. Un serveur vint les interrompre dans cet instant de flottement en chuchotant quelques mots à l'oreille de Parker. Elle tourna son regard dans la direction indiquée par l'employé et distingua, au bout de la salle, un homme séduisant qui la fixait avec concupiscence. La silhouette d'un invité, portant à son cou un foulard Ascot en soie rouge et or, passa devant le bellâtre, obligeant la rouquine à détourner son regard.

— Dites à M. Campbell que j'arrive, dit-elle.

— Bien, madame, consentit le serveur en partant obtempérer à cette demande.

— Un admirateur ?

Parker reposa son regard sur Theodore et s'efforça d'identifier la trace de jalousie qui devait logiquement accompagner sa question. Elle fut bien déconcertée de ne pas la voir. L'homme avait dû être sculpté dans du marbre blanc.

— Certains doivent serrer des mains, d'autres doivent les offrir.

Theodore apprécia la formule et afficha un sourire à son tour. Elle avait du répondant, et il commençait à cerner le genre de femme qu'elle était. Inaccessible et attirante. Tout ce qu'un homme cherchait un jour à obtenir dans son tableau de chasse.

— Heureuse d'avoir pu faire votre connaissance, monsieur le Corbeau, dit Parker. Je vais devoir vous abandonner quelques instants aux joies des conventions sociales, mais nous aurons le plaisir de nous recroiser au fil de cette soirée qui ne fait que commencer.

Theodore leva son verre en signe d'approbation. Elle sourit et s'éloigna lascivement des yeux emplis de désir de son nouvel ange gardien, une volte-face audacieuse qui révéla avec ravissement le dos nu de la belle jusqu'alors masqué. Cette femme avait plusieurs facettes, mais à l'évidence, son côté pile était sans doute le plus intéressant…

Au cours de la soirée, Theodore démontra progressivement son manque d'intérêt pour les réjouissances en se limitant au buffet. Les petits-fours avalés par dizaines l'avaient rapidement rassasié, mais aussi très vite assoiffé. Il prit un autre verre de champagne et regarda oisivement le bétail rupin batifoler. La perspective de retrouver son fauteuil en cuir et son journal l'enivrait plus que sa boisson. Lloyd aurait adoré être ici, se disait-il avec un air maussade. Il aurait lancé des débats passionnés, vanté des artistes inconnus sans le sou et dansé sur la piste jusqu'à en avoir mal aux pieds. Au fond, tout ce que lui se refusait à faire. Theodore lâcha un énième soupir lorsqu'une belle jeune femme, dans sa longue robe noire de satin, le tira de sa déprime d'homme introverti.

— Bonsoir, dit-elle sur un ton enjoué.

Theodore répondit à la salutation par un demi-sourire.

— Vous vous amusez ?

— C'est ma quatrième coupe, répondit Theodore en présentant son verre. Quand bien même je ne m'amuserais pas, je ne m'en rendrais pas compte.

Parker, pour sa part, écoutait, faussement concernée, la conversation de M. Campbell sur la nécessité des hommes au gouvernement. Prise d'un ennui profond, elle laissait flâner son regard à travers la salle. Elle fut surprise de voir Theodore en bonne compagnie. Pour une raison qui lui échappait, elle fut tout à coup en proie à de nombreux questionnements. En regardant le chasseur converser avec sa nouvelle amie, elle commença à se demander s'il était le genre d'hommes à collectionner les aventures et si cette femme pouvait être son type. La demoiselle paraissait jolie, bien qu'ordinaire. Un peu jeune il est vrai, mais les hommes de ce temps s'en accommodaient facilement. Pourtant, elle avait l'intime conviction qu'il ne faisait pas partie de cette catégorie. Ou alors si… Son sourire s'évanouit au moment où la femme éclata de rire à une parole de l'Anglais. Elle avala, légèrement contrariée, une larme de son champagne et continua d'écouter son assommant soupirant divaguer sur la politique actuelle.

Quant à la nouvelle rencontre de Theodore, elle s'intéressait à lui (tandis que l'inverse ne semblait pas aussi évident) :

— Êtes-vous venu accompagné ? l'interrogea-t-elle, de sa voix sirupeuse.

— Je voulais amener mon chien, mais il trouve ce genre d'endroits un peu trop tape-à-l'œil, répondit Theodore.

— Vous êtes un comique.

— Il vaut mieux rire que pleurer.

Il jeta un œil aux invités et ajouta avec morgue :

— Même si, après analyse de la situation, je corrigerais volontiers cette maxime.

— Puis-je connaître votre nom, si cela n'est pas trop indiscret ?

— John Doe.

Un innocent mensonge pour se débarrasser de cet encombrant parasite.

— Susan Lake, répondit la femme en tendant sa main dans l'espoir d'un baiser courtois.

Theodore en décida tout autrement et offrit une franche poignée de main à sa nouvelle connaissance. Frustrée, celle-ci remplaça rapidement sa déception en une béatitude exagérée et demanda :

— Que faites-vous dans la vie, monsieur Doe ?

— Je m'occupe d'un hôtel, continua de feindre Theodore.

— Comme cela doit être passionnant. Dites-m'en plus, *John.*

— Ce n'est qu'un petit hôtel situé à proximité d'une nationale. Il n'y a pas beaucoup de clients qui y séjournent, mais cette petite affaire me permet de m'investir pleinement dans ma passion.

— Ah oui ? Et quelle est-elle ?

— Je suis taxidermiste. J'empaille des animaux morts pour leur donner une seconde fraîcheur. C'est pour cette raison que Médor n'a pas pu venir. C'est un berger allemand et il n'aurait jamais pu tenir dans le coffre.

Le corps de Susan se glaça jusqu'à la moelle à cette horrible révélation. Theodore avait déblatéré son histoire avec une telle légèreté qu'il était impossible d'y voir une trace de mythomanie. Intérieurement ravi, il regarda la bouche de Susan s'ouvrir puis se fermer, comme celle d'un pantin désarticulé.

— Euh, il faut… Veuillez m'excuser, je dois… je dois aller me rafraîchir, balbutia-t-elle en désignant vaguement un coin de la salle.

Pâle comme un linge, Susan se sauva loin du dépeceur qui fêta sa victoire par une gorgée de champagne. Une trêve vite abrégée. En effet, le baratineur ne resta pas seul bien longtemps, puisqu'une autre femme relaya aussitôt la précédente. Il n'eut pas besoin de tourner la tête pour savoir de qui il s'agissait. Son parfum aux nuances de rose, mémorisé par Theodore lors de leur première conversation, était reconnaissable entre mille. L'un à côté de l'autre, ils fixèrent silencieusement les invités jusqu'à ce que Parker enclenche un rapide dialogue :

— Faire fuir les femmes est aussi l'une de vos spécialités ?

— Seulement celles qui ont le collier trop serré, répondit Theodore.

— Pourquoi taxidermiste ?

— Ces personnes-là m'ont toujours fasciné. Réussir à donner l'illusion de la vie. C'est un don que peu de personnes cultivent.

— Il est vrai que quand il s'agit de se prendre pour Dieu, vous n'êtes pas en reste.

— Allez lui demander des comptes. C'est lui qui m'a fait naître.

— Il n'est pas le seul fautif. Le diable a dû jouer un rôle prépondérant dans votre venue au monde.

— Vous pensez que je suis le résultat d'un mauvais jeu de dés entre le paradis et l'enfer ?

— Je crois que Dieu a détourné son regard le jour de votre conception, et que le diable y a vu une occasion de lui jouer un tour.

— Vous avez probablement raison. Ce jour-là, le Seigneur devait être trop occupé à réparer l'erreur d'Ève.

— Pour l'homme, la femme est toujours responsable de tout, n'est-ce pas ? De toute façon, l'histoire sur vos origines m'importe peu. Pour ma part, je préfère la compagnie d'un homme immoral à celle d'un vertueux. La vie est déjà assez courte et tourmentée pour se l'empoisonner avec les bonnes mœurs. Un précepte que je ne manque pas de suivre, dit-elle en lançant un regard séducteur à Campbell.

— Votre mari doit avoir une absolue confiance en vous, dit-il avec un sourire ironique.

— Pierce ne me pose jamais de questions, et ce qu'il ne sait pas ne peut pas lui faire de mal.

Theodore regarda Parker :

— L'omission est une trahison, ajouta-t-il.

Parker regarda Theodore :

— Le silence est une preuve d'amour, conclut-elle.

Les deux protagonistes se défièrent, puis l'étincelle dans leurs yeux se raviva. D'humeur joueuse, Parker déporta son regard sur l'orchestre qui entonnait un morceau de jazz.

— Vous dansez ? lui proposa-t-elle.

— Jamais.

— Essayez.

— Je n'essaie rien sans avoir déjà pratiqué.

— Auriez-vous peur ?

Theodore tarda curieusement à donner la réplique. Son regard venait d'être captivé par quelque chose de l'autre côté de la salle qui avait eu le mérite de le contrarier.

— Ma seule crainte serait que l'homme qui nous dévisage depuis un certain temps ne vous invite pas à danser.

D'un hochement de tête, il désigna à Parker un invité qui la fixait avec convoitise. Aucun homme n'avait à cœur de la laisser orpheline pour cette nuit.

— Au moins, il aurait le mérite de se montrer plus cavalier, fit-elle remarquer.

— Des hommes arborent leur plus beau sourire pour obtenir ce qu'ils désirent.

— Il suffit de trouver leurs points faibles. La vérité sur leurs réelles pensées se révèle généralement assez rapidement.

— Fouettez-les et vous verrez bien ce qu'il en sortira.

Parker gloussa en regardant l'invité au sourire charmeur se rapprocher. Comme pressenti, il lui demanda une danse. Elle accepta, souriante, l'invitation en lui prenant le bras. Mais avant de fouler la piste, elle se pencha vers Theodore pour lui chuchoter :

— J'espère qu'il ne hurlera pas trop de plaisir. Cela risquerait d'avertir la meute.

Un brin amusé, Theodore regarda le couple se diriger sur la piste de danse.

— Aucun homme ne lui résiste, dit une voix derrière son dos.

Le chasseur obnubilé ne contredit pas son patron qui venait de surgir à ses côtés. Theodore et Richard continuèrent tous deux de regarder silencieusement Parker danser. On ne voyait qu'elle au milieu de tous ces paons compassés. Elle les éclipsait tous par sa grâce angélique et son caractère altier. Cette femme avait un effet hypnotisant qui vous envoûtait jusqu'à oublier tout ce que vous aviez fait dans votre journée.

En la suivant des yeux, Richard demanda à Theodore :

— Tu te sens toujours de taille pour cette mission ?

— J'ai connu plus compliqué.

— Le degré de complexité ne rend pas le risque moins grand.

— Je réussirai celle-ci sans difficulté.

— Parfait, dit Richard en lui tapant l'épaule, passe me voir demain dans mon bureau, nous réglerons les derniers détails.

Le directeur quitta son employé pour rejoindre la jeune femme. Il l'interrompit dans sa danse pour lui en réclamer une à son tour et il relaya sans contrainte son partenaire. Ils débutèrent un slow sur une musique langoureuse. Dans ses bras, elle accrocha un instant son regard à celui de Theodore puis gloussa aux paroles murmurées par Richard à son oreille. L'Anglais termina son verre en contractant sa mâchoire, avec l'amère pensée que les trois précédents n'avaient pas été suffisants.

Tard dans la nuit, les invités quittèrent en masse la salle de réception avec le ventre bien rempli et les vapeurs d'alcool pour dernière trace de leur présence. Tout le monde avait hâte de retourner chez soi, le hall d'entrée était bondé. Dans la cohue générale, Richard se dégagea difficilement avec Parker du troupeau aristocratique afin d'atteindre les vestiaires pris d'assaut par les impatients. Il donna à un hôte deux tickets en échange de leur manteau respectif et aida galamment Parker à mettre son vêtement. Lorsqu'il enfila le sien, le convive au foulard Ascot le frôla. Il introduisit subrepticement un objet dans sa poche et se faufila dans l'amas d'invités pour disparaître. Richard poussa sa protégée d'une main en direction des portes principales et enfonça l'autre dans sa poche gauche. Un papier étranger effleura ses doigts. Il s'arrêta au centre de la salle et extirpa, déconcerté, une mystérieuse enveloppe. Elle était jaunie, sans timbre ni adresse. Sur le recto, une inscription était écrite à la main : « *Pour le directeur* ». Captant ses traits soucieux,

Parker l'interrogea sur la cause de cette subite préoccupation. Richard ouvrit l'enveloppe sans tarder pour recueillir un mot manuscrit aux belles lettres cursives.

*« Cher Richard,*

*J'espère que vous aurez autant apprécié que moi cette belle soirée. Surtout le champagne valant le prix de votre costume. Je vous laisse deviner sa qualité.*

*Veuillez saluer pour moi votre rouquine qui, comme à son habitude, était très en beauté.*

*PS : joints deux présents qui vous permettront d'éclaircir vos questionnements. »*

Richard fouilla l'enveloppe. Dedans, une clé accompagnée d'une procuration bancaire. Il redressa brusquement la tête, chercha dans tous les sens son possible expéditeur. Le messager pouvait être n'importe qui dans la foule, ou bien même être déjà parti. Impuissant, il regarda les invités le contourner pour quitter le bâtiment. Encore une fois, ce maudit facteur possédait une longueur d'avance sur lui.

Non loin de là, d'autres histoires se déroulaient et se liaient les unes aux autres. Des instants volés pour oublier les pires atrocités de la vie, ses interrogations, mais aussi son lourd quotidien. Jim jouait *Nocturne Op. 9, Nº 2* de Chopin au piano avec une cigarette au bec dans son appartement, tandis que Lloyd récitait dans le sien des vers de poésie à voix haute. De son côté, Archie répétait assidûment les instructions à suivre de son prochain contrat. Clyde était rentré chez lui avec une boîte de conserve de haricots rouges. Un présent que sa femme avait immédiatement balancé par la fenêtre pour enchaîner sur une dispute conjugale. Hors de son domicile, dans un quartier pauvre du Queens, Antonin fumait cigarette sur cigarette dans une pièce feutrée en regardant une femme aux habits légers danser langoureusement devant lui. Cette routine libidineuse était devenue le seul moyen à même de calmer son esprit tourmenté et ses macabres pensées. À quelques rues de son mentor, le stagiaire s'était écroulé, épuisé, sur le lit de sa chambre à coucher. Il fixait sa main tremblante, qu'il imaginait tatouée dans son creux du visage du voyageur de la gare en pleine agonie. Pourrait-il un jour oublier ce regard implorant ? Dormir sans cauchemars ? Vivre sans remords ? Il en doutait sérieusement, mais comme tous les autres, il allait devoir vivre avec. Désemparé, il réfugia son visage entre ses mains. Cette nuit, il garderait les yeux grands ouverts.

*Chicago, décembre 1939.*

Au manoir Holloway, Edward lisait avec délectation la première page du journal de la ville qui titrait : « *Rixe entre gangs : 15 morts* ». Il jeta le périodique sur son bureau et se laissa retomber dans son fauteuil pour regarder Richard avec satisfaction. Appelé un peu plus tôt, le directeur de l'Entreprise de Chicago avait de nouveau fait le déplacement pour un entretien avec l'homme d'affaires qui, ayant réclamé ses services, pouvait désormais constater ses résultats remarquables.

— Bon travail, directeur, le complimenta Edward. Personne ne nous suspecte de quoi que ce soit. Toute la ville pense à un règlement de comptes entre clans. Je ne sais pas comment vous avez fait, mais je vous en félicite.

Assis face à lui, Richard ne montra aucune émotion. Il n'y avait rien d'héroïque à réussir cette mission. Il ne faisait après tout que son travail.

— Un magicien ne dévoile jamais ses secrets.

— Ne m'aviez-vous pas dit être un artiste ? plaisanta le mafieux.

— L'un comme l'autre, il s'agit d'un homme avant tout.

— Un homme qui a accompli son contrat avec virtuosité. Et vous en serez récompensé, mais pour ça, je dois d'abord mettre cet argent aux couleurs de la démocratie.

— Sans indiscrétion, puis-je connaître votre secret de fabrication ?

— J'ai plusieurs connaissances qui ont le pouvoir de changer l'immoralité en honnêteté.

Richard cibla une photo de Clayton dans le journal.

— Comme George Clayton ?

Richard avait toujours pris un malin plaisir à évoquer les sujets les plus embarrassants. Le regard d'Edward glissa sur l'article concernant le maire en plein succès. Une malicieuse expression apparut sur son visage de brigand sans foi ni loi.

— Vous voulez dire notre maire plébiscité de Chicago ? corrigea-t-il.

— Les élections ne sont pas encore terminées.

— Elles le sont depuis le jour où ses opinions ont rencontré mon inspiration.

— Pensez-vous réellement détenir le destin politique de cette ville ?

— Cette ville n'a pas de lois, juste quelques règles à suivre, balaya-t-il d'un revers de la main, comme s'il chassait un grain de poussière dans l'air.

Richard regarda Edward avec des pensées perfides. Cet argent sale qui se baladait dans la nature éveillait son appétence pour les affaires de l'Irlandais. Avec la faible concurrence, il avait dû accumuler un profit assez conséquent sur ces dernières années. Et une bonne partie devait sommeiller quelque part. Le comploteur dut cependant repoussant ses projets de fortune à plus tard : sans crier gare, la porte du bureau s'ouvrit vivement sur une jeune femme, vêtue d'une robe rose pâle, d'un chapeau cloche assorti et de gants blancs, qui entra avec détermination.

— Eddy, il faut que je retourne à Washington pour…

— Parker, la coupa Edward, agacé. Ne t'ai-je pas déjà demandé de ne pas me déranger quand je suis en rendez-vous ?

— Pardonne-moi, je pensais que tu avais terminé.

Par respect, Richard s'était levé dès l'entrée de la demoiselle qui n'avait pas jeté un regard sur sa personne. Comme chaque fois, Parker se préoccupait à peine de ce qui pouvait se passer autour d'elle, ou du moins tant qu'elle restait le sujet principal de l'attention. C'est Edward qui s'employa à faire lui-même les présentations avec un mouvement alternatif de la main :

— Parker, je te présente Richard. Un collaborateur.

Parker tourna *enfin* son regard sur Shepherd. Elle le sonda promptement et lui tendit sa main.

— Juste Richard ? osa-t-elle dire sur le ton de la condescendance.

Une provocation calculée. C'était sa manière à elle d'analyser les hommes. Selon la réponse, elle choisirait ou non de le mettre à terre. Rares étaient ceux qui n'embrassaient pas le sol. L'homme aux cheveux blancs n'en avait cure. Plongeant son regard dans le sien, il lui prit délicatement sa main gantée et frôla de ses lèvres le dos de celle-ci afin de lui présenter ses hommages.

Il afficha un sourire ravageur et répondit :

— Juste Parker ?

La réponse de Richard aguicha la jeune femme. Une drôle de sensation l'envahit. La demoiselle resta figée devant le regard vert abysse du séduisant directeur. Elle avait l'impression que les yeux de cet homme avaient le pouvoir de la transpercer de part en part.

— Tu repars pour Washington ?

La rousse se reprit dans la seconde à la question d'Edward.

— Oui, des affaires à régler.

— J'ai parfois l'impression que tu es plus occupée que moi.

— Ce n'est pas qu'une impression, chéri.

Cette repartie fit étonnamment rire Edward, avec retenue toutefois.

— Bien, fit-elle, je vous laisse à vos affaires. Je dois me refaire une beauté. Nous aurons sûrement le plaisir de nous rencontrer à nouveau, *Richard.*

Elle avait insisté sur son prénom avec le même plaisir que si celui-ci était déjà sa propriété.

— Qui peut le savoir ? répondit Richard d'un air espiègle.

Après un subreptice échange de regards, elle lui adressa un dernier sourire et quitta la pièce sous ses yeux intrigués. Richard réussit à détacher ceux-ci de la porte uniquement lorsque Edward reprit la parole :

— Je reprendrai contact pour honorer le reste de votre paiement. D'ici là, je vous laisse le plaisir de nettoyer cette ville.

Une poignée de main solennelle marqua la fin de cet entretien. Après le départ du directeur, Karl, posté dans le couloir, referma la porte du bureau. Refusant d'être raccompagné par l'homme de main, Richard plia le contrat pour le glisser dans sa veste et déambula solitairement dans les couloirs du manoir. Cette rencontre avec cette Parker l'avait tellement remué qu'il faillit se tromper de chemin. Alors qu'il faisait demi-tour, il se figea sur le palier en haut des escaliers lorsqu'il l'aperçut, tout au fond du couloir, passer furtivement derrière une porte. Il ne connaissait absolument rien de cette femme. Et pourtant, il n'avait qu'une envie depuis que ses yeux avaient croisé les siens, être avec elle. C'était de l'ordre de l'inexplicable. Une attraction qu'il n'avait jamais éprouvée avec aucune autre femme, même pas la sienne. Peu importaient les risques, il devait encore lui parler. Rien qu'une minute. C'était devenu une nécessité. Il attendit le passage d'un sbire et prit l'initiative de la suivre. Gagné par une audace qui lui était inconnue, il entra sans frapper dans une salle de bains pour trouver Parker corrigeant son rouge à lèvres. Flegmatique, la demoiselle ne cilla pas en apercevant le reflet de l'homme dans la glace. Une réaction qui étonna un peu l'adorateur. Il ne devait pas être le premier à outrepasser toutes les convenances pour oser obtenir un aparté.

Richard la fixa en restant immobile, les mains enfouies dans les poches de son pantalon.

— Je constate que votre patience est limitée, dit Parker d'une voix détachée. Nous venons à peine de nous quitter que déjà nous nous retrouvons.

Richard eut un bref sourire.

— J'aime provoquer les rencontres, surtout celles qui peuvent m'être agréables.

— Dans une salle de bains ? releva Parker avec ironie.

— L'endroit compte peu, tant que la personne nous le fait oublier.

— Qu'est-ce que cela doit être lorsqu'on vous dit adieu ?

— Ne le dites jamais, ou nous risquerions de faire ménage à trois.

Elle rit de sa repartie. Elle avait toujours eu un faible pour les hommes qui aimaient entrer dans son jeu. Et plus encore s'ils arrivaient à lui tenir tête. Il était si facile pour elle de les manipuler qu'il était devenu rare d'en trouver qui sachent lui résister. S'adossant contre un mur carrelé, Richard, bras croisés, l'observa pensivement parfaire son maquillage. Il y avait quelque chose en cette femme qui l'incitait à la découvrir. Elle était comme ces roses auxquelles on arrache les pétales un par un pour mettre leur cœur à nu. Une découverte qui impliquait méthode et patience pour ne pas se faire piquer par les épines.

— Nous sommes-nous déjà rencontrés ? demanda Richard.

La rousse pinça ses lèvres colorées pour un meilleur effet.

— Pas à ma connaissance, répondit-elle en remballant son maquillage dans son sac à main.

— Pourtant, j'ai cette sensation de vous connaître depuis toujours.

Un court silence s'ensuivit. Parker récupéra son sac et se retourna pour s'approcher sensuellement de Richard, qui avait laissé tomber ses bras le long de son corps. Les yeux dans les yeux.

Le souffle du directeur s'écourta légèrement du fait de cette réciprocité. Cette réaction enchanta la rouquine. Elle aimait les voir hébétés et sans voix.

Elle le regarda intensément et souffla suavement :

— Faisons en sorte que cela ne soit pas qu'une sensation, mais…

Elle passa lentement son doigt pigmenté de rouge à lèvres sur le col blanc de la chemise de l'homme.

— Un souvenir.

Le geste sensuel enfiévra Richard. Plusieurs réflexions contradictoires s'entremêlèrent dans son esprit de mâle en rut. Il désirait assouvir ses pulsions malsaines, mais se retenait de tous ses membres pour ne pas la plaquer contre le mur. Un seul faux pas et les gorilles de Holloway se feraient une joie de lui montrer leurs nouvelles techniques de torture. La rousse décela ses pensées dans ses pupilles dilatées. Elle n'était pourvue d'aucun pouvoir télépathique, mais des années d'expérience avec différents hommes lui avaient permis de faire le tri et de saisir leur principale obsession à son égard. Elle s'en amusa puis se retira, le laissant à ses fantasmes amoureux. Un léger éclat de rire accompagna l'estompement du bruit de ses talons aiguilles dans le couloir. Richard ferma les yeux et laissa sa tête retomber contre le mur froid qui fit redescendre sa fièvre. Bien qu'il eût espéré un peu plus de ce tête-à-tête, il ne regretta pas d'avoir fait le premier pas. Le deuxième serait infiniment plus passionnant. Il en était certain, cette femme valait qu'on se saigne aux quatre veines pour elle.

# CHAPITRE VII
## Renégat

*New York, novembre 1958.*

La semaine suivante, au centre d'un carrefour du quartier de Harlem, à l'angle de la 127e et de St. Nicholas Avenue, l'ambiance s'avérait étonnamment tranquille. À neuf heures du matin, la circulation était calme et quelques passants musardaient dans les rues. La bande de chasseurs new-yorkais avait judicieusement employé ce temps pour mettre à exécution le plan de son contrat en passeri. Antonin, Archie, Clyde et Jim s'étaient respectivement postés à chaque angle du carrefour. Au premier, Jim, le visage masqué par son chapeau, s'était adossé contre le mur d'un immeuble et jouait avec sa pièce de l'Entreprise. En face, Antonin observait les environs. Au troisième angle, Clyde jetait des regards furtifs dans sa direction, alors qu'au dernier, Archie fixait l'Écossais en guettant un signe de sa part. Depuis plus d'un quart d'heure, l'équipe attendait les ordres pour bouger. L'impatience commençait à se faire sentir, mais elle retomba brusquement quand un homme poussa la porte d'une épicerie chargé d'un gros sac en papier empli de nourriture. Il n'était pas grand, le visage atone, la posture courbée, et il portait une large veste noire en cuir qui n'arrangeait pas sa maigre silhouette. La panoplie parfaite de M. Tout-le-Monde. En l'apercevant, Jim prévint Antonin en langue des signes de sa sortie. L'homme à la veste en cuir s'éloignait. Antonin indiqua à Clyde de se remuer et celui-ci commanda à Archie de faire de même. Aucun mot ne fut échangé, chacun savait ce qu'il avait à faire. Les quatre hommes se séparèrent comme quatre boules de billard expulsées vers leur trou. Ils empruntèrent des rues différentes, excepté Jim et Antonin qui filèrent leur proie sur deux trottoirs parallèles.

L'innocence incarnée, Jim marchait posément derrière l'homme insouciant. Il continuait sa filature quand le type à la veste en cuir eut l'étrange impression d'être épié. Il jeta un œil par-dessus son épaule : personne. Jim s'était caché à temps dans une ruelle adjacente. La tête inclinée, il attendit que l'individu se remette en route pour quitter sa planque. Il ne devait pas perdre sa trace. Le cœur de l'homme traqué cogna encore plus fort dans sa poitrine. Il venait de comprendre la raison de cette filature, et ce n'était pas pour l'une de ses nombreuses amendes impayées.

Il accéléra sa marche, Jim l'imita. De son côté, Antonin les vit faire et avança à la même allure. La proie accéléra, en petites foulées. Jim progressa plus vite. L'homme à la veste en cuir balança son sac sur la chaussée et se mit à courir sans réfléchir. C'était parti. Les deux chasseurs pourchassèrent la cible, qui s'arrêta au milieu de la rue : Clyde l'attendait au bout. L'homme tourna la tête : Archie bloquait l'autre passage. Il devait trouver une échappatoire. C'était devenu une question de survie. Sans issue et effrayé, il prit une accélération pour s'enfuir entre deux bâtiments. Jim le traqua, au même titre que ses collègues. Le fuyard s'était engouffré dans une ruelle qui se révéla être une impasse. Il poussa un juron puis repéra une échelle de secours fixée à un immeuble. Une voie qu'il espéra providentielle. En l'escaladant, il sauta des échelons afin d'atteindre plus vite le toit, puis jeta un regard effaré en bas. Jim était à ses trousses. Antonin eut juste le temps de voir son ami grimper, il emprunta à son tour l'échelle pour lui prêter main-forte. Archie et Clyde rappliquèrent dans la ruelle vide. Ils partagèrent la même pensée et firent précipitamment marche arrière. Sur le toit, l'individu pris en chasse, talonné par Jim et Antonin, courait à perdre haleine. Il manqua de tomber dans sa course, mais se rattrapa *in extremis*. Les deux chasseurs gagnaient progressivement du terrain.

Au pied de l'immeuble, Archie et Clyde couraient le long de celui-ci. L'homme à la veste en cuir arriva à l'extrémité du toit. Un vide de cinq mètres le séparait de l'immeuble d'en face. Il accéléra et sauta par-dessus, pour s'échouer lamentablement sur le toit en terrasse. Il se releva malaisément, tourna son regard en arrière – Jim et Antonin couraient – et reprit sa course. Le grand brun sauta sans difficulté entre les deux immeubles et continua sa poursuite acharnée. Il était comme un animal sauvage filant après son gibier vivace. La cible descendit du toit par l'échelle de secours et atterrit dans une autre ruelle. Le souffle coupé, l'homme entendit une activité à l'entrée. Archie et Clyde l'attendaient, déterminés. Il se carapata dans le sens opposé des chasseurs qui coururent immédiatement après lui, vite suivis de Jim et d'Antonin. Les quatre chasseurs poursuivirent leur proie jusqu'à la perdre de vue à l'angle d'une rue. Ils s'arrêtèrent et cherchèrent dans tous les sens où elle avait pu échapper à leur pistage.

À une distance plus lointaine, l'homme à la veste en cuir continuait de courir. Il regarda derrière lui et fut soulagé de n'y voir personne. Il rasa les quais pour se terrer sous la voûte d'un pont. Haletant et transpirant, il mesura la chance d'être encore en vie. Il avait échappé de peu au pire. Une main sur un mur, il reprit son souffle, jusqu'au moment où un bruit étranger surgit de nulle part. Il eut un sursaut et se retourna. Rien… une ombre, puis deux… Archie et Clyde se révélèrent. Le type marcha à reculons, mais buta malencontreusement sur Jim qui l'attrapa sans ménagement par le col de sa chemise pour le plaquer violemment contre un mur. L'Écossais se précipita pour venir en aide à son ami. Il maintint de son bras contre sa gorge le fugitif qui luttait sans relâche.

— T'as cru pouvoir nous échapper, sale p'tite ordure, ragea-t-il.

— Lâchez-moi, j'ai rien fait ! paniqua le fuyard, éperdu.

— Rien fait ? répéta Archie avec indignation. À part trahir la règle principale de l'Entreprise !

— J'vois pas d'quoi vous parlez.

— Ne pas parler de l'Entreprise !

Barney Brock avait commis l'irréparable. Il avait trahi l'une des règles essentielles de l'Organisation. Il y avait à peine quelques jours de cela, le chasseur de New York avait révélé l'existence de l'Entreprise. Et aujourd'hui, il allait devoir en payer le lourd tribut.

Précédé d'un index menaçant, Clyde approcha son visage enragé de celui de la proie terrifiée.

— Tu sais c'qu'on fait à des minables comme toi ? On les jette d'un pont, pesta-t-il.

— Laissez-moi partir…

Une silhouette se détacha de l'obscurité et s'approcha nonchalamment de Barney.

— C'est impossible, Barney, dit Antonin, implacable. Tu es un renégat et les renégats doivent être supprimés. C'est la règle.

— Tony, s'te plaît, dis-leur, supplia Barney, la voix cassée. Tu sais que j'suis un gars bien. J'ai pas trahi l'Entreprise. J'te l'promets. Tu me crois, hein ?

— Trop tard, se réjouit Clyde. L'heure de ta mort a sonné.

— Tu as eu un procès, Barney. Un rapporteur a affirmé t'avoir entendu parler avec un type du nom de Joe Tucker, révéla Antonin en enfilant des gants en cuir. Un gars qui bosse pour le gang des Black Roses. Et tu sais qu'un rapporteur ne ment jamais.

— C'est vrai, je… j'l'avoue ! J'ai parlé avec lui.

Barney n'essayait même plus de mentir. Maintenant, tout ce qu'il pouvait faire, c'était d'essayer de sauver sa peau.

— Ben tiens, railla Clyde, c'est drôle comme la mémoire te revient subitement. Sale traître !

— J'lui ai juste un peu parlé de c'que je faisais… rien de plus. On était dans un bar… J'avais bu… et… et j'ai confiance en lui, c'est un ami d'enfance.

— *C'était*, rectifia Archie avec un air mauvais.

— Oh ! non… putain… gémit le condamné en se tortillant comme un serpent pour échapper à ses bourreaux.

Antonin prépara un fil de pêche qu'il tendit à son maximum.

— On ne peut pas prendre de risques, Barney. Tu le sais, dit-il.

— S'te plaît Tony, fais pas ça. J't'en supplie, l'implora Barney d'une voix stridente.

— La ferme, Barney, ordonna Archie. Aie un peu de dignité.

— J'ai fait une erreur, j'te promets que ça n'arrivera plus.

— Pour sûr, lui confirma sèchement Clyde à son oreille.

— Non ! Faites pas ça !

Tout était prêt. Archie surveillait les alentours, Clyde retenait Barney, Jim l'empêchait de crier d'une main ferme, et Antonin étrangla le chasseur traître en serrant le fil autour de son cou. Cela ne prendrait que quelques secondes si le traître acceptait docilement la défaite. En manque d'oxygène, Barney tentait en vain d'arrêter l'inévitable avec ses mains qui faiblissaient, alors que son cerveau ne lui envoyait plus que l'image d'un long tunnel lumineux. Son visage doubla de volume. Il prit une teinte rosée, puis violacée. Ses yeux injectés de sang papillonnèrent. Ses jambes se débattirent et s'immobilisèrent. Le regard vitreux, les bras le long du corps, Barney était mort. Sans corde pour lester la dépouille, Antonin pratiqua une éviscération avec son couteau et fourra dans ses entrailles des pierres lourdes, ramassées à proximité par ses amis, pour éviter au corps de remonter à la surface. Clyde et Jim transportèrent son cadavre jusqu'à l'Hudson River. Le tenant l'un par les pieds, l'autre par les mains, ils le balancèrent deux ou trois fois d'avant en arrière pour se donner de l'élan et le larguèrent par-dessus le quai. De fines projections d'eau les éclaboussèrent à l'impact. Les chasseurs se penchèrent au-dessus du fleuve pour voir le visage de

Barney s'évanouir peu à peu dans l'eau trouble. Le corps du renégat fut doucement emporté dans les profondeurs où il rejoignit des déchets dignes de sa honteuse trahison.

Au bar d'un hôtel de luxe, un barman noya un glaçon dans un verre de *G and T* et le posa à côté d'un deuxième verre vide qu'il débarrassa. Theodore, assis sur un tabouret au bout du comptoir, le remercia. L'homme au costume bleu attendait à cette place depuis d'interminables minutes. Le temps commença à se faire long après qu'il eut englouti deux scones à la myrtille. En levant le coude, il balaya la salle du regard. Un couple discutait à une table, un homme était absorbé par un article de son journal, une femme sirotait son café. Aucun de ces profils ne paraissait l'intéresser. Il tapota le bout de son index contre son verre, puis regarda machinalement l'heure sur sa montre. Sa poitrine se souleva. Que faisait-elle ? Une permanente ? Même Lloyd mettait moins de temps à choisir son costume du jour. Il soupira encore et tourna lentement son regard terne vers l'entrée de la salle. Sans pouvoir y croire, il s'étonna de voir dans l'embrasure une femme, l'air très sûre d'elle, traverser le hall de l'hôtel. Bien qu'elle portât une capeline noire et de larges lunettes de soleil qui lui masquaient le visage, il reconnut sans mal Parker, sa fine silhouette serrée dans une robe anthracite et sa démarche de dévoreuse de monde. « C'est pas croyable ! », se dit-il. Elle se fichait de lui. Cette mégère rousse allait finir par le rendre chèvre. Il sauta de sa chaise, régla sa note avec un billet trop élevé et accourut pour la rattraper dans l'entrée.

— Vous n'oubliez rien ? l'interrogea-t-il sèchement en marchant sur ses talons.

Sans prêter attention à l'Anglais échaudé, la rouquine continua son imperturbable avancée en enfilant son manteau.

— En effet, vous avez raison, mes cigarettes, répondit-elle.

— Il était convenu de se retrouver au bar il y a plus d'une demi-heure.

— Ma montre s'est arrêtée.

— Le temps ne s'affiche pas que sur un seul cadran.

— Le mien n'a pas d'horaires.

Theodore crispa les mâchoires. Il poussa brutalement les portes d'entrée pour suivre Parker hors de l'hôtel. Elle marchait à si grandes enjambées sur le trottoir qu'il dut se hâter, assommé par le claquement de ses talons aiguilles, pour régler son pas sur le sien. Enfin à sa hauteur, Theodore la fustigea de son attitude des plus légères :

— Cela va faire une semaine que je vous cours après dans tout New York sans que vous m'ayez renseigné sur un seul de vos déplacements. Vous savez qu'il m'est impossible de garantir votre protection si vous ne me donnez pas un minimum de renseignements.

— Vous êtes payé pour me suivre, alors suivez-moi, soupira Parker.

À cran, Theodore força la jeune femme à lui faire face en la retenant par son bras.

— Je ne suis pas un chien que vous pouvez siffler comme bon vous semble.

— Vraiment ? Pourtant, vous en avez le poil.

La remarque de Parker, qui se voulait pince-sans-rire, n'amusa pas Theodore, bien au contraire.

— Ma mission est de vous protéger, mais si cela ne tenait qu'à moi, je vous laisserais au pied de cette poubelle, maugréa-t-il en désignant une corbeille de métal remplie à ras bord de détritus.

Face à l'exaspération de l'Anglais, Parker comprit qu'elle était peut-être allée un peu trop loin.

— Bien, dit-elle avec un soupir en ôtant ses lunettes de soleil, je vois à votre expression de basset hound que j'ai vraisemblablement vexé votre sensibilité britannique. Repartons de zéro. Je vous promets de vous dire tout ce que vous désirez, seulement si… vous m'offrez une cigarette.

Theodore regarda Parker comme si elle avait perdu l'esprit. Cette femme était la pire qu'il ait jamais rencontrée. Et Dieu sait qu'il en avait connu de nombreuses et de sévèrement piquées ! Le chasseur croisa fermement ses bras pour lui signifier qu'il ne céderait pas à son caprice de star hollywoodienne. Une intransigeance qui ne sembla pas être du tout comprise par la rouquine. La main tendue, elle s'impatienta devant sa non-réaction, et après dix secondes d'attente, elle replia prestement sa paume afin de lui faire comprendre de se dépêcher. Mais dans quel monde vivait-elle ? pensa-t-il, ahuri. Madame exigeait et lui s'inclinait. Croyait-elle vraiment qu'il allait se laisser dresser comme un vulgaire cabot pour se plier à ses moindres désirs ? C'était mal le connaître. Entêtés comme deux gamins refusant de partager un jouet, ils se lancèrent dans un farouche combat silencieux. La cigarette en elle-même n'avait pas d'intérêt, mais tous deux savaient que si l'un pliait à ce chantage, l'autre finirait à sa merci pour les jours à venir. Pendant de longues secondes, ils continuèrent de se regarder sans qu'aucun ne capitule. C'est alors que l'homme au costume bleu entendit la voix de Richard lui dire qu'il devait tout faire pour éviter de la mettre en colère, ou il risquerait de subir une tempête tropicale qu'il ne pourrait pas contrôler et qui pourrait les mettre tous les deux en danger. Theodore soupira. Abandonnant à regret la partie, il s'exécuta, non sans un grognement. Ce contrat serait interminable, se disait-il. Triomphante, Parker rangea la cigarette dans son sac à main.

— C'est toujours un plaisir de faire affaire avec vous, Teddy-Bear, lança-t-elle.

— Je vous prierais d'arrêter de me surnommer ainsi, gronda Theodore.

— Non. Je trouve que cela vous va à ravir, Teddy-Bear. Aussi doux et féroce qu'un ours mal léché. Tout votre portrait.

Avec un air supérieur, elle se détourna du chasseur, faisant virevolter sa robe, pour ouvrir la portière de sa voiture stationnée le long du trottoir. Elle s'apprêta à y entrer, mais Theodore l'en empêcha en refermant la portière d'un geste brusque. Parker l'interrogea du regard, bien que le désir de lui crier « pas bouger » la rongeât de l'intérieur.

— Ma voiture est garée en face, signala Theodore d'un signe de tête en direction de l'endroit indiqué.

Parker envisagea, mitigée, la Riley garée de l'autre côté de la rue et qui n'était pas à son goût.

— Vous m'excuserez, dit-elle en mimant un grand embarras, mais je préfère les voitures américaines. Elles n'ont pas cette allure de sainte-nitouche qu'ont les anglaises.

— Il me semble que vous voulez rester en vie ?

Parker afficha un air contrarié.

— En ce cas, nous allons suivre mes règles, ajouta le chasseur d'un ton impérieux.

— Le problème voyez-vous, c'est que je n'en suis aucune.

— Je croyais que les habitudes n'étaient pas difficiles à perdre.

— À vrai dire, il s'agit d'un principe.

— Vous allez vous y faire.

Sans plus de cérémonie, Theodore obligea Parker, râleuse, à rejoindre son véhicule.

Tout au long de la matinée, Theodore incarna le rôle du chauffeur itinérant, se pliant au bon vouloir de Parker. Un tour chez le coiffeur, un autre à la librairie, avant de se rendre à l'autre bout de la ville pour un long détour chez le bijoutier. Des occupations de bonne femme qui agaçaient le chasseur, au point qu'il regrettait presque les bons vieux et ennuyeux contrats de porte-à-porte. Entre chaque lieu, il relut les mêmes pages de son journal, compléta une grille de mots croisés et fuma deux à trois cigarettes pour passer le temps. Encore deux arrêts, et son paquet serait bon à jeter à la poubelle. Vivement qu'il reprenne du service ! Ce n'étaient pas toujours des journées palpitantes, mais elles l'étaient largement plus qu'une longue séance de mise en plis. Une fois qu'elle eut réglé des affaires de second ordre, Parker éprouva l'irrépressible envie d'assouvir une pulsion dépensière et embarqua l'homme au costume bleu dans une boutique de vêtements pour femmes. Theodore ne put dissimuler son profond désespoir à cette nouvelle destination de l'ennui, ce qui parut bizarrement augmenter l'enthousiasme de Parker.

L'heure du déjeuner approchant, le magasin se vida peu à peu de sa clientèle. Parker et Theodore finirent par être les seuls clients présents. Cela faisait plus d'une heure que la rouquine essayait de faire un choix, apparemment cornélien, entre plusieurs chapeaux au style très différent. Theodore ne comprendrait jamais les femmes (ou Lloyd) pour leur inlassable passion vestimentaire. Ni le temps considérable qu'elles perdaient à se décider pour une robe rouge, écarlate ou cardinal. Tout était tellement plus pratique lorsqu'on portait une tenue identique chaque jour de la semaine. Le chasseur perfectionniste avait toujours été hermétique au changement. Rien que l'idée de changer sa chemise blanche du jeudi lui procurait de l'urticaire. Il redressa involontairement son col de chemise à cette horrible pensée. Sur le qui-vive, il n'en oubliait pas pour autant sa mission. Le garde du corps s'était intelligemment posté près de la vitrine pour veiller à la bonne sécurité de sa protégée. De son œil de lynx, il avait remarqué, sur l'autre versant, une Ford Thunderbird I noire à l'arrêt. Deux hommes en costume-cravate se tenaient à l'intérieur et guettaient avec plus ou moins de discrétion le magasin depuis leur arrivée. Il en était certain, leur présence n'était pas un hasard.

— C'est joli. Qu'en dites-vous, mon cher Teddy-Bear ?

Theodore détacha son regard de l'extérieur pour le poser sur Parker qui venait de lui adresser la parole. Mains sur les hanches, elle se dandinait devant un miroir sur pied, coiffée d'un grand chapeau orné d'une longue plume de faisan. Un accoutrement grotesque qui la faisait paraître encore plus arrogante qu'à l'habitude. Il la reluqua de haut en bas et lui donna le seul compliment que suscita chez lui ce couvre-chef :

— Tout dépend du but poursuivi. Si c'est pour mieux vous débusquer lors d'une partie de chasse à courre, alors oui, cela vous va parfaitement.

Une mauvaise volonté qui découragea Parker. Agacée, elle se tourna vers Theodore qui avait de nouveau dirigé son regard sur la rue.

— Êtes-vous toujours comme ça ? rouspéta-t-elle.

— Comme quoi ?

— Ennuyeux à mourir.

Il la regarda, l'air fâché.

— Je ne suis pas là pour vous divertir, dit-il avec froideur.

— Sans vous offenser, j'ai remarqué que vous n'étiez pas grand-chose.

Theodore lui jeta un regard indifférent à ce sarcasme.

— Écoutez, soupira Parker, lorsque mon mari sera de retour de son voyage d'affaires, nous pourrons nous serrer la main et repartir chacun de notre côté comme deux inconnus que nous étions avant toute cette histoire. D'ici là, nous avons encore quelques jours à passer ensemble et j'aimerais que ce ne soit pas sous un orage. Même si je sais que c'est votre passe-temps préféré.

— En d'autres termes, vous allez arrêter de vous prendre pour la Première dame ?

— Et vous pour le *haberdasher* ?

Un cessez-le-feu s'imposait dans cette bataille de répliques devenue leur pain quotidien. Ils ne pouvaient plus continuer ainsi, ou l'un d'eux allait finir par craquer. Et ce n'était pas celui qui possédait une arme qui causerait le plus de dégâts. Parker devait calmer le jeu, et elle entreprit d'adopter une nouvelle manœuvre pour ne pas rester en conflit avec son protecteur.

— Vous savez, il est facile d'appuyer aveuglément sur le bouton, mais nous regrettons assez vite le geste lorsque nous entendons au loin les cris qui en résultent.

Theodore afficha un air excédé. Il haïssait ce genre de raisonnements à l'emporte-pièce. Parker ne tint pas compte de son inimitié et osa même l'affront de se placer très près de l'Anglais stoïque.

— En d'autres termes, poursuivit-elle d'un murmure, nous mettons de côté l'arme atomique et nous adoptons la convention de Genève.

— Elle n'a pas empêché les conflits.

L'homme et la femme étaient très proches. Trop proches. L'un comme l'autre pouvait sentir le souffle de son voisin. Theodore fixa le visage sans expression de Parker et tenta de percer à jour ses intentions. Elle comprit ce qu'il essayait de faire et déjoua sa tentative de lire dans ses pensées en déclarant :

— Vous avez raison ! Un simple accord ne suffit pas à éviter les dommages collatéraux. Le reste est une question de confiance. Qu'en dites-vous, marché conclu ?

Ils se regardèrent longuement. Elle ne sut pas si c'était son côté taciturne ou leur soudain rapprochement, mais Theodore n'exprima aucune réaction. Le silence s'éternisant, elle décida de se satisfaire de ce non-dit.

— Fantastique ! s'exclama-t-elle, ravie, en reposant son chapeau exubérant sur la tête d'un mannequin de vitrine qui affichait un air sévère. Pour sceller ce nouveau contrat, je vous offre un déjeuner.

Theodore voulut refuser, mais Parker lui coupa l'herbe sous le pied :

— Et c'est non négociable.

Loin de ces enfantillages, Richard n'avait eu de cesse d'imaginer tout ce que pouvait receler cette clé offerte par l'inconnu lors de ce gala mondain. Ce coffre à la banque était comme ce chat enfermé dans cette boîte avec du poison. Une expérience que lui avait un jour racontée le directeur d'une autre Entreprise. Nul ne pouvait savoir si l'animal était vivant ou mort aussi longtemps que la boîte n'était pas ouverte. Pour Richard, tant que le coffre restait fermé, il se sentait encore en sécurité. Mais après être resté sept jours dans l'expectative, il fut forcé d'aller ouvrir le contenant responsable de sa psychose. Dès qu'il eut un moment de libre, il s'évada de son travail pour se rendre à la banque mentionnée dans le titre de la procuration. Il n'avait aucune idée de ce qui l'attendait. Au volant de sa voiture, son anxiété s'amplifia à mesure qu'il se rapprochait de sa destination, alors que sa cravate autour de sa gorge serrée paraissait s'être transformée en une corde à nœud coulissant.

Après quelques kilomètres, les hautes tours et les hommes au style très apprêté lui indiquèrent qu'il était arrivé dans le quartier des affaires. Il fit un créneau pour ranger sa voiture, puis arrêta le moteur. Un pincement aigu au cœur l'obligea à rester un moment enfoncé dans son siège. En poussant un soupir, il constata ses traits tirés dans le rétroviseur intérieur. Ses cernes et ses rides étaient plus creusés que les jours précédents. Il passa une main lasse sur son visage pour tenter d'effacer ses mauvaises nuits. Encore une semaine à ce rythme et son teint cadavérique ferait le bonheur des asticots. Cette obsession pour l'inconnu à l'enveloppe et pour le coffre l'empêchait de trouver le sommeil. Des insomnies répétées qui provoquaient l'inquiétude de sa femme. La nuit, elle l'avait surpris plusieurs fois quittant en douce leur lit pour s'enfermer dans son bureau ou sortir faire un tour dans leur quartier. Richard n'était pas homme à se laisser abattre, et le voir dans cet état lui brisait le cœur. Même ses bons petits plats ne l'aidaient pas à retrouver son moral d'acier. Elle l'avait supplié pour connaître la cause de ses préoccupations. Mais Richard, ne pouvant lui révéler la vérité, l'avait informée des problèmes économiques de la société de pressing et de sa crainte de devoir licencier des employés. Un mensonge crédible qui avait convaincu Evelyn, et fait surtout taire les questions auxquelles il n'avait lui-même pas de réponses.

Il tendit la main du côté passager pour ouvrir la boîte à gants. Dedans, un revolver et une flasque de whisky. Il regarda succinctement les deux objets. Deux choix, deux résultats possibles. L'un était radical, le second un poison de long terme. Il choisit la fiole et en ingurgita un long trait. L'alcool était devenu son médicament le plus efficace contre l'angoisse. Ragaillardi, il rangea le tout et récupéra sa mallette sur le siège passager. Il était temps de découvrir le sort réservé à ce maudit chat.

En marche vers son rendez-vous délibératif, il ferma un bouton de sa veste de costume pour afficher une allure plus soignée. Il passa les portes de la banque et traversa le grand hall pour atteindre les guichets segmentés par des couloirs de cordons rouges sur poteaux de métal. Dans la file d'attente, Richard zieuta sur le côté un agent de sécurité armé. Ce dernier allongea son cou et promena son regard dans la salle pour contrôler qu'il n'y avait rien de suspect. Pour ne pas attirer son attention, le directeur arbora un air détaché alors même qu'il sentait toute sa fébrilité se répandre dans sa main, serrant plus fortement la poignée de son attaché-case. Lorsqu'un client quitta un guichet, le banquier appela le prochain client à s'approcher. Richard s'avança et posa son attaché-case sur le comptoir pour présenter son laissez-passer et sa clé. Le banquier les réquisitionna et partit vérifier que tout était en ordre, puis il revint à son client.

— Bonjour, monsieur Faust. Suivez-moi, je vous prie.

Volontairement, Richard ne releva pas l'erreur d'appellation. Le banquier lui indiqua la marche à suivre. Il le guida à travers plusieurs couloirs sinueux et blancs, éclairés sinistrement par des lampes à tube fluorescent, jusqu'à la salle des coffres qui, comme sa désignation l'indiquait, sécurisait plusieurs coffres identiques et numérotés. On pouvait y déposer des bijoux, de l'argent, des documents. Tout ce qui avait de la valeur pour le client. L'employé de banque inséra la clé dans le coffre portant le numéro 0217 et le déverrouilla en présence de Richard, impatient de connaître son mystérieux contenu. Le client remercia le banquier pour ses services, et celui-ci se retira dans le couloir, comme l'imposait le protocole de sécurité.

Au centre de la pièce, Richard déposa et ouvrit le coffre sur une table rectangulaire en inox. Une lumière vive au plafond éclaira l'intérieur de la boîte. Il exhuma une liasse de billets et glissa son pouce sur la tranche pour les compter. Les coupures étaient toutes de cent dollars. Cela l'intrigua, mais c'est un dossier d'aspect chargé qui accapara sa curiosité. Il le prit et commença à l'étudier. Au nom de « M. Blaine », le document regroupait des contrats bancaires ainsi que plusieurs feuilles remplies de tableaux de chiffres. Au fur et à mesure de sa lecture, l'expression de son visage se décomposa. Le chat avait succombé au poison. La profonde inquiétude de Richard avait fait place à une rage aveuglante. Il sortit furibond de la salle des coffres et se dirigea diligemment vers la sortie avec le dossier dans son attaché-case. Ce qu'il avait découvert l'avait mis hors de lui. Si bien qu'il n'entendit pas le banquier l'appeler par son pseudonyme.

— Monsieur Faust !

Richard ne se retourna pas.

— Monsieur Faust ! insista le banquier.

Richard s'arrêta et manqua d'entrer en collision avec un autre client hautement distingué, portant un homburg noir en laine et une écharpe en soie rouge, et qui quittait lui aussi la banque. Derrière son guichet, l'employé lui présenta une enveloppe cachetée par de la cire.

— On a laissé ça pour vous.

Un nœud se forma dans l'estomac de Richard. Il fit marche arrière et reçut avec anxiété l'enveloppe qui lui était destinée. Elle était identique à la précédente, sauf que cette fois, un ticket de cinéma accompagnait le message calligraphié.

*« Cher Richard,*

*Je vous donne rendez-vous pour une séance de cinéma. N'ayez crainte, j'ai payé d'avance votre place, je serais navré d'empiéter sur vos économies. Je sais que l'anniversaire de votre épouse approche. Elle ne voudrait sans doute pas rater votre traditionnel cadeau d'une énième représentation de* Don Giovanni.

*Mes amitiés à Evelyn. »*

Richard était pétrifié.

— Quand vous l'a-t-on donnée ?

— Il y a un instant, répondit le banquier. L'homme qui m'a demandé de vous remettre ceci vient tout juste de partir.

— À quoi ressemblait-il ? réclama Richard avec empressement.

— Il était plutôt grand… Je crois qu'il était brun, mais je n'en suis pas sûr, car il portait un chapeau.

— Et ses vêtements ?

— Il n'est resté qu'une minute, monsieur, je n'ai pas eu le temps de mémoriser ce genre de détails. Mais si j'ai bonne mémoire, il me semble qu'il portait un costume noir et un foulard en soie…

N'attendant pas la fin de la description, Richard se précipita à l'extérieur de la banque pour retrouver la trace de son messager anonyme. La foule dans la rue l'entrava dans ses pas. Des hommes en complet gris, bleu, marron le bousculèrent. Des visages jeunes et vieux le dévisagèrent. Aucun ne correspondait au portrait. Où était-il donc passé ? Bousculé en tous sens, Richard s'immobilisa au milieu des passants, se retournant sur lui-même. La colère de l'avoir laissé filer entre ses doigts le fit vaciller. Il s'apprêtait à abandonner sa traque lorsqu'à dix mètres, il remarqua une silhouette noire, de dos, qui s'activait plus que les autres. Il crut d'abord à un tour joué par son esprit. Il concentra son regard et vit un homme grand et brun, vêtu tout de noir. Le profil de l'individu était conforme au signalement. Richard se jeta à nouveau dans la foule en hélant l'homme en fuite. Il nagea désespérément dans la marée humaine, naviguant à contresens. Il réussit à gagner quelques mètres, mais trop tard. L'inconnu s'était déjà évaporé en emportant avec lui l'espoir de Richard de lever le voile sur son identité.

# CHAPITRE VIII
## Maître-chanteur

*Chicago, décembre 1939.*

Richard Shepherd avait réussi l'impensable : séduire le divin et indomptable fauve. Le directeur n'arrivait toujours pas à croire qu'il sortait depuis plus d'une semaine avec la compagne du parrain de la mafia le plus puissant de Chicago. C'était grisant, mais très vite insuffisant. Il en voulait toujours plus. Ce fut une des raisons pour lesquelles il décida de franchir une autre ligne. Il avait appris que Holloway cachait une petite fortune tirée de ses opérations frauduleuses et comptait bien en prendre une part avec l'aide de sa nouvelle espionne. Il jouait avec le feu et il adorait ça. L'adrénaline était plus forte qu'en occupant son poste à risque ou en risquant de se faire prendre sur le fait par sa femme dans le lit de son amante. Depuis leur rencontre, Richard invitait Parker à toutes les célébrations, représentations de théâtre et restaurants sophistiqués habituellement réservés pour son épouse. Il avait même trouvé un motel à l'orée de la ville pour optimiser leur relation charnelle en toute discrétion. En peu de temps, il s'était si parfaitement adapté à sa vie de pécheur que Parker doutait d'être sa première favorite.

En plein après-midi, l'infidèle avait invité sa maîtresse à partager quelques minutes de passion dans une modeste chambre. Avec son prix plus qu'abordable, celle-ci ne pouvait pas être définie comme romantique, mais son lit deux places permettait d'assouvir sans contrainte une envie primaire. Après moult cris et gémissements, Richard embrassa passionnément la rouquine essoufflée de leurs ébats amoureux, puis se détourna de son corps dénudé en sueur pour s'asseoir sur le rebord du lit. Le dos voûté, il saisit sa chemise jetée sur la moquette dès leur première embrassade.

— Au sujet de la planque d'Edward, as-tu cherché des indices comme je te l'avais demandé ?

La question inappropriée de Richard avait été posée sur un ton impératif. À se demander si cette pensée n'avait pas été la raison de la conclusion expéditive de cette consommation clandestine. La poitrine de Parker se soulevait rapidement à chacune de ses respirations. L'échange avait été bestial, sans véritable tendresse. Une coucherie passagère entre deux êtres qui recherchaient seulement cette finalité suprême. Une jouissance absolue. Ce point culminant où votre esprit s'évade à des milliers de kilomètres de votre corps soumis à des tremblements. Ils assumaient ce désir trivial et n'étaient pas près de s'arrêter. Enchevêtrée dans des draps blancs en lin souillés de stupre et de leur contentement d'eux-mêmes, elle ironisa :

— Oser parler du compagnon trompé à celle avec qui tu couches, c'est toujours ton moyen de la remercier après avoir péché ?

— Parker…

Elle leva, désabusée, son regard au plafond.

— Ainsi soit-il… Je n'ai rien trouvé.

Richard enfila et boutonna sa chemise à la hâte.

— Il ne se doute de rien ?

— Non. Sinon, nos draps auraient déjà rougi.

— Son bureau, tu l'as fouillé ?

— Tu plaisantes ? s'indigna Parker. Avec tous ces colosses à chaque coin de porte, autant me jeter dans un bassin rempli de requins. Le résultat serait toujours moins sanglant.

— Il faut que tu cherches dans son bureau. Il doit certainement y avoir des indices.

Le ton de sa voix était morne, mais ne laissait place à aucune objection. Un ton si ferme qu'il amena Parker à se demander si Richard n'était pas résolu à dépasser la ligne rouge : la mettre en danger pour l'ivresse vénale et quelques billets. Parker fixa le dos de son amant dans l'espoir qu'il se retourne pour démentir ses propos ahurissants. Rien ne vint. Ce jeu du silence l'ébranla. Pourquoi ne prenait-il pas la parole ? Cherchait-il à faire la part du feu ? Pourtant, ne devait-elle pas être l'essentiel à ses yeux ? Elle se redressa prestement pour le raisonner.

— Rick, c'est de la folie. S'il me voit, il me tuera.

Il ancra son regard noir et froid dans celui de la femme effarouchée.

— Il te tuera s'il te voit avec moi.

Les deux amants s'opposèrent dans un silence appesanti. L'expression de Richard était sévère. Parker savait maintenant à quoi s'en tenir.

— Très bien, accepta-t-elle en soutenant son regard. Je m'y emploierai demain. Il sera en déplacement.

Heureux de cette réponse, Richard afficha un sourire rassuré qui n'avait rien de tendre, mais au contraire contenait cette nuance de plaisir malsain, comme lorsqu'on achève une bête sauvage agonisant à terre. Du revers de la main, il caressa la joue de son amante. Un geste dominateur qui écœura Parker, qui se retint de montrer une quelconque trace de révulsion. Elle le regarda se rendre sans un mot dans la salle de bains pour y faire son inspection. Il devait vérifier qu'il n'y avait pas de rouge à lèvres décalqué sur sa chemise blanche offerte par l'épouse dupée. « Le rituel des malhonnêtes », c'est ainsi qu'elle appelait cette responsabilité qui incombait aux infidèles.

Cette contestation orgueilleuse constituait la première apparition de la part d'ombre de son amant. Une manifestation de virilité qui devait être affirmée par la seule voix qui comptait : la sienne. Chaque homme en était noirci, comme une tache d'encre dans le cœur. Celui d'Edward était aussi noir et dur que du charbon, bien qu'il le réchauffât pour quelques exceptions. Indélébile, cette carence de l'âme se révélait dans l'intention de briller un jour en société pour se prouver qu'on avait réussi à dominer une peur d'enfant. Tous ceux avec qui elle avait vécu refusaient d'en parler par crainte de paraître faibles. Elle était habituée et savait composer avec cette noirceur. Mais par expérience, elle ne s'était pas attendue à ce que ces travers se réveillent si tôt chez Richard. Ce qui ne présageait rien de bon quant à la suite de leur projet.

Le soir venu, un manteau neigeux avait recouvert entièrement Chicago. Aucune avenue, aucune voiture ni aucun bâtiment n'avait été épargné par la tempête hivernale. Des stalactites de glace s'étaient formées sur les candélabres, tandis que du givre s'était répandu sur les vitrines des magasins, spécialement décorées pour les fêtes de fin d'année. Les routes et les trottoirs, parsemés de plaques de verglas, étaient sagement évités par les promeneurs et conducteurs du soir. Le soleil pâle de l'hiver depuis longtemps couché, Richard avait quitté tardivement son lieu de travail – en réalité, il en avait été chassé par sa secrétaire – pour retrouver son domicile ainsi que sa femme, enceinte de leur premier enfant. Il remonta solitairement, d'un pas pressé, une rue dissimulée sous une couche de neige. Agitant son poignet, il dégagea sa montre hors de sa manche en vue de vérifier s'il allait devoir se faire pardonner de son retard auprès de son épouse. Le cas échéant, l'achat d'un bouquet de fleurs sur le chemin faciliterait ses excuses. Depuis que cette astuce s'était révélée une réussite, il ne manquait jamais une opportunité de répéter ce franc succès.

Dans les temps, il avait ralenti ses pas sur le trottoir glissant pour se prémunir d'une mauvaise chute. Quelques flocons tombaient sur ses épaules, un frissonnement involontaire le saisit. Le froid n'en était pas la cause. Il éprouvait l'étrange sentiment d'être surveillé, la certitude latente qu'on allait incessamment attenter à sa vie. Il ne se retourna pas, mais accéléra légèrement sa marche. Richard avait un bon instinct. D'autres pas suivaient effectivement ses empreintes imprimées dans la neige compacte. Circonspect, il disparut à l'angle de la rue et attendit l'apparition de son pisteur. À peine avait-il vu son ombre se dessiner sur le tapis blanc que Richard se rua sur lui pour le maîtriser et violemment le plaquer contre un mur. Il put alors dévoiler au clair de lune le visage inconnu d'un homme d'une trentaine d'années. Afin d'éviter sa fuite, il le retenait puissamment par les pans de son manteau.

— Qui êtes-vous et pourquoi me suivez-vous ? exigea Richard.

— Lâchez-moi et je vous dirai tout ce que vous devez savoir, monsieur Shepherd, répondit calmement l'étranger.

Richard dévisagea d'un air étonné l'individu. Comment diable cet homme connaissait-il son nom ? Il resserra sa poigne et s'apprêta à entamer une fouille corporelle, mais le vaurien capta ses arrière-pensées.

— Je n'ai pas d'arme sur moi, précisa-t-il.

D'abord réticent, le directeur lâcha finalement sa prise en se convainquant qu'il pourrait sans problème l'emporter si cet avorton venait à le menacer. L'individu arrangea ses habits malmenés en inspectant prudemment les parages. De l'air chaud sortait par brefs à-coups de ses narines, trahissant son anxiété devant cette rencontre pourtant provoquée. Richard resta sur ses gardes. Il s'attendait à tout moment à recevoir un coup de couteau dans la gorge. C'était l'habitude du métier qui voulait ça. Les deux hommes se placèrent sous le halo d'un réverbère pour mieux se distinguer, et surtout veiller à ce que chacun reste à bonne distance.

— Je ne peux pas m'éterniser, dit l'homme, les yeux troublés. On pourrait nous surveiller.

— De quoi parlez-vous ?

La situation échappait pour la première fois à Richard, dérouté.

— Mon nom est Matthew Evans, révéla l'homme. Je suis journaliste indépendant pour le *Chicago Stories*. J'enquête depuis plusieurs mois sur le compte de George Clayton, le maire actuel, qui se présente pour un second mandat.

— En quoi cela me concerne-t-il ?

— Je sais que Clayton entretient un lien direct avec le chef de la pègre, Holloway. D'après mes sources, Clayton aurait demandé à Holloway d'arrêter pendant la période des élections ses exactions, en l'occurrence ses bains de sang répétés, afin de prouver l'efficacité de sa réforme pour la sécurité de la ville. Si Clayton venait à être réélu maire, Holloway pourrait bénéficier d'une protection totale pendant son mandat. J'ai écrit un article sur le sujet.

Evans présenta le papier pour prouver ses dires. Richard n'y prêta aucun regard. Il était resté de marbre à l'écoute de ces fâcheuses révélations.

— J'ai l'ambition de le publier, continua le journaliste, mais pour cela, j'ai besoin d'être protégé. Vous connaissez Holloway. Vous avez travaillé pour lui. Protégez-moi et aidez-moi à révéler la vérité aux habitants de cette ville.

— Ce n'est pas mon métier, il existe la police pour ça.

— Plusieurs agents sont déjà corrompus par Clayton ou des mafieux comme Holloway. Je ne peux pas prendre le risque de leur en parler.

— Je vous le répète, cela ne me concerne pas, insista Richard, le regard hostile.

En un demi-tour, il quitta la lumière et s'éloigna au plus vite du journaliste impudent. Evans, immobile, le regarda faire et dit :

— Il me reste de la place pour écrire quelques lignes sur votre entreprise, directeur.

Richard se statufia. Le journaliste avait réussi à aviver son intérêt, ce qui l'encouragea à poursuivre.

— Je n'ai pas d'arme pour me défendre, mais le pouvoir des mots publiés en première page, qui parleront à l'opinion et pourraient donner lieu à des mises en accusation. Un jugement sur la place publique, ça vous intéresse ?

Le directeur ne bougea pas. Ses pieds s'étaient fermement ancrés dans la neige et ses mains formaient maintenant des poings dans les poches de son manteau. Il n'avait qu'une seule envie, sortir son arme à feu et l'enfourner dans la bouche de ce misérable.

— Êtes-vous réellement prêt pour la vérité ? cria Evans.

Richard revint, rageur, sur ses pas. Il se planta, déterminé, devant un Evans stoïque. Jamais personne ne lui avait autant manqué de respect. Là où il travaillait, on lui aurait déjà fait ravaler son insolence. Le journaliste ne ressentait aucune peur face à Shepherd, une confiance en soi qui inquiéta quelque peu le directeur, mais il se garda bien de le montrer, s'efforçant de faire bonne figure.

— Je pourrais vous tuer et détruire votre article ici même, le menaça-t-il d'une voix sombre.

— Vous me prenez pour un imbécile ? Ceci est une copie. J'ai déjà pris soin de cacher l'original.

— Ça fait des années que l'Entreprise existe. Combien pensez-vous qu'il y ait de personnes de votre arrogance qui aient tenté de nous faire plier ?

— Sans conteste, si vous vouliez me tuer, vous l'auriez déjà fait, mais vous savez que l'Entreprise réprouve tout meurtre *personnel*.

Ils se confrontèrent dans un farouche silence. Les positions de force venaient de s'inverser. Richard haïssait plus que tout ce sentiment d'impuissance. À son regard charbonneux, Evans comprit qu'il avait désormais les cartes en main et s'en servit pour mettre mentalement à terre le directeur.

— Il y aura une enquête sur ma disparition, reprit-il, et sachez que je suis prévoyant. J'ai un contact qui est en mesure de publier cet article si je venais à mourir, dévoilant à tous vos hommes votre trahison. Des questions gênantes commenceraient à être posées. Avouez qu'il serait regrettable que tous découvrent que leur bon directeur organise ses petites affaires frauduleuses en dehors de celles de l'Entreprise…

Le journaliste disait vrai. Richard était dans l'incapacité de tuer Evans, car cela revenait à supprimer une personne pour son propre bénéfice, ce qui était strictement interdit par l'Entreprise. Il prendrait le risque que l'écho de ce meurtre parvienne aux membres de l'Organisation et qu'ils découvrent ses pratiques extérieures avec Holloway. En effet, selon leur code d'éthique, traiter d'autres affaires que celles liées à l'Entreprise était prohibé, car cela compromettrait sa réputation de neutralité dans les contrats qu'elle concluait avec ses clients. Vous deviez donner corps et âme à votre Entreprise sans avoir votre mot à dire. Si vous dépassiez cette ligne, vous deveniez un renégat et la mort vous était promise.

— Vous êtes prêt à détruire Holloway, mais pas nous ? répliqua Richard d'un air rogue. Permettez-moi de vous dire, monsieur Evans, que vous avez un sens singulier de l'éthique.

— Chacun ses combats. En ce qui me concerne, je préfère mener une bataille que je suis sûr de remporter.

Evans tendit à nouveau la copie de l'article.

— En attendant, si sur le chemin du retour, mon corps venait à faire l'ange dans la neige, je vous laisse la copie.

Richard lui arracha furieusement le papier des mains. Il resta planté sous le réverbère pour regarder la silhouette d'Evans s'effacer dans la nuit. Des milliers de larmes opalescentes et gelées commencèrent à tomber du ciel lugubre, balayant derrière lui ses traces de pas comme s'il n'avait été qu'un spectre surgissant d'un terrible cauchemar.

*New York, novembre 1958.*

Parker emmena Theodore déjeuner dans l'un de ses restaurants préférés. Une adresse qu'elle avait connue grâce à Richard lorsqu'il prétextait un repas d'affaires à sa femme, détail qu'elle veilla à ne pas préciser à son invité. En attendant d'être placé à une table, le chasseur prit le temps d'observer les lieux. C'était un restaurant sans prétention, type brasserie, qui réunissait toutes les classes sociales. Un peu bruyant en raison des conversations multiples. Le cadre était chaleureux, à la fois rustique et soigné. Chaque table était garnie d'un bouquet de fleurs, d'un menu et bien sûr, de l'irremplaçable cendrier pour les fumeurs compulsifs. Pas de décoration clinquante ni de serveur tiré à quatre épingles. Cela le surprit et le soulagea. Connaissant Parker pour ses tendances à l'excès, il avait été convaincu de finir à la table d'un établissement étoilé. Ce choix raisonnable prouvait qu'elle était parfois capable de baisser le niveau de ses exigences. Seule ombre au tableau, le restaurant était plein à craquer. À l'heure où les ventres criaient famine, il était difficile de se procurer une place parmi les habitués. Mais Parker savait jouer de ses charmes. Elle n'eut aucun mal à obtenir une table pour deux d'un serveur sensible à sa flagornerie. Une main effleurant un bras frissonnant et un compliment enchanteur plus tard, elle conviait Theodore à prendre place, puis ils commandèrent un plat. L'Anglais fit honneur à ses origines en optant pour un ragoût, et la rousse pour du homard ébouillanté à l'émincé de gingembre. Theodore s'inquiéta d'une possible allégorie de ses conquêtes, puis effaça son tourment avec un verre de vin dont il ne connaissait pas les subtils arômes. Le repas se déroula dans un étrange silence. Au détour d'une bouchée, Parker remarqua l'assiette du chasseur, restée intacte. À côté, son paquet de cigarettes l'attendait, sans doute préparé pour le dessert. Il avait un air hagard et le regard tourné vers une autre table qui accueillait un couple très complice. Parker l'observa, les bras croisés. Il n'avait pas lâché un seul mot depuis que le serveur lui avait annoncé qu'il ne servait pas de gin-tonic. Cette humeur massacrante commençait à bien faire. Refusant de dîner avec un clown triste, elle tenta de le tirer de sa morosité.

— Vous ne mangez pas ? l'interrogea-t-elle, gentiment.

— Pas faim, fit-il, sans détacher son regard du couple.

— Vous devriez, c'est délicieux.

Il ne répondit pas.

— Cela vous arrive-t-il de vous détendre ? soupira Parker, découragée.

Il sortit son briquet de sa poche de veste.

— Et vous de ne pas parler ?

Parker ne put s'empêcher de se complimenter de l'avoir un peu bousculé pour mieux le retrouver. Elle but une gorgée de son vin, puis retint son menton dans la paume de sa main pour le regarder, interrogative, allumer sa cigarette.

— Puis-je vous poser une question ? demanda-t-elle en traçant aveuglément des cercles sur le rebord de son verre avec son doigt.

— Depuis quand avez-vous besoin de ma permission ?

— Pourquoi ce travail ?

— Comme tout le monde, pour payer mes factures.

— Donnez-moi la vraie raison.

— Pourquoi croyez-vous qu'il puisse y en avoir une ?

— Répondez, et vous aurez le droit de me demander tout ce que vous désirez.

La cigarette de Theodore, allumée entre ses doigts, se consuma jusqu'au filtre, marquant la fin du temps qui lui restait pour donner sa réponse. Il regarda silencieusement Parker qui attendait sa justification, puis initia leur habituel duel :

— C'est ce que je sais faire de mieux.

— Vous n'avez jamais essayé d'être quelqu'un d'autre ?

— Non.

— Il y a bien quelque chose qui vous a amené à faire ça. Vous n'êtes pas devenu un tueur à gages du jour au lendemain ?

— Dites-le encore plus fort, le cuisinier n'a pas dû vous entendre, siffla l'homme au costume bleu en jetant un rapide coup d'œil en direction des clients attablés pour s'assurer que personne ne les avait entendus.

— Que vous est-il arrivé ? Qu'avez-vous pu vivre pour devenir…

— Un monstre ? termina amèrement Theodore en anticipant ses paroles.

La rousse se mit à rire intérieurement. Il avait toujours une piètre opinion de sa personne. Elle trouvait ça à la fois charmant et exaspérant.

— Un homme blessé, reprit-elle avec sérieux.

Les sourcils de Theodore se froncèrent et il parut contrarié par cet adjectif. Un sentiment qu'il devait souvent ressentir : en effet, entre ses deux yeux, une ride sévère était plus prononcée que celles du bonheur qui se trouvaient autour. Il évita le regard attentif de sa voisine pour le concentrer sur la fumée langoureuse de sa cigarette. Il s'était à nouveau renfermé. À ce silence, Parker songea qu'elle n'obtiendrait jamais de réponse concrète jusqu'à…

— Je suis victime d'une erreur, répondit Theodore d'un ton amer. Parfois, vous pouvez vous évertuer à faire tous les efforts du monde, ce n'est pas pour autant que vous réussirez à changer votre destin.

— Vous êtes plus philosophe que je ne le pensais. Un tueur a peut-être une conscience, finalement.

Elle eut un grand sourire. Theodore la fixa, l'air méditatif, en se débarrassant des cendres de sa cigarette au-dessus du cendrier. Il n'avait jamais rencontré de femme connaissant sa véritable nature et prête à l'accepter. La question était de savoir si elle était réellement tolérante ou si elle aimait simplement vivre dangereusement. À la table du couple, le mari caressa tendrement la main gauche de sa femme avec sa bague de mariage resplendissant à son doigt. L'engagement n'avait pas la même signification pour tout le monde.

Richard suivit les instructions du message de l'inconnu. Son ticket en poche, il arriva à l'heure prévue devant le cinéma. Il ne prit pas la peine de lire le programme affiché sur le panneau lumineux de l'auvent et se rangea directement dans la file d'attente. Peu de monde se pressait devant la caisse. Une dizaine de personnes tout au plus. La file avança. Richard donna son coupon d'entrée à l'ouvreur et entra dans une salle délaissée par son public. La séance en cours n'avait attiré qu'une poignée de cinéphiles. L'œuvre n'était pas inédite, mais son réalisateur avait réuni les plus fidèles. Assis dans un fauteuil, Richard observa nerveusement les rangées de sièges rouges. Il n'aperçut personne dans les rangées alentour. Cet homme mystère était peut-être doté d'une patience exemplaire, mais la ponctualité n'était pas son point fort. En attendant son arrivée, il posa son regard sur l'écran géant où l'on projetait un film d'Alfred Hitchcock, *Fenêtre sur cour*. L'histoire d'un homme, Jeff Jeffries, qui, à la suite d'un accident, est contraint de rester dans son appartement sous une chaleur écrasante. La jambe cassée, Jeff est cloué dans son fauteuil roulant avec pour seule distraction d'épier ses voisins par sa fenêtre muni d'une paire de jumelles. Son espionnage l'amène à suspecter l'un d'eux, Lars Thorwald, d'avoir tué sa propre épouse. Un jeu de soupçons qui mena le directeur à faire un parallèle avec sa propre histoire.

La fin du film approchait. Richard regardait maintenant la séquence où la magnifique Lisa Fremont entre par effraction dans l'appartement de Thorwald pour chercher des indices de sa culpabilité, pendant que Jeffries surveille l'arrivée du propriétaire avec l'objectif de son appareil photo. Inconsciemment, Richard avait muselé un cri pour s'empêcher d'avertir idiotement le personnage principal de l'erreur qu'il venait de commettre et de la mort atroce qui l'attendait. Ce n'était peut-être pas le meilleur film à voir pour calmer ses angoisses intérieures. Le maître du suspense n'était pas connu pour ses histoires romantiques ou ses épopées héroïques, mais plutôt pour son sens de la dramaturgie et sa psychologie des affres de l'âme humaine. Ce choix imposé ne devait pas être innocent.

Absorbé par le film, il n'avait pas remarqué le spectateur retardataire qui s'était subrepticement glissé derrière lui pour s'installer sur un fauteuil avec un pot de pop-corn entre ses mains.

— J'ai toujours apprécié les salles de spectacle.

Richard se crispa en reconnaissant la voix glaçante de son messager sans visage. L'inconnu enfonça sa main dans son pot sucré. Un désagréable bruit se propagea dans la salle et perturba les spectateurs dans leur activité, provoquant des réactions agacées qui l'enchantèrent. Il ne choisit qu'un pop-corn, le goba, puis continua son distrayant et arrogant monologue :

— Cette singulière sensation de faire partie d'un autre monde. Être plongé dans le noir et regarder la vie se jouer sur grand écran ou bien sur les planches. Savoir jouer son rôle à un tel degré de perfection que vous en arriveriez à douter un court instant de la réalité dont vous dépendez. N'avez-vous jamais eu cette sensation, directeur ? Jouer sur deux tableaux jusqu'à s'oublier soi-même, en prenant le risque d'être découvert en fin de scène ?

L'homme aux cheveux blancs avait perçu du ressentiment associé à de la condescendance chaque fois que son interlocuteur avait prononcé le titre de sa fonction.

— Et vous, dit Richard, ne pensez-vous pas qu'à force d'interpréter le rôle de l'homme de l'ombre, vous finirez par baisser votre garde et vous laisser prendre ?

— Ne vous inquiétez pas pour moi. Il y a longtemps que mon ombre fait corps avec mon esprit. J'ose espérer qu'avec ce que vous avez trouvé, vous ne doutez plus de mon discernement. Je dois bien admettre que vous êtes un homme d'affaires tout à fait redoutable, mais tuer du gibier ne vous a plus suffi. Vous désiriez toujours plus. Plus d'argent, de pouvoir…

— Si j'avais su que mon pedigree vous intéressait tant, je vous l'aurais fait parvenir par courrier au lieu de vous laisser vous démener à m'envoyer des cartons d'invitation, pesta Richard.

L'inconnu eut un rire moqueur. Il se régala avec un autre pop-corn qu'il croqua bruyamment au creux de ses dents et demanda :

— Savez-vous ce qui fait tourner le monde, directeur ?

— L'argent.

— Erreur. La supériorité. Le pouvoir de domination sur autrui. L'alpha et l'oméga. La règle essentielle de toute vie et de toute chose. Certains sont faits pour suivre, d'autres pour diriger. Pour ma part, j'ai toujours pensé faire partie de la deuxième catégorie. Être en haut de la chaîne alimentaire. En m'associant avec Woodrow, je pensais même détenir un contrôle total sur lui. Pour tout vous dire, je détenais plus d'informations sur sa manière d'opérer – je suis allé jusqu'au dosage de son thé – que lui sur ma manière de transgresser les lois.

Il s'arrêta dans son verbiage pour reprendre avec sérieux :

— Seulement, j'avais tort. Ce n'est pas en traitant autrui comme son ennemi que nous avons le plus de chances d'obtenir tout de lui. Jouer les confidents pour attirer ses bonnes grâces s'avère bien plus bénéfique. Comme vous avez pu le constater, nous avions réussi à établir un système de blanchiment d'argent légèrement différent du vôtre.

— Je ne…

— Je vous en supplie, ne niez pas, rejeta l'inconnu avec lassitude. Cela n'aurait pour effet que de nous présenter comme deux imbéciles que, j'ose présumer, nous ne sommes pas. Bien entendu, si mon affaire, ou du moins l'association que j'avais mise en place avec Woodrow, venait à être en péril, je révélerais à tous votre imposture, vous regardant couler comme Narcisse dans les abîmes de votre vanité et de vos mensonges. Tous vos proches croiront que vous étiez l'unique auteur de cette malversation avec, comme appui, la révélation de vos trafics extérieurs.

Les pulsations cardiaques de Richard, pris dans un étau, s'intensifièrent. L'inconnu se pencha en avant pour lui chuchoter quelques mots :

— Entre nous, le commun des mortels sera plus porté à croire un homme tel que Woodrow qui a le sens du devoir qu'un homme trompant sa femme dans une chambre d'hôtel miteuse tous les vendredis soir.

L'espace se resserra un peu plus. Mal à l'aise, Richard ne dit mot et se dandina dans son siège.

— C'est bien ce que je pensais, reprit l'inconnu avec un sourire dans la voix. Voilà donc ma proposition : devenez mon associé en bénéficiant de ma protection, et en contrepartie, liquidez notre cher Corbeau. Sachant que je ne fais pas seulement référence à ses comptes. Me suis-je bien fait comprendre ?

L'inquiétude fit un moment perdre la parole à Richard, qui finit par dire :

— Il m'est impossible de prendre cette responsabilité. Si je tue Woodrow, certains de mes hommes risquent de se poser des questions et de remonter jusqu'à moi.

— Pas si ce sont eux qui le suppriment.

Le directeur agrippa avec force les accoudoirs de son fauteuil. Il devait absolument se maîtriser pour ne pas faire un scandale. Cet homme voulait clairement sa mort.

— Vous voulez que j'ordonne à mes chasseurs de tuer l'un de mes meilleurs employés ? s'indigna Richard à voix basse. C'est insensé, ils ne voudront jamais !

— Sauf si vous leur donnez une bonne raison.

— Et si je refuse ?

L'inconnu resserra rageusement sa main dans le pot de pop-corn. Quelques-uns se broyèrent sous sa ferme emprise.

— En ce cas, je crains que vos batifolages du vendredi ne deviennent plus qu'un lointain souvenir, répondit-il avec sévérité. J'ajoute que si votre rouquine venait à disparaître, tout ce que vous aurez construit jusqu'à ce jour ne deviendrait plus que poussière. Et lorsque l'on connaît la notoriété de son mari, nul doute qu'il commencerait à se méfier. Soyez sûr qu'en bon samaritain, je le guiderai vers le droit chemin. Par conséquent, si vous ne souhaitez pas que votre reine soit éjectée du plateau, je vous conseille vivement de suivre mes directives.

— Qui me dit qu'après avoir exécuté toutes vos exigences, vous ne me dénoncerez pas ?

— Ne pensez-vous pas que si j'avais l'envie de dévoiler au reste du monde votre Entreprise et toutes vos misérables manigances, je ne l'aurais pas déjà fait ?

Richard déglutit.

— Alors, qu'en dites-vous directeur ?

— Ai-je vraiment le choix ? répliqua Richard, entre ironie et mépris.

— Nous avons toujours le choix d'être ce que nous sommes, monsieur Shepherd. Ou celui de la mort. Le problème est de savoir si vous en avez peur. Personnellement, je la domine.

Il posa une main ferme sur l'épaule du directeur pétrifié et se pencha à nouveau à son oreille.

— Le monde est gouverné par des chiens, chuchota-t-il avec froideur. La seule question à vous poser, mon cher, c'est… à quelle race appartenez-vous ?

Richard s'apprêta à se lever, mais l'inconnu l'arrêta en lui offrant son pot de pop-corn.

— Restez assis. Je ne voudrais pas tacher votre belle chemise. Et puis, j'ai ouï dire que c'était le seul film du grand Hitch que vous n'aviez pas encore eu l'occasion de découvrir. Promis, je ne vous dévoile pas la fin. Je ne suis pas un monstre. Cependant, je peux vous garantir qu'elle vous procurera quelques vertiges…

L'inconnu se volatilisa une fois de plus dans l'obscurité. Atterré, Richard resta prostré dans son siège. Sur l'écran, il vit, impuissant, Jeffries regardant à travers son objectif Lars Thorwald lui lancer un regard féroce. La réalité venait de dépasser la fiction et elle promettait à ses acteurs bien plus que des sueurs froides.

Une journée longue et studieuse touchait à sa fin pour Lloyd. Le chasseur à lunettes avait passé l'après-midi entier assis derrière un bureau à rédiger un rapport à l'adresse du comité de l'Organisation. En tant que l'un de ses représentants internationaux, il était chargé de faire le lien entre les États-Unis, les pays étrangers et le comité. Une fonction importante qui demandait de la rigueur, de l'écoute et de la patience. Beaucoup de patience. Chaque mot, chaque tournure de phrase devait être choisi avec soin pour ne pas froisser ou indigner les directeurs de tous pays. En particulier quand le sujet du rapport était centré sur les demandes exigeantes des Français d'obtenir les mêmes traitements de faveur que les Américains. Un sujet sensible ravivant toujours certaines tensions, que Lloyd tentait d'apaiser avec son talent de négociateur. Talent qui n'était pas donné à tout le monde. Un jour funeste, la rédaction d'un rapport avait bien failli coûter la relation privilégiée des États-Unis avec leurs voisins canadiens. Par malheur, un subalterne de Richard avait fait l'odieuse et stupide erreur d'utiliser le mot « déficient » pour qualifier le système canadien quant à la gestion progressiste de ses chasses. Les sanctions avaient été immédiates. Une exclusion provisoire, à durée indéterminée, avait été prononcée par les Entreprises canadiennes. Pendant plus d'un mois, un décret avait interdit à tout chasseur américain de traverser la frontière et de ce fait, de participer à des migrations sur leur territoire. Un capital considérable avait été perdu pour le pays de l'oncle Sam. Les confrères de Richard avaient vu rouge. Des appels intempestifs provenant de tous les États lui avaient ordonné d'arranger cette histoire sur-le-champ s'il ne voulait pas finir *gratte-sang*. Son poste en jeu, Richard avait envoyé Lloyd passer une semaine au pôle principal du Canada pour régler cette affaire au plus vite. Après maintes négociations, le dandy était arrivé à apaiser les conflits entre les deux nations à l'aide de compromis et d'appréciables réductions sur l'achat d'éventuelles armes. Depuis cette bévue, plus aucun document n'était envoyé sans d'abord passer entre les mains du dandy.

En enchaînant brouillon sur brouillon, Lloyd était parvenu à un résultat final qui lui semblait de qualité. Avant l'envoi définitif du rapport, il devait s'entretenir avec le directeur sur de possibles changements. Il descendit un étage avec son document sous le bras pour se rendre au bureau de Richard. Devant la porte, il frappa et attendit. L'employé n'obtint aucune réponse et craignit de ne pas s'être fait entendre.

— Directeur, c'est Steadworthy, dit-il en haussant le ton. C'est au sujet du compte rendu que vous m'avez réclamé sur la rencontre du mois dernier avec les Français.

Toujours pas de réponse.

— Directeur ?

Le dandy fronça les sourcils. Il actionna la poignée de porte et s'attendit à rencontrer une résistance, mais elle se révéla inexistante. La porte n'avait pas été verrouillée. Il en fut étonné. Quand il quittait l'Entreprise, le directeur veillait systématiquement à fermer sa porte à double tour. Peut-être était-ce dû à un simple oubli. Lloyd pénétra dans le bureau de son patron absent et s'approcha de sa table de travail pour y déposer son compte rendu. Il s'apprêtait à repartir lorsqu'un dossier au nom de « Corbeau » le retint sur place. L'envie de savoir ce qui pouvait y être retranscrit le rongea. Les lèvres pincées, il tergiversa. Tout ce qui concernait son ami avait le don de piquer sa curiosité, ça et son obstination légendaire à connaître chaque détail qui se cachait derrière la mention « Top secret ». Empêcher Lloyd de lire un dossier confidentiel, c'était comme essayer de retirer une pièce de bœuf dans la gueule d'un pitbull affamé : on prenait le risque d'être mordu. L'un de ses amis en avait même un jour fait les frais. Il y a longtemps, l'imprudent Archie avait caché son dossier médical de l'Entreprise, révélant ainsi à tous, paradoxalement, sa phobie honteuse des souris. Le chasseur avait réalisé la performance incroyable d'étouffer cette information pendant deux jours et demi. Après ce délai généreux, Lloyd s'en était astucieusement emparé en se faisant passer pour un médecin. Aucune information ne pouvait lui résister. Il était aussi sagace et talentueux qu'un agent de l'OSS envoyé en mission sur un territoire ennemi. C'était l'une des facultés pour lesquelles Richard avait fait de lui son assistant attitré dans le traitement des affaires internationales.

En levant la tête, Lloyd zieuta la porte entrouverte. Personne ne devait le surprendre en pleine séance d'espionnage. Il survola le dossier et fut consterné par sa teneur. Le document regroupait plusieurs feuilles d'une comptabilité fiscale concernant une société basée en Angleterre entretenue depuis plusieurs mois. Qu'est-ce que tout cela signifiait ? Theodore ne lui avait jamais parlé de cette société. De plus, depuis quand le directeur créait-il des dossiers personnels sur ses employés ? Un autre élément l'intrigua, mais un bruit extérieur l'empêcha d'étendre ses recherches informelles. Au centre du paquet, il vola six pages de comptabilité qu'il plia et dissimula dans une poche de sa veste. Il remit hâtivement tout en ordre et quitta les lieux sans oublier de fermer la porte.

# CHAPITRE IX
## Valse mortelle

*Chicago, décembre 1939.*

Edward avait eu vent des rumeurs sur son compte. Surtout celles menant à un minable reporter qui prévoyait de révéler au monde entier ses odieuses malversations ainsi que son aide bienfaitrice à Clayton pour occuper sa place de finaliste. Il n'avait eu aucun mal à mettre la main sur ce scélérat de journaliste venu fouiner dans ses affaires au nom de la justice populaire. En pleine tourmente, il avait ordonné à ses hommes d'enlever Evans en pleine nuit alors que celui-ci s'apprêtait à prévenir son rédacteur en chef de la future bombe éditoriale qui secouerait tout Chicago. Un acte héroïque inachevé qui l'avait conduit directement dans un entrepôt perdu au fin fond d'une zone industrielle. Evans avait été suspendu les mains liées à une poutre métallique. Pendant d'interminables minutes, il avait subi les pires tortures des colosses d'Edward se relayant à chaque baisse d'intensité de violence physique. Il avait crié, hurlé en vain pour qu'on lui vienne en aide. Personne ne pouvait entendre son désespoir. Et quand bien même, qui aurait osé défier l'être qui se vantait d'avoir envoyé plus d'hommes six pieds sous terre que de femmes au septième ciel ?

Le journaliste avait reçu plusieurs coups et taillades. Défiguré et en sang, il avait des ecchymoses et des plaies tatouant chaque partie de son corps violenté. Il souffrait le martyre. Les muscles de ses bras étaient tendus à l'extrême, et ses jambes, qui pendaient dans le vide, effleuraient avec peine le support placé sous ses pieds pour le soulager du poids de son propre corps. La béquille en question était d'une monstruosité suprême. Il s'agissait du corps passé à tabac de Karl, stagnant dans une mare de sang sur le revêtement crasseux de l'entrepôt, affublé d'une balle entre les deux yeux. Un reflet provocateur de sa mort prochaine.

Karl était la taupe qui avait aidé Evans à glaner tous les renseignements contre Edward en échange de pots-de-vin. Le patron sanguinaire avait toujours eu des soupçons sur son employé traître. En bon joueur d'échecs, il avait attendu l'instant propice pour obtenir les révélations qui le sauveraient de la faillite. Un beau jour, il avait convié son employé à un cocktail rafraîchissant dans une baignoire remplie d'eau à ras bord et de quelques glaçons pour plus de fantaisie. L'imagination d'Edward était inépuisable. Surtout lorsqu'il s'agissait de faire souffrir son prochain. C'était de famille. En moins de cinq minutes, chronomètre en main, Karl avait révélé sa traîtrise et dévoilé son partenariat avec Evans, ainsi que l'existence d'un article qui mènerait à la ruine tout un empire de banditisme. Edward s'était approprié l'original. Il savait dorénavant qu'une copie se baladait dans les parages. Plus rien ne pourrait l'arrêter.

Campé sur une chaise, le gangster regardait impitoyablement, une cigarette entre les lèvres, le journaliste se faire torturer sans relâche. Des hommes de main étaient présents pour parer à toute envie de liberté. Intrépide ou fou, Evans n'avait toujours pas craché le morceau sur l'endroit où était cachée la copie de son article. Ce qui n'inquiétait nullement le chef sadique, heureux de voir s'éterniser, entre deux fugaces cigarettes, ce jeu cruel follement distrayant. Il n'y avait aucune émotion sur son visage. Il avait cet air supérieur des grands tueurs. Holloway expira une bouffée et demanda calmement :

— Où est la copie ?

Evans ne dit mot. Une frappe bien placée dans son estomac par un sbire baraqué le punit de ce silence. Il étouffa un cri. Le mafieux reposa la même question. Le journaliste s'obstina dans son mutisme. Le patron soupira et ordonna à un homme de main de prendre un tournevis cruciforme dans une boîte à outils en fer rouge. Il y a longtemps, Edward avait reçu cette boîte en remerciement d'un service rendu. Et n'étant pas très bricoleur, il lui avait très vite trouvé un autre usage. Evans se glaça devant l'arme blanche de vingt centimètres. Au sourire carnassier de l'homme de main, il comprit très vite que l'instrument n'allait pas servir à monter un meuble. Pointe en avant, l'outil fut pressé sur le torse nu du captif qui gigota pour l'éviter.

— Où est la copie ? répéta Edward.

Pas de réponse. L'homme de main fit pénétrer l'embout du tournevis dans une de ses plaies, déchirant sa peau par son passage en force. Evans cria. Le criminel amplifia sa torture en tournant l'outil dans la chair comme pour river une vis récalcitrante à une planche. La souffrance insoutenable tordit les traits en sueur du journaliste. Il hurlait à pleins poumons devant un Holloway impassible qui répétait encore et encore la même question.

— Où est la copie ?

Le tortionnaire s'acharna sur Evans, hurlant, tremblant de douleur. Il retirait parfois de quelques millimètres l'embout de métal pour reprendre en profondeur son bricolage barbare. Evans n'avait qu'une seule chose à dire et le mal s'arrêterait.

— Où est la copie ?

Le journaliste était épuisé. La lame avait atteint un de ses organes, qui suintait de sang. Aux portes de l'au-delà, il ne pouvait plus bouger, mais…

— SHEPHERD !

Le nom avait été crié avec une telle hargne qu'il s'était répercuté plusieurs fois contre les tôles du bâtiment. Il y eut un long silence. D'un signe de la main, Edward indiqua à son homme de main d'extraire l'arme de son œuvre d'art. La tige en métal était devenue aussi rouge que le pinceau d'un peintre trempé dans un pot de peinture. Evans hurla à nouveau, puis reprit son souffle.

— C'est Shepherd, répéta-t-il péniblement. Je voulais qu'il me protège… C'est Shepherd qui l'a… Je vous ai tout dit, c'est la vérité… libérez-moi…

Le regard d'Edward ne cilla pas. Il jeta sa cigarette au sol, l'écrasa avec la pointe de son pied, se leva avec un sourire satisfait sur le visage, tourna le dos à Evans et se dirigea, les mains dans les poches de son pantalon, vers une porte en fer située au fond de l'entrepôt.

— Vous aviez promis de me libérer ! s'écria Evans avec colère.

— En effet, et j'honore toujours mes promesses, affirma Edward, sans se retourner.

L'homme de main délia les liens d'Evans qui tomba violemment sur Karl. Edward disparut derrière la porte et entendit, indifférent, un coup de feu résonner. Le gangster suivait toujours à la lettre ses contrats. Et il se désespérait de la naïveté d'une clientèle qui ne prenait jamais en compte l'astérisque de bas de page.

*New York, novembre 1958.*

Vers le milieu de la soirée, après avoir parcouru tous les magasins possibles de Manhattan, Theodore et Parker s'élancèrent dans une excursion imprévue sur les quais. Il faisait froid, mais ils avaient eu ce besoin de se ressourcer loin du poumon encrassé de la métropole. L'un à côté de l'autre, ils marchaient sans dire un mot. La rousse sulfureuse s'était emmitouflée dans son manteau pour garder le plus de chaleur possible en appréciant chaque bouffée d'air frais, tandis que l'homme au costume bleu se baladait, comme à son habitude, avec cette perspective de rester en alerte. Sa mission de protection étant toujours en cours, il ne pouvait pas se permettre de baisser sa vigilance, pour le bien de sa protégée. Parker guigna de l'œil Theodore qui n'eut pas besoin de tourner son regard pour sentir le sien.

— Allez-y, dit-il.

— Quoi donc ?

— Posez-moi votre question.

Parker le prit au mot. Elle se posta devant Theodore et commença par déplacer son regard sur son visage pour à son tour analyser ses pensées secrètement gardées. Il était la transparence à l'état pur. Elle n'avait jamais vu ça chez un homme. Ceux qu'elle côtoyait essayaient toujours de se montrer sous leur plus beau jour en dissimulant leurs motivations. Lui restait le même. Il ne prétendait pas être un homme bien, ni atteindre des objectifs inaccessibles comme tant d'autres. Il était un homme avec ses faiblesses et ses peurs, même s'il ne laissait paraître aucune émotion. Avec le temps, il avait probablement fini par oublier de les ressentir.

— Vous êtes du genre à ne faire aucune erreur, n'est-ce pas ? demanda Parker.

— Si j'en faisais, je ne serais pas ici, répondit Theodore sur un ton d'évidence.

— Sauf si vous pensez que respirer en est une.

— Ça l'est, bien qu'à mes yeux, arrêter soi-même l'est doublement.

Parker assimila ses dires et lui posa une autre question à laquelle elle n'avait jamais obtenu de sincère réponse :

— Pourquoi les hommes aiment-ils à tout prix garder le contrôle ?

— Pourquoi les femmes aiment-elles à tout prix les contrôler ?

— Probablement pour éviter que la race humaine ne s'éteigne trop vite.

L'homme au costume bleu émit un timide sourire. Elle se mit à marcher à reculons d'un pas guilleret et le soumit à une autre interrogation :

— Savez-vous quelle est la différence entre un homme et une femme ?

— Le salaire ? ironisa Theodore.

— La complexité, rétorqua Parker, souriante. Seules deux lettres nous distinguent, et pourtant, l'homme restera toujours une généralité noyée parmi d'autres. Tandis que la femme est unique. Elle est un habillage. Un mystère à plusieurs facettes, que peu d'hommes ont la joie de pouvoir comprendre.

— Sommes-nous aussi transparents que cela ?

Parker fit une halte. Elle s'adossa à une barrière du quai avec vue sur l'Hudson River et les étoiles qui, épargnées par les lumières artificielles, recouvraient le ciel noir. La surface miroitante du fleuve était si sombre et sa profondeur si insondable qu'on aurait été prêt à s'y noyer pour connaître tous ses secrets. Les yeux plongés dans l'eau trouble, il était difficile de savoir si son âme se trouvait encore sur terre ou si elle voyageait dans l'éther sépulcral.

— Chasser pour vivre, souffla Parker, lasse. Même avec des millions d'années d'évolution, vous avez toujours les mêmes préoccupations que vos semblables préhistoriques. Une génétique guidée par votre primitive et insatisfaite soif de pouvoir.

Theodore l'imita.

— Le pouvoir ne m'a jamais attiré.

— Vous êtes bien le seul…

Elle se tourna face à l'horizon. Quelques-uns de ses cheveux fins dansèrent dans le vent. Elle évoqua au chasseur un tableau de liberté.

— Nous vivons dans un monde dont l'histoire est déjà écrite, dit-elle en poussant un soupir. Tout est déjà joué d'avance. Nous serons les mêmes personnes que nous étions le jour précédent, et ce, jusqu'à ce que le sort en décide autrement.

Parker était une femme moderne dans une époque trop arriérée pour comprendre qu'elle n'était pas faite pour être domptée. Elle n'avait jamais cru aux contes de fées, aux princes charmants, ni à toutes ces fins heureuses chimériques destinées à faire rêver les petites filles aveuglées dès leur plus jeune âge par la promesse d'une vie déjà toute tracée. Elle aimait les hommes avec leurs défauts et leur force animale. Elle ne souhaitait pas les contraindre à abandonner leur individualité, seulement leur dire qu'elle méritait de s'affranchir de leur peur et de leur désir de domestiquer ce que la nature lui avait offert.

Un silence plaisant s'insinua entre les deux protagonistes frappés par les embruns du rivage. Theodore sortit son briquet et alluma une cigarette. Ce geste spontané donna à Parker l'envie de sortir celle qu'elle avait réussi à négocier. Elle la contempla entre ses doigts fins, puis décida après considération de ne pas l'entamer. Elle avait une autre idée en tête. Affichant un étrange sourire, elle tourna son visage, rougi par la fraîcheur du vent, vers Theodore, puis lui proposa :

— Que penseriez-vous de prolonger cette nuit ?

— À quoi pensez-vous ? questionna Theodore, sur la réserve.

— Ce soir, je veux pouvoir m'envoler.

L'air radieux de Parker intrigua le chasseur. Avec cette femme, il s'attendait à tout, et surtout au pire. Pour autant, il accepta de prendre le risque de la suivre. Il tenta cependant de lui arracher quelques indices sur leur destination durant leur trajet, mais Parker ne daigna pas lui révéler l'endroit où elle comptait l'emmener. C'est finalement aux portes d'un club de jazz gardé par un videur pas très commode qu'il comprit qu'elle voulait le voir se déhancher au rythme de la musique. Il était permis de rêver. La rouquine était apparemment une habituée, car le grand gaillard avait rapidement changé de comportement à son approche et l'avait autorisée à entrer sans qu'elle use de la parole.

Theodore entra avec la femme à son bras et tomba bouche bée sur une foule en délire. De fortes vibrations secouèrent tout son corps. Il en avait fréquenté, des bars et des clubs, mais celui-là dépassait tout ce qu'il avait imaginé. Une ambiance telle qu'il consentait à rayer de sa liste tous les pubs écossais que son ami Clyde lui avait proposés pour célébrer la Saint-Sylvestre. D'après

Parker, il s'agissait du club le plus réputé de la ville. Tous les plus grands chanteurs y avaient fait leur show. C'était l'endroit où il fallait être vu et entendu pour débuter une carrière dans le show-business. Des tables rondes étaient disposées autour d'une piste circulaire sur laquelle plusieurs couples dansaient avec passion au fil des notes imposées par les saxophones et les trompettes. Sous les projecteurs, un chanteur accompagné d'un groupe de musiciens interprétait *Get Happy*, une chanson rythmée qui exigeait des danseurs d'avoir un bon souffle et de ne pas se tromper dans leurs pas effrénés. Pendant un instant, Theodore crut même reconnaître sur scène la silhouette d'un chanteur qu'il idolâtrait, mais l'attroupement compact sur la piste et alentour l'empêcha de voir avec précision. Le groupe embrasait l'atmosphère, pour la plus grande joie des clients en quête d'ivresse festive.

Un serveur aborda le couple pour les conduire à une table disponible. Theodore commanda après coup une boisson alcoolisée alors que Parker regardait avec bonheur les danseurs en transe. L'un d'entre eux la remarqua. Il se retira de la java pour l'unir au groupe. Le garde du corps consentit d'un signe de tête à ce que Parker quitte la table. Elle lui sourit et prit la main du danseur qui l'entraîna sur la piste. Elle commença à danser avec son cavalier sous la bonne garde de l'Anglais. De retour, le serveur déposa sur la table un verre d'alcool pour Theodore. Parker dansait de plus en plus vite avec son cavalier. Elle perdait parfois le contrôle, mais cela la ravissait. Elle jeta un regard rieur à Theodore qui leva son verre pour la complimenter de ses prouesses. Elle continua de danser sur une cadence délirante, oubliant même la raison qui l'avait menée dans les bras de cet homme. Elle vola presque dans les airs au moment où son partenaire la fit tourner sur elle-même, et lâcha un rire cristallin lorsqu'il la rattrapa contre lui pour la balancer d'avant en arrière, puis de droite à gauche. Leurs pieds se croisaient et se défaisaient à une vitesse folle, si vite qu'aucun des deux danseurs ne savait plus lesquels leur appartenaient. Ils dansèrent ainsi jusqu'à ce que le chanteur entame l'acmé de la chanson, poussant sa voix grave sur la dernière note. Les instruments s'arrêtèrent avec lui et une bruyante ovation félicita le groupe pour sa prestation. Le chanteur s'inclina et remercia le public. Puis il invita son groupe à interpréter une nouvelle chanson, sensiblement plus douce, titrée *We'll Meet Again*. Les jambes un peu flageolantes, Parker retourna auprès de Theodore avec un large sourire. Elle était légèrement décoiffée et essoufflée.

— Vous venez danser ? l'invita-t-elle d'une main tendue.

Elle était pugnace, mais Theodore était doublement résistant.

— Je vous l'ai déjà dit. Je ne sais pas danser.

— C'est comme pour voler, il suffit de planer.

Il hésitait toujours. Elle s'en aperçut et l'attira rapidement sur la piste de danse pour lui interdire toute chance de réflexion. Elle l'aida à placer ses mains sur sa taille pour un slow, puis accompagna son partenaire réfractaire à bouger lentement sur les accords lancinants de la chanson. Et une fois à l'aise, elle le laissa libre de ses mouvements.

— Vous voyez, dit-elle en souriant. Lâcher prise n'est pas si difficile.

Hors du temps avec la plus belle femme du club dans ses bras, Theodore renonça à regagner sa chaise. Il écouta, transporté, les paroles de cette chanson qui traduisaient l'espoir de retrouver un jour l'être aimé perdu au cours d'une vie. Dansant sur place, son regard s'accrocha au pendentif autour du cou de Parker. Il l'avait remarqué dès leur première rencontre et trouvait que le bijou faisait divinement ressortir la couleur de ses yeux. La personne qui l'avait choisi devait parfaitement la connaître, et plus encore.

— Qui vous a offert ce bijou ?

Parker s'étonna de la question inattendue de l'homme au costume bleu.

— Comment savez-vous qu'il m'a été offert ? répliqua-t-elle, sur la défensive.

— Vous ne vous en séparez jamais. J'en déduis qu'il doit avoir une valeur sentimentale à vos yeux.

Theodore avait visé juste. La rousse ne répondit pas instantanément comme elle en avait la fâcheuse manie. Une expression nostalgique apparut brièvement sur son visage. Des souvenirs heureux l'avaient renvoyée pendant quelques secondes dans une période où son monde n'avait pas encore été bouleversé par des événements tragiques qui avaient changé à jamais sa vision des choses, faisant d'elle une autre personne, une autre femme. Cela semblait un sujet sensible et douloureux. Theodore le comprit et ne la poussa pas à lui répondre. Il douta qu'elle le fasse, jusqu'à ce qu'il l'entende avouer sans un sourire :

— Il me vient d'une personne à qui je tenais profondément et qui me connaissait mieux que quiconque.

— Où se trouve-t-elle à présent ? demanda Theodore d'une voix presque rauque, alors que Parker venait de remonter doucement ses mains pour encercler son cou.

— J'ose espérer dans un monde meilleur.

L'éclat dans son regard avait disparu, ses yeux s'étaient ternis de tristesse. C'était la première fois que Theodore voyait chez elle une émotion autre que le désir et l'amusement. Cette femme avait un passé et sans doute un amour perdu dont elle n'osait parler, au risque de réveiller de vieilles blessures. Le chasseur songea qu'ils se ressemblaient bien plus qu'il ne le pensait. Ils portaient des masques constants avec l'espoir que personne ne découvre un jour leurs mensonges. Les notes continuaient de flotter dans l'air. Yeux dans les yeux, leurs corps se rapprochèrent, leurs respirations s'écourtèrent, leurs cœurs défaillirent. Un vertige. Parker effleura inopinément la bouche de Theodore. Tout proche d'un plaisir défendu, elle pouvait sentir son souffle chaud caresser ses lèvres grenat et la convoitise dans ses yeux l'invitant à combler ce mince espace. Elle désirait plus que tout briser cette limite. Mais les conséquences qui en résulteraient seraient plus dévastatrices que ses envies. Il était préférable d'en rester là. De contrôler la diffusion du poison pour ne pas voir s'arrêter son cœur. Ne pas aimer pour ne pas souffrir, si l'on pouvait résumer les choses en ces termes. C'est ce qu'elle avait toujours fait, et c'était peut-être mieux ainsi. À l'encontre de ses désirs, Parker déplaça sa tête contre le cou de son cavalier qui ne montra pas sa déception. L'heure n'était pas venue de s'abandonner. Dans les bras l'un de l'autre, ils se laissèrent emporter par la musique en songeant qu'ils étaient peut-être faits pour se rencontrer, mais pas pour s'aimer. Deux âmes sœurs qui s'étaient accidentellement percutées lors du lancer cruel d'un jeu de dés truqué. Une misérable tragédie jouée sous les yeux moqueurs des dieux tout-puissants.

La chanson prit fin, et il fut temps de revenir sur terre. Un enjouement commun emporta Theodore et Parker après cette escapade nocturne. Ils quittèrent le club de jazz qui n'avait toujours pas désempli, malgré l'heure avancée. À travers l'objectif d'un appareil photo, Parker riait aux côtés de Theodore sans percevoir le clic sournois de l'objet qui, tenu à distance sur l'autre trottoir, capturait ce moment de liesse. Celui-ci fut interrompu lorsque l'homme au costume bleu ouvrit galamment la portière de sa voiture pour inviter Parker à s'y installer.

Derrière le volant, il garda son regard rivé sur la route, l'embrayage bloqué sur la deuxième vitesse, pendant que Parker regardait, rêveuse, le paysage défiler par la vitre et les traînées des lumières extérieures danser à la vitesse du véhicule. Un bercement hypnotique qui la fit se remémorer chaque moment de cette journée unique en compagnie de son ange gardien.

— Cette soirée était fantastique, dit-elle avec un sourire dans la voix. Cela faisait longtemps que je ne m'étais pas autant amusée. Je suis simplement déçue de ne pas avoir vu vos hanches se trémousser sur la piste de danse.

— J'ai dansé, se défendit Theodore, vexé.

— Je ne vous parle pas de slow, mais de danse latine ou de rock and roll.

— Il faudra me passer sur le corps pour que cela arrive un jour.

— C'est un défi ?

Theodore s'inquiéta légèrement du ton réjoui de sa passagère. Il lui jeta un regard désabusé pour lui signifier de s'ôter rapidement cette idée de la tête. Puis il concentra de nouveau son regard sur la route déserte.

— Je me ferai une joie de le relever, reprit Parker. Croyez-moi, vu vos hanches, la danse perdrait un splendide danseur.

L'homme au costume bleu écoutait à peine les propos insensés de la rousse. Depuis plus d'une minute, il avait la sensation qu'ils n'étaient pas tout seuls. Tout au long de leur carrière, les chasseurs développaient ce sixième sens qui leur permettait de s'assurer que le danger était écarté ou que personne d'autre n'était à l'affût de leur proie. Il vérifia son rétroviseur, une Ford Thunderbird noire roulait derrière eux. C'était sûr, il s'agissait bien de la même voiture qu'à la boutique de vêtements. Le conducteur garda son calme. Il continua de rouler tout droit jusqu'à prendre la prochaine rue à gauche pour vérifier sa théorie. La Thunderbird prit le même chemin. Ils étaient effectivement suivis. Un feu rouge imposa à Theodore de s'arrêter, tandis que Parker continuait son plaidoyer politisé :

— Vous savez, nous sommes dans un pan de notre histoire où le monde va révéler ses nouvelles couleurs. Je ne parle pas que de la politique, mais aussi de la place des femmes dirigées par ces hommes inconscients. Et s'il faut à ces messieurs une danse endiablée pour leur faire oublier qu'ils vivent désormais dans le passé, je ne me priverai pas de jouer leur professeur.

Sans retour, Parker prit conscience que Theodore ne l'écoutait pas.

— Bien entendu, ajouta-t-elle, il faudrait d'abord qu'ils prennent en considération leur existence.

— Taisez-vous, ordonna Theodore.

— Que dites-vous ?

— Fermez. Votre. Bouche. S'il vous plaît, répliqua-t-il en ponctuant chacun de ses mots.

— Vous plaisantez, j'espère ?

Il la fit taire en plaquant une main sur ses lèvres stupéfaites.

— Est-ce plus clair ?

La Thunderbird freina au niveau de la voiture de Theodore.

— Je sais qu'il s'agit pour vous de l'impossible, mais restez calme et ne dites plus un mot.

— À vos ordres, accepta Parker, non sans sarcasme.

Theodore soupira puis fixa le feu rouge. La vitre de la Thunderbird s'abaissa pour laisser pendre la main du conducteur dans le vide. L'Anglais l'observa du coin de l'œil en tapant impatiemment de l'index sur le volant. La main de l'automobiliste voisin tapa une fois sur le flanc de sa Thunderbird. Le feu était toujours rouge. La main tapa une deuxième fois contre la taule. Le feu resta rouge. Theodore cramponna ses mains sur son volant. La pression augmentait à chaque battement. Elle tapa une troisième fois, le feu passa au vert. Aussitôt, Theodore démarra en trombe en appuyant puissamment de son pied sur la pédale d'accélérateur. Un crissement fulgurant résonna sur le bitume. À la prise de vitesse, les deux passagers furent collés au dossier de leur siège. La voiture voisine ne tarda pas à imiter son concurrent en crachant par son pot d'échappement une longue empreinte grise. Une course-poursuite acharnée s'engagea entre les deux véhicules. La Riley tenta de semer la Thunderbird à pleine puissance. Theodore s'assura de leur avancée en jetant des coups d'œil rapides dans son rétroviseur et sur la route. La Thunderbird les talonna de très près, jusqu'à ce que la Riley réussisse à prendre de l'avance en dépassant un automobiliste léthargique.

— Ils ne partagent assurément pas votre amour des voitures anglaises, dit Parker en s'agrippant du mieux qu'elle le pouvait à son siège.

La Thunderbird réussit à rattraper son retard. Elle côtoyait à présent la Riley. Les deux voitures roulaient au coude-à-coude. La voiture noire érafla le flanc de l'émeraude. Theodore entendit avec effroi le frottement de sa carrosserie contre celle de ses poursuivants. La note du garagiste risquait d'être salée. Il devait les arrêter avant d'être obligé de balancer sa voiture à la décharge.

— Prenez le volant, commanda-t-il à Parker.

— L'alcool vous fait voir des étoiles filantes, mon cher. Moi vivante, je ne toucherai pas à ce volant.

— Ce n'est pas vous qui criiez, il y a moins d'une minute, à l'indépendance des femmes ? À moins que vous préfériez les armes ?

Parker lança un regard lourd de sens à Theodore. Il avait le chic pour retourner ses paroles contre elle. Elle s'empara avec exaspération du volant. Ce qui permit à l'homme au costume bleu de libérer ses mains et de sortir son arme à feu pour viser la Thunderbird à travers la vitre. Le chien relevé, il tira deux fois dans le pare-brise de ses adversaires qui éclata. Cela amputa momentanément son conducteur de la vue, mais ne l'empêcha pas de les poursuivre en ripostant par des coups de feu.

— Bien joué, Teddy-Bear ! railla Parker en gardant le cap, maintenant, ils sont deux fois plus en colère.

— Pas autant que moi. Je venais de la récupérer de chez le garagiste, répliqua Theodore qui reprenait la maîtrise de son véhicule afin d'échapper à leurs assaillants.

La Riley roulait à toute vitesse, évitant avec expertise tirs et obstacles sur son passage. Elle réalisa plusieurs virages et accélérations contrôlées jusqu'à exécuter, à un carrefour vide, un dérapage bruyant pour reprendre de plus belle sa chevauchée. Ça, c'était le genre de danse qu'il savait mener.

— Donnez-leur l'enfer, Teddy ! s'exclama Parker pour l'encourager.

La mâchoire de Theodore se contracta. Il savait qu'il ne pourrait jamais les semer de cette manière. Il joua le tout pour le tout et fonça, tête baissée avec son véhicule, droit sur la vitrine d'un magasin. Les yeux de Parker s'agrandirent de stupeur quand le mur de verre se rapprocha à fond de train de la calandre. Cet homme était fou ! Il voulait les tuer seulement pour éviter une cuisante défaite ! Theodore accéléra jusqu'au point de non-retour. Et en une fraction de seconde, il donna un brusque coup de volant pour éviter la collision. Une manœuvre risquée qui encastra la Thunderbird à sa poursuite dans la vitrine. Une sirène de police résonna dans leur secteur après l'accident. Dans sa fuite, Theodore vit les deux hommes en sortir légèrement blessés et déboussolés. Ces derniers avaient probablement été envoyés pour faire payer à Pierce Collins ses erreurs. Theodore les avait sauvés au prix de quelques éraflures matérielles. Ce qui était déjà bien assez pour l'Anglais, qui considérait sa voiture comme un bijou d'orfèvrerie. Il espérait maintenant ne pas verser tout son salaire à son garagiste. Lors de sa dernière visite chez celui-ci, le mécano avait déjà prévu des travaux pour une piscine dans sa résidence secondaire. Tant que des ennuis se trouveraient sur la route du chasseur, son garagiste profiterait au mieux de son infortune pour assurer ses vieux jours sous le soleil de Floride. Dans la loi du marché, Theodore était ce qu'on appelait un très bon client. Et les bons clients étaient toujours ceux qui collectionnaient les accidents. Au vu de ses casses régulières, une belle retraite était promise au mécanicien en automobile.

Bien loin d'imaginer ce qu'il se passait entre son employé et sa maîtresse, Richard n'avait qu'une idée en tête, se défendre à tout prix de cette trahison. Theodore voulait l'envoyer aux chiens. En retour, il se préparait à le jeter dans une fosse aux lions affamés. L'influence et le pouvoir étaient de son côté. Après son rendez-vous au cinéma, il était revenu expressément à son bureau de l'Entreprise pour récupérer le dossier « Corbeau » avec celui de Blaine. Il les rangea dans un compartiment de son attaché-case et repartit sans remarquer le compte rendu de Lloyd ni son indiscrétion. Il restait maintenant à concevoir le plan qui le couronnerait vainqueur de la partie. Jouer dans les règles était à bannir. Tricheries et mensonges seraient ses nouvelles armes de défense. La victoire ne se gagnait jamais au mérite, mais à la manipulation de l'esprit. Quand les braves mouraient pour leur révolution, les tricheurs leur survivaient pour faire perdurer leur espoir crédule en un monde meilleur.

Quant à Lloyd, il avait lui aussi quitté l'Entreprise, plus tôt que prévu, en vue de reprendre son enquête souterraine au Devil's Pack. Il ne savait pas pourquoi, mais quelque chose lui criait qu'un événement considérable se déroulait dans l'enceinte même de l'Entreprise. Il avait toujours eu le flair pour ce genre de choses. À force d'intervenir dans les affaires internes de l'Organisation, secrets, mensonges et traquenards étaient devenus à la longue son champ d'expertise.

À une table éloignée du reste des clients, il s'était installé avec un expresso pour parer à tout risque de somnolence. La mine concentrée, il massa mécaniquement son front plissé en griffonnant des notes sur un carnet qui l'avait toujours aidé à tirer ses idées au clair. Il explora plusieurs hypothèses, mais aucune ne parut tenir la route. Il chercha longuement à comprendre ces pages de comptabilité subtilisées. Ratures et chiffres remplirent plusieurs pages du calepin noirci de théories plus farfelues les unes que les autres. Lors d'un moment d'égarement, le dandy imagina même son ami Theodore comme membre d'une secte visant à promouvoir les bienfaits du thé. « Complètement absurde ! », pensa-t-il en jetant son stylo sur la table. Il se renversa, épuisé, dans sa chaise et se prit la tête entre les mains. C'était la première fois qu'une énigme lui résistait aussi longtemps. Lui, un adorateur d'Agatha Christie et de sir Arthur Conan Doyle ! Il envisageait de reprendre du café pour réveiller son esprit malmené quand un élément éclaira son visage d'étonnement. Il se saisit d'un document, examina très attentivement la partie supérieure, puis nota hâtivement quelques mots sur son calepin.

# CHAPITRE X
## Baptême par le feu

*Chicago, décembre 1939.*

Comme convenu, Parker s'était rendue au manoir Holloway pour chercher des indices sur la planque de l'argent d'Edward qui n'avait pas encore été blanchi. Elle avait dû feindre l'oubli d'un bijou auprès d'un homme de main pour pouvoir se déplacer librement dans la demeure. L'absence provisoire du patron lui permit de passer les barrages de sécurité et d'entrer dans son bureau inoccupé. Elle ne disposait que de peu de temps avant qu'une escorte ne parte à sa recherche. La première chose qu'elle examina fut les tiroirs de l'imposant bureau. Parker avait vu plusieurs fois son compagnon y ranger des documents. En fouillant chaque compartiment, elle rouspéta en s'apercevant qu'aucun papier n'était lié au blanchiment par le criminel. Une déception qui lui fut très vite confirmée.

— Tu ne trouveras rien ici, dit une voix froide et profonde.

Elle redressa vite la tête et croisa le regard intraitable d'Edward.

— Eddy ? fit-elle, surprise de sa présence. Je croyais que tu étais en déplacement.

— Je croyais que tu étais chez ta tante.

Il avait dit ces mots avec un calme effrayant. Parker savait qu'il serait absurde de s'enliser dans de vaines explications. Elle connaissait l'homme. Edward savait mieux que quiconque déceler les mensonges, et cette situation en était la preuve parfaite.

— Tu m'as fait suivre ?

— Tu m'as trahi ! tonna Edward.

— Ce n'est pas…

— Tais-toi, coupa le mafieux d'un ton sans réplique. Inutile de te justifier. C'est terminé. Je ne veux plus te voir.

La rousse se pétrifia. Elle ne savait plus comment réagir. Edward était la violence incarnée, elle l'avait déjà vu à l'œuvre. Il pouvait à tout moment sortir un pistolet et l'abattre sans regret. Et crier ne ferait qu'ameuter les serviteurs du maître. À court d'alternatives, elle se dirigea lentement vers la sortie en priant, à chacun de ses pas, pour que son cœur continue à battre. Lorsqu'elle fut sur le point de franchir la porte, le gangster l'empoigna brutalement par le bras. Confrontée à son regard cruel, elle ravala un cri de douleur. L'amour qu'il lui portait autrefois n'existait plus. Il ne restait que le sentiment d'une haine meurtrière. Elle eut peur qu'il s'en prenne violemment à elle, mais au lieu de cela, il la menaça à voix basse :

— Dis-lui qu'une fois les élections terminées, je m'arrangerai pour que vous soyez liés pour l'éternité.

Il relâcha sèchement son emprise et laissa Parker s'enfuir.

Cette nuit-là fut particulièrement froide et brumeuse. Le vent bruissait dans les branchages des arbres sans feuilles. À la cime d'un grand pin piquée par la lueur de la pleine lune, le ramage d'une chouette, à l'affût d'une souris vagabonde, orchestrait un sinistre récital. L'astre nocturne illuminait ce décor lugubre comparable aux grands films d'épouvante, capables de faire frissonner les plus audacieux. Deux silhouettes masculines s'avancèrent dans cette vaporeuse obscurité, perçant la brume épaisse, et s'arrêtèrent devant un grand portail en fer forgé orné à l'extrémité de piques menaçantes. C'était un premier avertissement contre ceux qui avaient l'ambition, ou la folie, de passer outre cette limite. Ils rechargèrent les armes à feu qu'ils avaient pris soin d'emporter et passèrent le portail qui grinça légèrement à son ouverture. En silence, ils progressèrent le long d'un chemin enneigé marqué par la semelle de leurs chaussures et débouchèrent sur un ancien manoir fait de bois et de pierre. L'atmosphère était la même que dans les maisons hantées, cette impression inquiétante qu'une mauvaise chose allait arriver sans que personne puisse l'empêcher. Le deuxième avertissement était donné par les fenêtres éclairées, qui laissaient supposer que des personnes veillaient encore à cette heure. Le troisième, et pas des moindres, tenait dans le nom du propriétaire, gravé en grosses lettres gothiques rouges sur la façade de l'entrée : « HOLLOWAY ». Ils firent fi de toutes ces sources d'inquiétude et entrèrent par la grande porte en bois. Elle était munie d'un heurtoir à tête de lion qu'ils ne prirent pas la peine d'actionner. Il y eut un long silence, puis… on entendit une série de coups de feu provenant de mitraillettes, de pistolets combinés à des hurlements, qui se soldèrent par un glaçant et effroyable silence. Un massacre inqualifiable venait d'avoir lieu. Les responsables en étaient les deux hommes en costume. L'un était habillé d'un costume gris, l'autre d'un costume bleu. Richard Shepherd et Theodore Woodrow.

Un homme de main de Holloway gisait, en sang, dans l'escalier, la tête reposant sur son torse transpercé de balles, son pistolet encore dans son étui. Il n'avait rien pu faire. Richard le contourna pour ne pas l'écraser. À l'étage, il indiqua à Theodore de prendre le couloir de gauche. Le bras droit s'exécuta. Le directeur veilla à ce qu'il soit hors de vue, puis s'en alla dans le sens opposé. Il n'avait aucune hésitation, ni dans ses actions, ni dans son regard. Il savait précisément quel chemin prendre car, contrairement à son employé, il avait déjà effectué une visite des lieux. Une fois derrière le bureau d'Edward, il lança un regard prudent à la porte ouverte et ferma prestement le second tiroir. Une secousse provoqua la chute d'un cadre photo montrant Holloway posant avec un enfant.

De l'autre côté du manoir, Theodore vérifiait une chambre au premier étage. Il n'y resta qu'une minute et s'en allait quand Richard l'interpella par son nom de chasseur. Il referma la porte derrière lui et retrouva son patron dans le couloir.

— Rien de ce côté.

— Il me semble avoir entendu du bruit en bas, dit Richard. Je pars vérifier. Cherche son bureau.

Theodore acquiesça d'un signe de tête. Il prit le couloir précédemment emprunté par Richard et chercha de porte en porte le bureau du gangster. Au bout de la troisième, il tomba dessus. Il ne sut par où commencer. Entre les meubles, les objets d'art et les livres, les cachettes étaient innombrables. Le chasseur s'efforça de se mettre dans la tête d'Edward pour réduire les possibilités. Un homme aussi prudent que Holloway garderait tout objet de valeur à portée de main pour veiller à sa bonne sécurité. Il ratissa du regard la pièce, puis le figea sur le grand bureau. Il s'y précipita et tira le premier tiroir. Il était bourré de papiers et d'enveloppes ouvertes. Rien qui ait de l'intérêt. Il passa au second. En farfouillant dans le compartiment, il dénicha, dissimulé sous une pile de feuilles, ce pour quoi ils étaient venus. Un soulagement apparut sur son visage quand il tint le registre de chasse de l'Entreprise entre ses mains. Ils avaient réussi. Theodore n'eut pas le temps de se réjouir de leur succès qu'il devait déjà penser à prendre la fuite. Dans peu de temps, le manoir serait investi par une ribambelle de policiers. Il valait mieux ne pas se trouver sur les lieux quand ils découvriraient le bazar sanglant qu'ils avaient laissé. Tandis qu'il partait du bureau, un craquement se produisit sous son pied. Le chasseur venait d'accidentellement écraser le cadre photo renversé plus tôt par Richard. Les cassures du verre formèrent une sorte de toile d'araignée jusqu'au cœur d'Edward, brisant le lien avec l'enfant qu'il tenait affectueusement par les épaules.

Dans la cuisine du rez-de-chaussée, Richard attendait, impatient, le retour de son employé en compagnie de deux corps sans vie effondrés sur une table dressée. L'un d'eux tenait encore tenacement son verre de vin à la main. Une posture qui illustrait la totale surprise de cette attaque préméditée et brillamment exécutée. Richard s'inquiéta toutefois de ne pas voir revenir Theodore. L'attente était devenue si insoutenable que l'odieuse envie de finir le vin du mort lui traversa l'esprit. Il s'obligea à fixer son regard par la fenêtre, craignant l'arrivée imminente de véhicules avec un gyrophare sur le toit. Au bout d'un moment, des fourmillements commencèrent à gagner ses jambes. Il entreprit de faire le tour de la table et s'arrêta avec un léger tressaillement quand Theodore surgit. Le chasseur interrogea Richard du regard.

— Rien à signaler. L'as-tu trouvé ? lui demanda ce dernier.

L'homme au costume bleu lui montra le registre. Richard hocha la tête et ordonna à son employé de le suivre. Un terrible silence prit possession de l'horreur dans la bâtisse après le départ des deux chasseurs. Aucune vie n'avait été épargnée par leur main inquisitrice. Pas un bruit, pas un murmure. Un cimetière à ciel ouvert sans tombeaux ni fleurs. Les serviteurs de la grande faucheuse avaient tout éliminé, tout volé, rien laissé… Il n'y avait que l'écho continu et glacial de la mort. Mais tout à coup, un timide grincement, aussi imperceptible qu'un insecte courant sur le plancher, résonna dans le néant funèbre. Ce bruit provenait du premier étage. Une porte, celle d'une armoire ancienne. Dedans, un cœur cognait, un souffle se faisait court, une main juvénile tremblait, et elle émergea par l'ouverture. Une vie.

*New York, novembre 1958.*

Un homme, haletant et transpirant, se réveilla en sursaut dans son lit. Il était près de vingt-trois heures. Il alluma sa lampe de chevet et calma sa respiration irrégulière. Ses draps étaient tiédis, son pyjama collait à sa peau humide. Il avait encore fait ce même et inlassable cauchemar. Il posa une main sur son cœur. Le pouls était fébrile, mais présent. Il était encore en vie. Ce mauvais rêve lui avait paru si réel. Le regard tourmenté, il vérifia qu'aucun danger n'était présent dans son modeste appartement. Un logement dont il n'était que le locataire, équipé du strict nécessaire : un lit, un bureau, un réchaud et une douche. Personne. Il était bel et bien seul. Il s'approcha d'un vieux miroir cloué sur un mur écaillé par la moisissure. En dessous se trouvait une bassine remplie d'eau. Il y plongea ses mains et s'aspergea abondamment le visage. Cet acte béni lui fit se remémorer une conversation qu'il avait eue une semaine plus tôt avec un prêtre au confessionnal d'une église. Encore aujourd'hui, il lui arrivait d'entendre sur des silences la chorale d'enfants interpréter l'*Agnus Dei*. Un chant religieux qu'il aimait en vertu du mélange des voix, allant de la plus aiguë à la plus grave. Les yeux clos, il redressa la tête et apprécia le contact du liquide ruisselant sur sa peau brûlante.

Il pouvait reconstituer avec exactitude le visage du prêtre morcelé par le grillage du confessionnal. Celui-ci avait apporté sa Bible, au cas où des versets seraient indispensables pour le réconforter. Vaste hérésie pour l'incroyant qu'il était. Comme pour prêter serment devant un juge, le religieux avait posé solennellement sa main droite sur la sainte Bible. Son regard bienveillant était resté rivé sur la porte close. Cette œillère lui permettait de concentrer toute son écoute sur le fidèle venu se confier. Le prêtre avait été invité à cet entretien secret, quelques minutes auparavant, par un court message écrit à la main. Une requête muette qui ne lui avait pas permis de voir l'identité de son confesseur, bien que cette rencontre s'annonçât inoubliable dès ses premières paroles :

— *Pardonnez-moi, mon père, car je m'apprête à pécher.*

— *Vous prévoyez de renier le Seigneur ?*

— *Oui, mon père. Je prévois un grand dessein.*

— *Précisez vos paroles.*

— *Une vengeance, avec la mort au bout pour tous ceux qui ont participé à ma souffrance.*

Il s'épongea le front, les joues puis le cou avec une serviette. D'un geste agacé, il jeta le linge mouillé sur le côté et s'observa, désœuvré, dans le miroir. Il s'imagina être encore dans un mauvais rêve quand il crut apercevoir, à travers son reflet, l'arrière de sa tête à défaut de son visage. Un mirage causé par ses mauvaises nuits et ses cauchemars répétés, mais peut-être aussi par l'image qu'il se faisait de lui-même. De jour en jour, l'immoralité de ses actes l'avait transformé en une âme errante dans un monde qui lui était indifférent. Tout ce qui avait autrefois de la saveur n'avait aujourd'hui plus qu'un goût de cendres. Certaines fois, c'était comme si de la fumée s'infiltrait dans sa tête pour mélanger toutes ses pensées. Un brouillard mental qui le faisait agir comme un revenant. À chaque déplorable choix, mauvaise action, les traits de sa figure semblaient s'effacer, comme un portrait gommé par son créateur pour devenir ce personnage sans visage, à l'instar de *La Reproduction interdite* de René Magritte. Un homme en quête de réponses et d'identité.

Le prêtre l'avait supplié :

— *Mon fils, je crains de ne pouvoir vous absoudre avec de telles pensées. Renoncez à cette idée, le Seigneur vous en conjure. La vengeance par le meurtre est impardonnable. Suivez les paroles du Seigneur et revenez à la lumière.*

— *Je ne crois pas en Dieu.*

— *En ce cas, pourquoi venir dans Sa maison ?*

— *Ma mère y croyait. Elle avait une foi immense en Lui.*

— *Elle avait ?*

— *Elle est morte à mes douze ans d'une maladie incurable.*

Il s'approcha de son bureau. Un paquet de cigarettes froissé, presque vide, était posé à côté d'un appareil photo argentique et d'un badge d'accès réservé aux employés. La main tremblante, il secoua le paquet pour faire tomber une cigarette dans sa paume. Il l'alluma avec maladresse et aspira, angoissé, une bouffée. La lumière du néon rouge au-dehors l'orienta dans ses gestes hésitants. Celle-ci ravivait la pâleur terrifiante de son teint terreux. Il profita de sa cigarette jusqu'à son filtre puis écrasa sa tête grise dans une soucoupe à café. S'il ne trouvait pas un moyen immédiat de se calmer, une nuit blanche serait encore à affronter. Il manquait déjà de trop d'heures de sommeil pour pouvoir s'en priver. Emportant l'appareil photo, il s'enferma dans une pièce adjacente devenue son refuge pour l'équilibre de sa raison infectée par la désolation.

— *Vous m'en voyez désolé, mon enfant.*

Le prêtre avait ressenti une réelle tristesse pour lui, mais cela n'avait pas soulagé sa peine. Elle avait au contraire décuplé sa colère.

— *Vous devriez l'être pour elle. Elle n'a pas cessé de prier pour rester aux côtés des personnes qu'elle aimait. Quand j'y songe, elle n'aurait pas dû conjuguer toute son énergie dans ses prières pour une mort aussi vaine et douloureuse.*

— *Si le Seigneur l'a rappelée, c'est qu'il devait y avoir une bonne raison. Qu'espérez-vous ?*

— *Je doute d'être encore de ce monde quand tout sera fini. Si je ne peux obtenir le pardon de ma mère pour ne pas avoir été le fils qu'elle avait escompté, je vous demande de parler en son nom.*

— *Je ne peux m'y résoudre. Dieu n'engage aucun de Ses fidèles sur ce chemin. Pour le salut de votre mère, je vous implore de revenir à la raison.*

Il n'avait pas plié devant sa détresse.

— *Je crois que Lui et moi ne serons jamais d'accord.*

Il se rappela avoir fermé les yeux pour apprécier le concert angélique des enfants de chœur rassemblés devant l'autel.

— *Ce chant est magnifique. Il me rappelle mon enfance, quand je faisais partie de la chorale paroissiale, avant que ma mère ne disparaisse. Elle me disait que ces chants étaient des messages d'amour à la gloire de notre Seigneur.*

Le prêtre avait fait l'erreur de se servir de sa défunte mère pour tenter de le convaincre de revenir dans la grâce de l'Éternel.

*— Ne détruisez pas le souvenir de votre mère et de sa foi. Renier votre humanité, c'est vivre avec l'irréparable. Faire le choix du pardon et du bien est un travail de chaque jour. Laissez-moi vous guider.*

La pièce était étroite, sombre et éclairée par une lampe inactinique rouge. Dès son arrivée, il l'avait modestement transformée en chambre noire pour s'adonner à sa passion photographique. C'était l'unique inclination artistique qu'il s'autorisait dans sa vie d'ascète. Les photos avaient ce pouvoir de figer le temps et de permettre de percevoir les détails que le souvenir ne fixait pas avec exactitude. C'était ce qu'il aimait. Ne rien oublier de son histoire et contempler la réalité telle qu'elle était. Il immergea une photo argentique dans un bac de révélateur. La photo se métamorphosa lentement dans le liquide chimique. Peu à peu, deux silhouettes se précisèrent : un homme et une femme. Le processus terminé, il accrocha le cliché sur une fine corde avec d'autres déjà suspendus. On pouvait y voir Parker riant aux côtés de Theodore souriant devant un club de jazz.

*— Mon Père, si le mal n'existait pas, le bien n'aurait aucun sens et nous n'aurions aucune raison de vivre.*

Il décrocha une photo de Richard du fil et l'épingla sur un mur tapissé de clichés, de coupures de journaux et d'archives sur Clayton, Holloway, Evans, Parker, Collins, et des membres de l'Entreprise. Chaque élément était connecté méthodiquement à d'autres par de la ficelle rouge qui s'entrecoupait pour prendre la forme d'une grande toile d'araignée. Il démêla mentalement une fois de plus cet écheveau d'informations en reliant du regard les photos d'hommes et de femmes prises par ses soins. Un déferlement de haine le saisit à la vision de ces visages débordant de mensonges.

*— Je ferai un don pour votre Église.*

Le prêtre avait voulu le retenir. Mais le pénitent avait sèchement fermé le grillage pour clore la conversation pendant que le tocsin claironnait comme pour annoncer un fléau imminent.

Sain et sauf, Theodore arrêta son véhicule devant un hôtel sans étoile. Apparemment, il arrivait à Parker d'y séjourner un jour ou deux dans la semaine. Les autres jours, elle permutait avec un autre hôtel, plus luxueux. Elle lui expliqua que c'était une manière pour elle de dissimuler ses traces, si tant est qu'une personne veuille lui faire du mal. Une bien jolie façon de dire qu'elle n'avait pas toute confiance en lui. Elle ignorait à cet instant que Richard les observait par une fenêtre de leur chambre d'hôtel. Un verre d'alcool à la main, il observait avec amertume le couple en contrebas quitter le véhicule pour se souhaiter une bonne soirée. Theodore et Parker se regardaient timidement, comme des enfants découvrant de nouveaux sentiments.

— En dehors de quelques turbulences, le vol s'est plutôt bien passé, dit Parker, encore sous le charme de la soirée. Bien que je sois désolée pour votre voiture.

Theodore tourna son regard vers sa Riley quelque peu amochée.

— Elle a connu pire, dit-il avec une moue.

— J'ai peine à vous croire. De ma vie, je n'ai jamais vu un homme dorloter autant sa voiture. Vous êtes encore plus protecteur qu'une mère avec son premier enfant.

— Ce n'est pas ma première. Il y a eu Penelope, Marilyn, et avant, Annabelle.

Une révélation suivie d'un silence gênant et qui fit sourire Parker. Elle pinça les lèvres comme pour retenir les mots qu'elle allait prononcer. Le front baissé, elle regarda ses pieds joints et annonça, avec un certain embarras :

— Bien. Il se fait tard…

En relevant la tête, elle croisa le regard aimant de Theodore. Il désirait la retenir, encore un instant. Et dire qu'il y a peu, il aurait tout donné, même son fauteuil en cuir, pour ne pas se retrouver en sa présence ! Malgré ses caprices d'enfant gâtée, l'ours mal léché avait fini par s'abandonner au charme rebelle et imprévisible de la rouquine. Or, l'évidence était là. Il ne pouvait espérer davantage que ces moments volés. Elle était une femme mariée, trimballant avec elle un paquet d'ennuis. Seulement, c'était plus fort que lui. Il n'arrivait pas à se défaire de ce visage qui lui faisait oublier tout ce qu'il était. Elle lui donnait le sentiment d'être une page blanche et de pouvoir tout recommencer depuis le début. D'effacer les erreurs et les douleurs. Un sentiment qui ne lui était pas étranger. Il l'avait déjà ressenti, une fois, dans une autre vie. Rien qu'en le regardant, Parker savait à quoi l'homme pensait. D'autres avaient eu, à tort, les mêmes croyances. Elle n'était pas cette femme, cette sauveuse d'âmes déchirées par une peine immuable. Elle ne pouvait rien pour lui, car elle-même était égarée dans ce monde qu'elle ne comprenait plus. Il devrait se faire une raison. L'amour n'était pas fait pour tout le monde. Il y avait des causes perdues. En le voyant la regarder ainsi, elle en était douloureusement convaincue.

Tout doucement, elle s'approcha de lui et l'embrassa à la commissure des lèvres.

— Bonne nuit, Teddy-Bear, souffla-t-elle.

À cet au revoir un brin trop amical, la main de Richard s'était resserrée férocement sur son verre. La rousse alloua un dernier sourire à son protecteur et partit en direction de l'hôtel. Theodore la regarda s'en aller, puis quitta les lieux d'un pas allègre. En entrant dans la chambre d'hôtel, Parker fut surprise d'y trouver l'homme aux cheveux blancs qui l'attendait avec un verre de scotch à la main. Habituellement, c'était toujours elle qui arrivait la première.

— Bonne journée ? lança Richard.

Pas de trace de rancune dans sa voix. Luttant contre sa jalousie excessive, il se retenait de tout commentaire sur ce dont il avait été témoin. Paradoxal, au vu des innombrables disputes qu'il avait eues avec elle au sujet des hommes qui osaient lui faire la cour en sa présence. Tournant le dos à Richard, Parker s'approcha d'une commode pour éviter son regard.

— Personne n'est mort, répondit-elle.

— S'est-il aperçu de quelque chose ?

Elle posa son sac à main sur le meuble. Dans une poche destinée à son maquillage, elle sortit la cigarette Craven A pour la tenir délicatement dans la paume de sa main. Elle admira en douce la petite chose qui, après avoir évité miraculeusement le hors-piste, était devenue pour elle un talisman la protégeant de l'infortune. La cigarette avait un effet magnétique sur elle, comme si elle avait le pouvoir de réanimer tous les souvenirs de ces derniers jours. Parker éprouva un certain remords pour la course-poursuite. Une supercherie imaginée par Richard pour faire croire à Theodore à l'authenticité de sa mission et le tenir à l'écart de ses secrètes investigations.

— Il n'y a vu que du feu, répondit Parker d'un ton absent. Comme nous l'avions prévu, le garde anglais a joué les preux chevaliers.

Richard resta un instant silencieux, puis déclara brusquement :

— Je suis passé à la banque.

Cette information réveilla Parker. Elle glissa furtivement la cigarette pour se concentrer sur Richard, qui crispa la mâchoire après avoir bu une gorgée de sa boisson forte.

— As-tu découvert quelque chose d'intéressant ?

— Le présumé associé de Woodrow disait vrai. Le coffre contenait de l'argent avec plusieurs documents. L'un d'eux était un dossier au nom d'un M. Blaine.

Il sortit le dossier en question de son attaché-case ouvert sur le lit.

— Qu'est-ce que c'est ?

— La preuve de sa trahison.

Il donna à Parker le document attentatoire.

— Ce dossier contient toutes les informations transactionnelles que Woodrow aurait opérées ces onze dernières années, expliqua-t-il. Grâce à la création d'un compte bancaire sous un faux nom, il a pu planifier une transaction réitérée à la même date tous les mois.

Toutes, sans exception, provenant d'une même et unique entreprise.

— Celle de chasse ? demanda-t-elle en s'installant sur un fauteuil pour consulter scrupuleusement chaque page du dossier.

— En quelque sorte.

— Que veux-tu dire ?

— En résumé, j'utilise la société de pressing pour blanchir l'argent de l'Entreprise. Après blanchiment de cet argent, Woodrow parviendrait à détourner une certaine somme en la plaçant sur un compte pour ensuite la transférer dans une entreprise dont le conseil d'administration résiderait en Angleterre. Un système très en vogue, appelé « résidence fictive ».

Parker regarda Richard d'un air étonné.

— Comment est-ce possible ? Tu l'aurais pourtant remarqué si de l'argent disparaissait ?

— Pas si une autre personne assez avisée réussissait à dissimuler les fuites.

Il retourna devant la fenêtre pour maudire :

— Je n'arrive toujours pas à croire qu'il s'est servi de moi depuis le début.

— Woodrow ne semble pas être le seul à savoir jouer un double jeu.

Elle détacha son regard du dossier pour le poser sur le corps tendu de Richard.

— J'ai peur qu'il puisse être au courant de nos affaires, ajouta-t-elle. Nous allons devoir nous montrer encore plus prudents et protéger au mieux nos arrières.

— Il va falloir qu'il paye, fulmina Richard.

— Que comptes-tu faire ?

De toute évidence, l'angoisse dans l'intonation de Parker ne fut pas perçue par son amant en raison de sa trop grande colère. Depuis qu'elle avait eu l'occasion de se rapprocher de l'homme au costume bleu, elle se souciait chaque jour un peu plus du sort que Richard lui réservait. Celui-ci était un homme tenace et perfide lorsqu'il s'agissait de venger son honneur et de protéger ses biens. Une vertu qu'elle avait, dans le temps, apprise à ses dépens.

Il se tourna vers elle et dit sur un ton terrifiant :

— Élaborer un nouveau plan.

Il termina d'une traite son verre. Une rage étincela dans son regard. Le jeu venait à peine de commencer…

Quelque peu épuisé, Theodore était directement rentré chez lui après s'être assuré qu'un homme se chargerait de la protection de Parker pour la nuit. À peine avait-il passé la porte d'entrée qu'une vieille douleur à la jambe l'avait immobilisé. Une douleur aiguë et constante, du type qui vous faisait perdre le fil de vos pensées. Elle venait souvent le hanter en fin de journée, quand son esprit n'était plus au travail. Pour atténuer son mal, il opérait un massage bref de la cuisse. Bien que le temps n'ait pas eu d'emprise sur sa raison, son corps en avait subi de plein fouet les effets ravageurs. Aujourd'hui, le poids des années l'avait rattrapé et son corps ne suivait plus. Bon pour la casse, comme dirait son garagiste. Il espérait qu'il lui restait encore un peu de jus en réserve pour la dernière ligne droite. On lui avait prescrit des médicaments pour la douleur. Mais s'il pouvait s'en passer, il préférait les éviter. Ces petits cachetons blancs avaient tendance à le rendre confus et l'idée d'en devenir dépendant l'horrifiait. Cela lui rappelait la benzédrine qu'on avait fournie aux troupes britanniques pour améliorer les performances au front. Les effets bienfaisants du cachet duraient un temps, mais à long terme, des effets pervers se déclenchaient dans l'organisme : perte de poids, addiction, insomnie. Des réactions néfastes pouvant conduire jusqu'à la dépression.

Lancé telle une locomotive sur les rails, il se délesta de sa veste de costume sur le dossier du canapé. Il mit en route son tourne-disque, releva les manches de sa chemise jusqu'aux coudes et se vautra dans son fauteuil en cuir vieilli après s'être servi un verre de rhum provenant d'une bouteille de vingt ans d'âge qu'il ne sortait qu'en cas de grande fatigue. Tout dans son salon était ordonné et aligné au millimètre près : les livres de sa bibliothèque rangés par ordre alphabétique, les souvenirs et cadeaux multiples, rapportés au cours de ses expéditions dans des pays autrefois parcourus, disposés avec soin sur les étagères environnantes. Des visites par-delà les frontières qu'il avait effectuées lors de ses voyages d'affaires parmi les Entreprises du monde entier. Pyramide de Gizeh, tour Eiffel, sculptures chinoises miniatures, matriochkas, art traditionnel africain et couteau touareg présentaient un autre visage du chasseur casanier. Une époque révolue. Désormais, l'homme se satisfaisait de sa vie de célibataire sédentaire avec pour seule distraction ses livres, sa musique et une sortie ou deux dans la semaine avec ses amis. Les rhumatismes liés à ses chasses sportives y étaient certainement pour quelque chose, mais pas seulement. Il avait perdu le goût d'exercer ce travail. Et récemment, il s'était presque résolu à donner sa lettre de démission pour prendre une retraite bien méritée. Une initiative qu'il n'avait pas encore partagée avec ses amis et encore moins avec Antonin. Il savait que le jeune homme ferait tout pour l'en dissuader et craignait qu'il puisse y parvenir. Il avait le sentiment qu'il avait fait son temps, ou du moins que cette histoire ne résonnait plus aussi justement. La discussion qu'il avait eue avec Lloyd lui avait ouvert les yeux sur certains points qu'il s'était interdit d'admettre depuis trop longtemps. Theodore noya ses mauvaises pensées dans son alcool. Il reposa son verre pour réviser ses notes concernant ses prochains contrats sur un carnet incomplet. Une habitude qu'il avait prise sur les conseils avisés de Lloyd. Le fond sonore de l'horloge et du tourne-disque qui jouait la chanson *Gloomy Sunday*, interprétée par la grande Billie Holiday, couvrait partiellement celui, assourdissant, de la tempête qui s'abattait à l'extérieur. La pluie tombait si fort qu'à chaque coup de vent, elle martelait violemment les vitres de sa fenêtre. À la fin d'un couplet, un autre bruit importun vint s'ajouter à ce concerto élégiaque, un tapage contre sa porte d'entrée. Theodore s'arrêta dans son travail et constata l'heure tardive sur sa montre. Quel pouvait donc être ce visiteur inattendu qui avait bravé l'orage pour venir le voir ? En se hissant sur les accoudoirs, il grimaça lorsqu'une nouvelle décharge de douleur lui parcourut la jambe. Il posa son carnet, arrêta sa musique et déverrouilla sa porte. Il fut surpris de découvrir Lloyd, une serviette en cuir à la main, trempé de la tête aux pieds.

— Lloyd ?

— Il faut qu'on parle.

Theodore capta l'air sombre de son ami. L'étonnement passé, il l'invita rapidement à se mettre à l'abri et l'allégea de ses habits d'extérieur arrosés par la pluie. Il l'emmena ensuite jusqu'au salon et lui offrit de quoi s'asseoir. Lloyd prit soin de ne pas prendre le fauteuil attitré de l'homme au costume bleu et s'assit sur le canapé, posant son cartable sur ses cuisses.

— C'est un sacré coup de tabac dehors, dit Theodore en allant chercher un autre verre dans le vaisselier pour le remplir de rhum. Tu n'as pas pris de taxi pour venir ?

— Non, je suis venu à pied, répondit Lloyd en effaçant, avec un mouchoir de soie blanc brodé, les gouttes d'eau qui embuaient les verres de ses lunettes. Comme je me trouvais dans le coin, j'ai préféré faire au plus vite.

— Mon pauvre vieux, tu es aussi trempé qu'après avoir pris une douche. Tu veux que je t'apporte de quoi te sécher ?

— Ça ira, merci. Ne t'en fais pas.

Lloyd déclina poliment le verre qu'il venait de lui servir. Theodore échangea le verre avec le sien posé sur la table basse et s'installa dans son fauteuil fétiche.

— Comme tu voudras. En tout cas, j'espère pour toi que ta traversée de Noé en vaut la peine. Parce que si c'est au sujet de la partie de poker que j'ai gagnée, je te préviens tout de suite que tu n'auras pas un penny de ton bon ami cockney. Tout ce que tu remporteras chez toi, c'est un gros rhume. Tu as fait l'erreur de te coucher au troisième tour, mon cher, maintenant, tous tes gains contribueront à l'achat de ma future Pathfinder.

— Non, réfuta Lloyd à mi-voix, ce n'est pas la raison de ma venue.

— Alors, dis-moi. Que se passe-t-il ? demanda Theodore en s'inclinant légèrement en avant pour concentrer toute son attention sur son ami.

Lloyd pinça les lèvres d'un air embarrassé en se demandant de quelle manière il allait pouvoir aborder cette discussion incommodante. Ses grandes mains tenaient fermement son porte-documents sur ses genoux, comme pour s'empêcher de l'ouvrir. Il craignait une réaction incontrôlable du chasseur, et pire encore, la révélation d'une vérité dérangeante. Ne sachant comment procéder, il considéra le verre d'alcool dans la main de son ami avec une subite avidité. Finalement, un bon verre de rhum lui donnerait peut-être le courage nécessaire.

— Tout compte fait, je veux bien un verre.

Theodore lui donna le verre posé sur la table et regarda, médusé, Lloyd le boire d'un seul trait.

— C'est mieux ainsi, dit-il requinqué en reposant le verre vide. Hum, tout d'abord, permets-moi de te soumettre cette question. Tu vas sans doute trouver cela étrange, mais… Devrais-je avoir une quelconque raison de croire que tu me caches quelque chose ?

Tout en en dissimulant les signes extérieurs, Theodore s'étonna de cette interrogation. Est-ce que Lloyd était au courant de quelque chose dont il ne devait pas l'être ? Ce ne serait pas la première fois qu'il s'illustrerait en tant qu'inquisiteur se mêlant de ses affaires, en dépit des avertissements privés, voire intimes. Toutefois, il tenta de brouiller les pistes. Pour sa propre sécurité, il valait mieux tenir éloigné l'expert en imbroglios de ses opérations secrètes.

— Aucune, répondit Theodore avec assurance.

Lloyd poussa un profond soupir. Il débloqua le fermoir d'or de sa vieille serviette en cuir et présenta au chasseur les pages de comptabilité volées.

— Qu'est-ce que c'est ? interrogea Theodore, après avoir goûté son alcool.

— À toi de me le dire.

— Lloyd, j'ai eu une sale journée, alors si tu pouvais entrer dans le vif du sujet, requit Theodore d'un geste pressant de la main.

— Très bien... Ces documents à ton nom stipulent que tu as réalisé des transferts d'argent sur plusieurs années entre la société Holywool et celui d'un compte bancaire au nom de M. Blaine, dont tu es le bénéficiaire.

Lloyd s'arrêta un instant pour reprendre avec gravité :

—Ted, ces documents prouvent ta trahison envers l'Entreprise.

Ces mots diffamatoires abasourdirent Theodore. Il resta interdit un court instant, se demandant si la fatigue accumulée de cette folle journée ne lui provoquait pas des hallucinations. C'était sûrement ça, il avait dû mal comprendre.

— Tu me fais marcher, c'est ça ? répliqua-t-il sur la défensive. C'est une blague.

— Je préférerais être doté d'un tel humour. Malheureusement, tout ceci est bien réel.

Reprenant ses esprits, Theodore balbutia :

— Une minute... Tu es en train de me dire qu'on m'accuse... moi, de trahison envers l'Entreprise ? C'est insensé !

Lloyd détourna son regard. Sur cette accablante découverte, il refusait de croire que son ami pouvait lui mentir. Ce silence angoissa Theodore qui lui commanda de s'exprimer sans délai. Le dandy pria pour la sincérité de son ami. Il éclaircit sa voix et confessa d'une voix lente :

— Hier, je suis allé voir le directeur pour lui rendre mon compte rendu. Richard était absent, j'ai donc déposé ma note sur son bureau. C'est là qu'un dossier à ton nom a attiré mon attention. J'ai d'abord pensé qu'il s'agissait d'un rapport conventionnel, mais en l'examinant de plus près… j'ai découvert plusieurs documents du même type étalés sur onze ans. J'ai pu en emprunter quelques-uns dans la précipitation. Je savais que le directeur ne le remarquerait pas.

Theodore tira de ses mains les documents tendus par Lloyd. Il les étudia rapidement et fut assommé par leur contenu. Il nageait en plein cauchemar. On l'accusait, lui, l'employé modèle, le numéro un, de haute trahison ! Cela ne pouvait être qu'une terrible erreur. Lloyd regarda son ami chamboulé se lever furieusement, puis se déplacer aléatoirement dans la pièce en tenant les documents serrés dans sa main droite. Il semblait sincèrement affecté par cette incrimination, mais le dandy avait besoin de plus. Des traîtres, il en avait connu, et parfois, il s'agissait de personnes auxquelles on ne s'attendait pas. Des personnes proches que l'on croyait connaître depuis toujours.

— Je n'ai encore rien dit aux autres, dit Lloyd d'un ton morne. Toi et moi, nous sommes amis depuis des années. Je souhaitais te voir en personne pour que tu aies une chance de t'expliquer.

Theodore s'arrêta, offusqué, et écarta ses bras d'indignation :

— De m'expliquer ? Bon sang, Lloyd ! Tu me connais, jamais je n'aurais pu faire une chose pareille !

— En ce cas, comment justifies-tu ces bulletins ? Et pourquoi le directeur aurait-il constitué un tel dossier sur toi ?

Le ton du dandy était chargé de désarroi. Il souhaitait plus que tout croire Theodore, mais tous ces éléments prouvaient sa traîtrise. Et on leur avait toujours appris à s'en tenir strictement aux faits.

— Je… je n'en ai aucune idée. Crois-moi !

Lloyd inspira profondément.

— Je te dois beaucoup, Ted. Je t'ai toujours dit que s'il le fallait, je te suivrais jusqu'en enfer. Je suis prêt à te venir en aide, mais j'ai besoin de connaître la vérité. Quelle qu'elle soit, tu pourras compter sur moi. Réponds-moi, as-tu oui ou non quelque chose à voir avec ça ?

— Je n'ai pas trahi l'Entreprise, jura Theodore en regardant son ami droit dans les yeux.

Lloyd analysa le visage du chasseur. Il essayait de capter l'imperceptible discordance entre ses pensées et ses mots, mais ne discerna que de la supplication dans son regard. Il hocha doucement la tête. Les paroles de Theodore pouvaient le convaincre. Après tout, avait-il d'autres options ? C'était à ça que servaient les amis, se fier à ce que les autres ne pouvaient percevoir.

— Je n'ai rien à voir là-dedans, assura Theodore avec vigueur. Je suis innocent.

— Si ce n'est pas toi, cela ne peut vouloir dire qu'une seule chose : une personne veut te nuire. Il faut que l'on découvre au plus vite qui se cache derrière ce détournement de fonds. Le temps joue contre nous et la mort est la seule réparation pour toute trahison. Un procès aura sûrement lieu, le directeur doit certainement déjà tout mettre en œuvre pour te disculper. De notre côté, nous devons rassembler des preuves pour le dossier de la défense.

— Tu as une idée en tête ?

— Je connais peut-être un moyen d'en savoir plus. Il va falloir que tu me fasses confiance. Tout ceci doit rester entre nous. Je ne suis pas sûr que tous croient, comme moi, à ton innocence si cela venait à s'ébruiter. Et prévenir les autres peut s'avérer risqué pour leur sécurité. Nous ignorons tout des possibles dangers que nous pourrions rencontrer. Dans ton intérêt, moins il y a de personnes au courant, plus il sera facile de connaître les tenants et les aboutissants de cette affaire.

Theodore approuva ces sages paroles.

— Il se fait tard, dit Lloyd en se levant. Je vais rentrer chez moi. Je te verrai demain pour faire le point.

Le dandy récupéra les fiches de comptabilité qu'il rangea dans sa serviette en cuir. Puis il s'arrêta à la démarcation du salon pour une dernière déclaration.

— Je ne sais pas ce qu'il se passe, mais quoi qu'il advienne, je serai de ton côté comme tu l'as été autrefois du mien.

Theodore comprit ce à quoi son ami faisait référence. Dans le passé, il avait aidé Lloyd à se sortir de plusieurs situations périlleuses, et l'une d'elles avait failli lui coûter la vie. Un acte dont il n'avait jamais usé comme monnaie d'échange. Il n'avait pas ce sens-là de l'amitié. En revanche, Lloyd s'était toujours senti redevable et il comptait bien lui prouver sa loyauté. Le dandy lui lança un regard bienveillant, fit volte-face et repartit affronter la tempête en laissant Theodore à ses questionnements. Ce dernier s'écroula dans son fauteuil, avala cul sec son verre tandis que, de son autre main, il faisait jouer son tic nerveux sur l'accoudoir.

# CHAPITRE XI
## Des cadavres dans le placard

*New York, novembre 1958.*

Dans la peau d'un enquêteur inspiré de ses héros de romans policiers, Lloyd procéda à une recherche d'identité sur la société de comptabilité impliquée dans le traitement des comptes bancaires de la prétendue entreprise de Theodore en Angleterre. Le logo de la société, apposé sur chaque page de comptabilité, lui donna le nom de Sutton. La boîte d'experts-comptables se situait dans le Financial District, un quartier d'affaires au sud de Manhattan où étaient regroupées tout un tas de grandes sociétés du milieu financier. Un bassin rempli de requins voraces où les bancs de thons attirés par le gain immédiat devenaient la pitance de ces prédateurs du capital. Lloyd connaissait bien les lieux. À la Bourse de New York, il s'était essayé à l'ascenseur émotionnel des placements en actions. Certains choix désastreux lui avaient d'ailleurs coûté quelques primes durement gagnées, mais cela lui était égal. Gagner ou perdre n'avait aucune importance. Il venait y chercher cette euphorie semblable à celle d'une traque. La Bourse, les jeux d'argent, pour beaucoup de chasseurs, constituaient le poison de substitution qui leur permettait de tenir le coup entre deux contrats. Dans ce métier, il n'était jamais bon de s'arrêter, au risque de se retrouver avec soi-même.

Le lendemain, Lloyd se rendit dès son réveil dans les bureaux de la société Sutton. Il devait pour cela se faire passer pour son meilleur ami. Même si ce dernier se révélait ne pas être le responsable de cette fraude, il était plus rusé de le prétendre. Derrière toute cette machination, il devait y avoir un imposteur. Il restait à savoir si celui-ci était de l'Organisation, un ennemi de Theodore ou un inconnu. La raison pour laquelle l'homme au costume bleu en était la victime demeurait énigmatique. Un hasard ou une cible déterminée ? Lloyd allait tout faire pour le découvrir. Dans tous les cas, l'imposteur avait sans doute usurpé son identité grâce à de faux documents administratifs. En interprétant Theodore, Lloyd jouait le même jeu que l'usurpateur. Ainsi, celui-ci ne pourrait dénoncer sa propre escroquerie. Theodore aurait pu jouer son propre rôle, mais Lloyd trouvait que ç'aurait été prendre un gros risque. Il devait lui-même remonter aux sources et se renseigner sur le comptable chargé de ce dossier. Dès lors, Lloyd avait revêtu un splendide costume bleu réalisé par son tailleur. Pour la touche finale, il s'efforçait d'exhiber une mine désabusée. Il lui fallut au bas mot cinq minutes d'entraînement devant son miroir pour capturer l'essence du personnage. Puis la doublure entra en scène.

La société Sutton se trouvait au dix-neuvième étage d'un immeuble de soixante mètres de hauteur. Autrefois, plusieurs autres petites sociétés s'y épanouissaient, des commerces familiaux humbles et prospères qui ne s'attendaient pas à devoir un jour céder leur place à ce nouveau marché. De nouvelles firmes, bien plus prestigieuses et fortunées, étaient apparues et les avaient rachetées une par une. Confiant, M. Sutton avait refusé toutes les offres d'acquisition et s'était imposé dans la féroce compétition en proposant un service d'exception à ses clients. Les valeurs familiales et l'exemplarité dans le travail fourni avaient payé et sauvé l'agence de comptabilité d'un potentiel rachat.

Deux ascenseurs se dressaient côte à côte au rez-de-chaussée. L'un était réservé aux employés, l'autre aux visiteurs. Le dandy entra dans celui destiné au public, puis appuya sur le bouton du dix-neuvième étage. Les portes en métal se refermèrent dans un roulement métallique, tandis que celles du second ascenseur s'ouvraient. Un employé mécontent et pressé en sortit en détachant vivement son badge d'accès accroché à la poche avant de sa veste. En cinq minutes, l'ascenseur déposa Lloyd à l'étage désiré. Il traversa un couloir froid et s'arrêta devant une porte avec une plaque professionnelle gravée au nom de Sutton. Il frappa et entra dans un bureau de réception. Une secrétaire tapait avec frénésie sur le clavier de sa machine à écrire. Tel un pivert picorant un tronc d'arbre, la dactylo enfonçait si puissamment les touches de sa Remington qu'elle ne l'avait pas entendu entrer. *Tac-tac-tac !* Encore plus concentrée qu'une coureuse automobile sur un champ de courses, ses yeux voletaient de mot en mot sur le papier sans jamais se poser sur les touches. Elle surpassait à coup sûr Spring dans le domaine, qui en aurait été verte de jalousie. Lloyd regarda, impressionné, la vitesse de frappe de la secrétaire et attendit patiemment le bruit sec du retour chariot pour s'annoncer. *Tac-tac-tac… Clack-ting !*

— Bonjour, madame.

Le ramdam dactylographique se stoppa net. La secrétaire releva d'un seul coup la tête derrière son bureau pour toiser l'importun qui l'avait dérangée. Lloyd attendit une réponse de sa part, mais elle ne lui décocha qu'un regard appuyé. L'amabilité ne semblait pas être de mise dans cette société. Le dandy s'empêcha de répéter son bonjour et déclara aussi solennellement que Theodore en avait coutume :

— Il semble y avoir eu un problème avec un relevé de compte de mon entreprise. Un fâcheux désagrément qui engendre des complications pour notre administration. Je désirerais m'entretenir avec la personne chargée de cette comptabilité.

Peut-être un brin trop raffiné…

— Votre nom, monsieur ? exigea la secrétaire d'un ton à la fois froid et impersonnel.

— Theodore Woodrow.

— Avez-vous le relevé en question, monsieur Woodrow ?

Lloyd tendit une page de comptabilité à l'employée qui procéda immédiatement à une recherche dans un registre.

Après une courte consultation, elle le renseigna :

— Il s'agit de M. Charles Williams. Veuillez patienter, je vais voir s'il est disponible.

— Je vous en remercie, dit Lloyd en appuyant ses mots.

Cette marque de courtoisie n'interpella pas la secrétaire qui trottina derrière une porte notifiée « Bureaux de comptabilité » sur sa partie en verre trempé. Enfin seul, Lloyd fit ce qu'il savait faire de mieux, jouer les espions. Il modéra sa joie d'avoir endossé son rôle avec une telle adresse et passa de l'autre côté du bureau d'accueil pour dénicher les archives personnelles des employés. Tous les dossiers étaient classés dans un casier en métal par ordre alphabétique. Un gain de temps non négligeable pour Lloyd. De l'index, il parcourut les onglets entre les dossiers et sélectionna celui étiqueté « W ». Welburn, Wholey… Williams ! C'était le bon. Il extirpa le dossier et vérifia la première page pour être sûr de son choix. La profession, expert-comptable, notée sur sa fiche de renseignements lui confirma qu'il s'agissait bien du Williams recherché. Quand des bruits d'escarpins résonnèrent, il leva les yeux sur la porte, derrière la vitre dépolie de laquelle la silhouette d'une femme se dessinait, et ferma précipitamment le casier.

Le groupe de chasseurs, composé d'Antonin, Archie, Jim et du stagiaire empoté, était revenu à l'Entreprise après un contrat ennuyeux à mourir. Et pour ne rien arranger à leur journée miséreuse, leur proie du jour avait sottement oublié d'aller à son rendez-vous chez le dentiste avant de se rendre comme prévu à la bibliothèque municipale. Un changement de programme qui avait forcé la bande à improviser en allant au cabinet médical. Bon gré mal gré, Antonin avait dû revêtir la blouse blanche pour pratiquer une horrible inspection buccale qui s'était achevée à son plus grand soulagement en autopsie. Il y avait des jours avec et des jours sans.

Derrière le comptoir, Spring classait quelques dossiers pendant qu'Antonin remplissait le registre de chasse. Le stagiaire, qui avait désormais pour nom de chasseur Flamingo, l'observait sans bouger d'un pouce. Le pauvre homme était pétrifié à l'idée de recevoir une nouvelle remarque de son mentor despotique. Depuis son faux pas à la gare, il faisait en sorte de se montrer le plus discret possible.

— Flamingo, l'interpella Antonin sans le regarder.

À son nom de code, le stagiaire releva prestement la tête, comme un chien sifflé par son maître.

— Oui, monsieur ? répondit-il, alerte.

— T'oublies pas quelque chose ?

Les yeux du stagiaire divaguèrent de droite à gauche.

— Le bocal, rappela crûment Clyde.

— Ah ! euh, oui… C'est exact, excusez-moi… bafouilla Flamingo en retirant des billets d'un portefeuille pour les glisser dans le bocal « Amorçage ».

— Ça percute pas à tous les étages, le récure-chiottes, se moqua Clyde.

— Clyde, dit Archie d'un ton réprobateur.

— Quoi ? ronchonna l'Écossais en se tournant vers son ami, qui avait la tête posée entre ses bras accoudés au comptoir.

— Sois plus tolérant, on a tous fait des erreurs à nos débuts.

— Pardon, mais moi, j'ai jamais débouché la tête d'un mec comme une bouteille de champagne dans une gare !

— Peut-être pas, mais je te rappelle qu'il y a quelques années en arrière, tu as aussi fait de très mauvais cocktails…

Archie lança un regard éloquent à son ami qui bougonna en comprenant l'allusion à la piscine version soupe à la tomate. Une minute après, le directeur débarqua pour déposer un dossier sur le comptoir de réception.

— Spring, l'appela Richard, pouvez-vous remettre ce dossier à sa place, je vous prie ?

— Ce sera fait, monsieur, affirma la secrétaire en récupérant le classeur.

Lors de cette passation, Antonin avait jeté un coup d'œil furtif sur la couverture et pu y lire le mot « Marsh ».

— Je vais encore devoir m'absenter quelques heures, signifia Richard. Vous me ferez parvenir les messages qui me sont destinés à mon retour. Ah ! et j'attends un appel important de Londres. Si je ne suis pas revenu d'ici là, dites-leur bien que je les rappellerai en fin de journée.

— Bien, directeur, acquiesça Spring.

En lui présentant un document, la réceptionniste retint son patron qui se détachait du comptoir.

— Un instant, monsieur. Je dois vous faire signer ce document. Cela concerne votre participation à la réunion du comité annuel de l'Organisation, en tant que représentant de l'Entreprise de New York.

— Seigneur, mes prières n'ont pas été entendues ! pesta Richard en décapuchonnant son stylo. J'avais tant espéré ne pas y être convié… J'en ressors toujours avec une migraine abominable. Des disputes, des cris et encore des disputes. C'est comme participer à un réveillon de Noël familial avant l'heure.

— Monsieur, je vous garantis qu'un réveillon avec ma famille sera toujours pire qu'une réunion du comité. Comme toujours, ma mère critiquera la cuisson de la dinde, ma sœur la décoration et mon père se battra avec mon oncle pour avoir un morceau de cuisse supplémentaire. Croyez-le ou non, j'en suis à mon troisième service de table.

— Ma chère Spring, vous venez de décrire une réunion type du comité. Sauf qu'au lieu d'une bonne dinde dodue, ils se battront pour plus de financements. Et qu'au lieu du service de table, ils se jetteront des stylos et des tasses à café à la figure. L'an dernier, j'ai bien cru que j'allais devenir borgne.

— À se demander pourquoi nous recommençons chaque année, répondit Spring d'un ton découragé.

Avec un air de conspirateur, Richard lui fit signe de se rapprocher pour chuchoter à son adresse :

— J'ai ma théorie : je crois que le nouvel an leur fait oublier tout ce qu'il s'est passé l'année précédente.

Spring eut un rire approbateur. De la poche extérieure de sa veste, Richard sortit ses lunettes et les glissa sur son nez pour lire le formulaire.

— On dit que le directeur Mc Taggart sera présent, annonça Clyde, d'un ton si enjoué que Jim crut avoir rêvé. Ce gars est un dieu vivant dans mon pays.

— Comme tu dis, dans ton pays, pas dans le monde, rectifia Archie.

— Mc Taggart est une légende, soutint Clyde avec conviction.

— Tu parles. Un vieil Écossais avec sa pipe et son *hot toddy*. Edmiston, voilà un vrai pro de la chasse ! Trois fois élu meilleur chasseur des États-Unis en nocturne. Il est tellement doué que tous les pays sont prêts à lui offrir des primes énormes pour qu'il collabore avec eux. Il a fait bondir par trois le taux de réussite de chasse des pays pour lesquels il a bossé. Ce gars parle au moins cinq langues.

— Conneries ! s'emporta Clyde, ulcéré. Mc Taggart enterre Edmiston à tous les niveaux. En vingt-cinq et vingt-huit, il a été élu meilleur chasseur d'Écosse, et en vingt-sept, deuxième meilleur chasseur du Royaume-Uni toutes catégories confondues. Révise tes classiques, mon vieux, au lieu de dire n'importe quoi.

— Je ne sais même pas pourquoi on discute, soupira Archie.

Jim leva les yeux au ciel et s'éloigna, habitué à leurs absurdes discussions.

— Spring, auriez-vous vu Woodrow dernièrement ? lui demanda Richard sur un ton qui se voulait détaché.

— Je regrette monsieur, pas aujourd'hui.

Après avoir été remerciée pour sa réponse, Spring retira la clé qu'elle portait autour du cou. Elle déverrouilla la porte des archives et passa de l'autre côté avec le dossier « Marsh ». Du coin de l'œil, Richard remarqua le regard insistant que portait Antonin sur la réceptionniste. North était proche de Woodrow. Le faire douter de sa loyauté serait difficile, mais pas impossible. Tout individu pouvait être manœuvré si on connaissait les codes de la manipulation.

— Et vous, North ? le sollicita Richard en remplissant le document administratif. Auriez-vous eu la chance d'apercevoir notre Corbeau perché sur une branche ?

Le regard d'Antonin se tourna instantanément vers son patron.

— Non, monsieur, répondit-il presque instinctivement.

— Il me paraît bien volage, en ce moment. Ne trouvez-vous pas ?

— Pas plus que d'habitude.

— Pourtant, j'ai eu peine à le voir ces derniers jours.

— Vous le connaissez, il doit être sur une affaire.

— Vous savez, North, parfois, nous pensons connaître les personnes qui nous sont proches, mais…

Richard fit une courte pause. Il posa un regard impénétrable sur son employé et termina mystérieusement :

— … elles nous réservent toujours des surprises.

Les propos du directeur étaient bien trop ambigus pour qu'Antonin réussisse à les déchiffrer. Richard savait qu'il suffisait parfois d'une seule graine pour obtenir une bonne récolte. Le doute serait bientôt semé dans tous les esprits.

La porte des archives claqua. Richard ramena son regard sur Spring qui revenait à son bureau.

— Tout est rempli, confirma-t-il en rendant l'autorisation à la réceptionniste.

Spring le remercia, et le directeur s'éloigna vers les escaliers. Sur le point de descendre, Richard retira sa main de la rambarde et tourna subitement les talons afin de faire part au groupe d'une importante information :

— Une dernière petite chose. Demain, j'organise une réunion. Je veux que tous nos effectifs soient présents. Faites passer le mot.

— Oui, directeur, dirent Archie et Clyde d'une même voix.

Encore perturbé par les mots de son patron, Antonin le regarda d'un air suspicieux disparaître progressivement par l'escalier.

— Alors, on se la fait, cette partie de billard ? proposa Clyde.

— Ça ne sert à rien de jouer. Tu vas encore perdre, dit Archie.

— Ah ouais ? Eh bah, mon vieux, tu peux te gratter là où j'pense pour que j'te donne mes biffetons. J'vais te faucher jusqu'à c'que tu t'trouves sur la paille et que tu me supplies à genoux en pleurnichant, comme un taulard un maton pour pas recevoir de marrons.

Archie pouffa de rire.

— Arrête de me raconter ta vie, ricana-t-il. Mais si tu veux jouer, on va jouer. Enfin… si ta femme n'a bien entendu pas oublié de te donner ton argent de poche de la semaine, ajouta-t-il en aspirant de l'air entre ses dents pour l'asticoter. Hum, on parie combien ? Cinquante dollars, ça te va ? Comme ça, il te restera au moins dix dollars pour acheter tes cigarettes.

— Quatre-vingts ! renchérit Clyde avec fougue.

Un fin sourire s'étala sur le visage de Jim à l'évocation de cette somme rondelette. Après cette partie de billard, il pourrait très bientôt investir dans les nouvelles carabines qu'il lorgnait depuis quelque temps.

— Je sais que tu ne les as pas, cul rose, le taquina Archie en devançant son ami fâché.

Le registre rendu, Antonin suivit, pensif, ses amis jusqu'à la salle de repos.

Très tôt le matin, Theodore avait été appelé par son ami pour qu'ils se retrouvent à trois heures de l'après-midi au Devil's Pack afin qu'il lui dresse un bilan de sa mission à risque. Toujours en contrat de protection, le chasseur avait fait la demande à ses employeurs d'être remplacé exceptionnellement pour le reste de la journée. Rares étaient les fois où il demandait quelque chose. Et en le faisant, il avait eu la honteuse sensation d'être un gosse de dix ans quémandant à ses parents un peu plus d'argent de poche. D'humeur généreuse, papa et maman ne s'y étaient pas opposés. Il n'avait même pas eu besoin d'inventer une excuse ou de parlementer. Un consentement unanime qui l'avait étonné, car Richard avait une sainte horreur des imprévus et Parker détestait lui laisser le choix de ses actions. L'employé avait préféré ne pas creuser le sujet, au risque qu'on lui sucre son après-midi et surtout, son salaire. Comme le disait Lloyd, parfois, il faut savoir savourer les surprises de la vie sans se poser plus de questions.

Deux cafés fumants furent déposés devant Theodore et Lloyd, installés à une table près du bar. Le dandy remercia Neal et lui donna un pourboire pour son service. Dès que le barman se fut éloigné, Theodore s'empressa d'interroger son ami sur ses dernières trouvailles. En tournant la tête de droite à gauche, Lloyd s'assura d'abord qu'ils pourraient parler librement. Il arrivait que des flics viennent traîner leurs guêtres dans le bar, et entendre des mots comme « fraude fiscale » les ferait vite rameuter à leur table. Aujourd'hui, aucun insigne ne reluisait dans les environs. Les poulets semblaient avoir choisi de picorer dans une autre volière. Enfin plus à l'aise, il relâcha ses épaules puis se pencha pour récupérer et mettre sur ses genoux sa serviette en cuir qu'il avait coincée entre ses pieds. Il sortit un dossier, retira à l'intérieur des pages de comptabilité qu'il étala sur la table, et exposa d'un ton didactique :

— Sur tous les relevés de compte que j'ai pu voir dans le bureau du directeur, et sur ceux que j'ai dérobés, un détail m'a sauté aux yeux, celui du numéro d'identification du comptable chargé du dossier, souligna-t-il en tapotant de l'index sur la suite de chiffres imprimée. Il est identique sur tous les documents, et ce, depuis 1945.

— Première nouvelle, je n'ai jamais eu de comptable.

— Grâce au logo, j'ai pu me rendre dans cette société d'expertise comptable. Tu connais mon amour pour la comédie…

Theodore haussa les sourcils en guise de confirmation.

— Je me suis fait passer pour toi et j'ai demandé à m'entretenir avec le comptable responsable de ces comptes. Il s'est avéré s'agir d'un homme du nom de Charles Williams.

— Williams ? Ça ne me dit rien, releva Theodore avec perplexité en buvant son café.

— J'ai emprunté son dossier personnel.

Theodore comprit que le mot « emprunté » avait un sens tout particulier pour le dandy. Toutefois, au vu de la raison qui l'avait poussé à enfreindre les règles, il ne souligna pas cette approximation lexicale.

Lloyd avait plusieurs hypothèses sur l'élaboration de cette fraude. Hypothèse n° 1 : l'imposteur est parvenu à usurper l'identité de Theodore avec de faux documents administratifs et de bonnes relations, sans que le comptable s'en rende compte. Hypothèse n° 2 : l'imposteur et le comptable sont tous les deux complices de la fraude. Et hypothèse n° 3 : l'imposteur et le comptable sont en réalité une seule et unique personne. Trois hypothèses plausibles qui ne pouvaient être prouvées uniquement en réunissant des informations sur le comptable, la clé de cette sale affaire d'après Lloyd.

Theodore prit le dossier Williams entre ses mains pour le parcourir.

— J'ai préféré t'en informer avant d'entreprendre une enquête plus approfondie, intervint Lloyd. Sa photo est à l'intérieur. Reconnais-tu cet homme ?

Un trombone masquait une partie de la photo d'identité jointe au document. Theodore la détacha pour l'examiner plus précisément entre ses doigts. La photo était aussi grande que son pouce et sa couleur désaturée compliquait l'examen. Les détails majeurs du portrait se révélèrent à la lumière du jour. L'homme était jeune, une trentaine d'années tout au plus, brun, les yeux foncés. C'était étrange. Ses traits sévères ne lui étaient pas inconnus. Ce regard vif, presque hautain, lui provoquait une sensation de déjà-vu. Habituellement, le chasseur était un excellent physionomiste, mais un blocage mental empêchait ses souvenirs de se réveiller. Pourtant, il n'avait plus qu'à rassembler les pièces pour combler les failles de sa réminiscence.

— J'ai l'impression de le connaître, dit Theodore avec une expression concentrée.

— Un chasseur peut-être ? proposa Lloyd.

— Je ne crois pas.

— Mmh, fit Lloyd en plissant ses yeux de réflexion. En partant de l'hypothèse que son dossier n'a pas été falsifié, son année de naissance serait 1923. Il aurait trente-cinq ans à ce jour. Donc en imaginant que tu aies construit ce stratagème il y a treize ans, cela voudrait dire que tu aurais fait sa rencontre lorsqu'il en avait vingt-deux.

— Tout ce dont je me souviens en 45, c'est d'être revenu entier au pays. Et je dois t'avouer qu'engager un comptable n'était pas ma priorité. Je ne vois vraiment pas comment j'aurais pu rencontrer ce Williams.

— Comme le disait ma chère mère, rien n'est jamais perdu, tout est déjà sous nos yeux. Il suffit parfois d'un minuscule détail pour retrouver ce que l'on pense avoir égaré.

Ces précisions en tête, Theodore amorça un mécanisme de réflexion et fixa intensément la photo tout en caressant son menton de son index. Il explora chaque recoin de sa mémoire, la poussa jusque dans ses retranchements. Un détail, rien qu'un indice…

— Avec du recul, poursuivit Lloyd, ses conseils auraient été plus profitables si elle les avait elle-même appliqués. Une fois, la pauvre avait perdu ses souliers et n'arrivait plus à se souvenir de ce qu'elle en avait fait. Le seul indice qu'elle avait réussi à me donner était qu'elle avait « contemplé le monde comme notre Seigneur ». Cela m'avait pris toute une journée et causé un tour de reins, mais j'étais finalement parvenu à les retrouver sur le toit de notre maison. Je ne saurai jamais comment ils avaient pu atterrir à cet endroit. Dieu soit loué, l'indice en question n'était pas la vue du diable, sinon notre jardin aurait ressemblé à une vraie taupinière. Déjà qu'elle ne se rappelait plus où elle avait caché ses bijoux. Je ne serais guère étonné que l'on repêche un jour sa bague de fiançailles dans l'océan…

Theodore continuait de regarder la photo. Ses sourcils se rejoignirent, et la seconde d'après, son visage s'illumina. Alors qu'il suspendait sa tasse de café à ses lèvres, Lloyd vit l'expression du chasseur passer de la réflexion à la stupéfaction. Il reposa sa tasse d'un geste brusque et demanda avec empressement :

— Quelque chose te revient ?

Theodore ne réagit pas.

— Ted ?

L'homme au costume bleu se redressa d'un bond et tira son manteau accroché au dossier de sa chaise.

— Je dois partir, dit-il en enfilant hâtivement son pardessus.

— Mais… où vas-tu ? s'exclama Lloyd, perturbé.

— Il faut que je m'assure de quelque chose.

— Quoi donc ? Ted, dis-le-moi. De quoi te souviens-tu ?

Sans un mot, Theodore assembla en vitesse tous les documents et quitta précipitamment le bar. Bouche bée, Lloyd regarda son ami filer sans avoir pu obtenir une explication sur son attitude déconcertante. Qu'avait-il bien pu lui dire pour le faire réagir ainsi ?

En plus de l'hôtel, Richard possédait un appartement privé inconnu de sa femme. Une garçonnière à proximité du pressing qui, de temps à autre, lui permettait de s'isoler du monde extérieur. Il s'y rendait essentiellement pour travailler sur ses affaires extérieures interdites par l'Organisation ou pour entreposer des dossiers de l'Entreprise. Des documents confidentiels qui ne devaient pas être dépoussiérés par un coup de chiffon accidentel. Sa règle d'or : ne rien rapporter à son domicile de ce qui pouvait avoir un lien avec l'Entreprise. Grâce à quoi, il s'épargnait de mauvaises surprises.

Pendant des heures, Richard avait siégé derrière son bureau à élaborer le plan idéal pour évincer son Corbeau de malheur. C'était une bataille des nerfs. La finesse et la stratégie étaient ce qui l'avait mené à ce poste. Ainsi, lorsqu'il se voyait confronté à un risque de naufrage dans la tempête, il usait par tous les moyens de ces deux qualités pour atteindre le rivage. L'engrenage en place, il avait convoqué Parker dans son appartement pour lui divulguer son plan.

Assise en face de son bureau surchargé, elle tenta de repérer un coin sur sa surface qui ne fût pas recouvert par un document, un classeur ou des notes. Peu importaient les moyens, Richard était manifestement résolu à aller jusqu'au bout. Ce n'était pas la première fois qu'il jouait au bras de fer, et jusqu'à présent, il n'avait jamais perdu.

Il alluma une cigarette en récompense de son travail fastidieux. Plongée dans ses songes, Parker faisait tourbillonner sans cesse celle de Theodore entre les doigts de sa main droite, tout en manipulant nerveusement son pendentif de la main gauche. Plus les heures avançaient, plus elle ruminait au sujet de l'avenir incertain du chasseur et de son rôle dans cette histoire qui allait l'amener à sa perte. Que pouvait-elle y faire ? Avait-elle le choix ? Pouvaient-ils vraiment s'enfuir tous les deux et échapper à toute cette folie ? Richard la tira de sa rêverie en rapprochant le briquet de ses lèvres qui n'avaient jamais été aussi écarlates qu'à ce jour. Elle arrêta son jeu et fixa la flamme. Aussi terrifiante que libératrice, celle-ci révéla dans ses yeux inquiets sa peur de faire le mauvais choix. Parker était tiraillée entre sa loyauté envers son amant et ses sentiments naissants pour l'homme au costume bleu. Le cœur pris entre deux feux, l'hésitation fut de courte durée. Elle plaça la cigarette dans sa bouche et pencha son buste en avant pour que Richard embrase la tige de tabac. À cette seconde, plus aucun retour en arrière n'était possible.

— Quand comptes-tu mettre ton plan à exécution ? demanda Parker, après une bouffée.

— Dès demain, répondit Richard en glissant son briquet dans sa poche de pantalon. J'ai convié mes chasseurs à une réunion générale. Je leur présenterai le dossier contre Woodrow. D'ailleurs, je te demanderai de le tenir à distance une journée de plus.

— Crois-tu vraiment que tes employés aient plus confiance en Woodrow qu'en toi ?

— Je le pense. Woodrow est un modèle pour eux. L'archétype du grand frère idéal. Toujours de bon conseil, intuitif, talentueux. Il a su se mettre sur un piédestal en gagnant leur confiance sur le terrain. Dans la mesure où je reste le plus clair de mon temps derrière mon bureau à gérer les affaires, je suis devenu à leurs yeux l'homme qui signe les chèques.

— Ton homme mystère, qu'est-ce qu'il en pense ?

— Il me donne carte blanche, dit Richard en laissant filer un nuage gris de sa bouche.

— Woodrow se doute de quelque chose ?

— Non. Autrement, mon histoire serait peu plausible. Il a une fâcheuse tendance à fourrer son nez partout et à résoudre l'impensable. Crois-moi, je le connais. Il continuera de tenir la corde tant que justice ne sera pas rendue.

— Curieux de parler de justice pour un homme exécutant ses semblables pour de l'argent.

Parker remarqua que sa cigarette avait diminué au cours de leur conversation et qu'une ligne de cendres avait fini par remplacer le papier blanc. Pour ne pas salir le bureau, elle chercha activement du regard le cendrier de poche de son amant. Richard leva son index pour lui signifier de patienter et tria quelques documents pour dévoiler l'objet dissimulé sous une feuille de comptabilité. Il s'en saisit et le déposa devant elle. D'une inventive conception, le cendrier portable de la marque Lucky Strike avait la taille et la forme d'un paquet de cigarettes. Un cadeau atypique et ironique de Theodore pour Richard. Le chat noir qui offrait un coup de chance. Elle tapota sa cigarette sur le rebord du cendrier, puis la remit entre ses lèvres, avant qu'elle ne termine sa course vers la poussière.

Richard n'était pas le seul à jouer sa vie. Theodore avait été ébranlé par la photo d'identité du comptable. Une découverte inattendue qui l'avait forcé à retourner en urgence à l'Entreprise. De vieux et terribles souvenirs étaient remontés à la surface. Et il devait s'assurer que cela n'avait rien à voir avec ce lointain passé qu'il avait maintes fois essayé d'oublier. Une période sombre renfermant une vérité qui risquerait de causer de nombreux dégâts si celle-ci venait à exploser.

Il monta quatre à quatre les marches de l'escalier en serpentin et débarqua le souffle court dans la salle de réception. Il espérait que le directeur serait retenu ailleurs et qu'il n'aurait pas à se justifier de ses prochains actes. Il fut soulagé de n'y voir aucun employé, excepté Spring derrière son comptoir. À sa venue, la réceptionniste afficha un sourire éclatant qu'elle ne réservait qu'à son employé favori.

— Oh ! Mais qui voilà ? s'exclama-t-elle. Ne serait-ce pas mon beau prince charmant ?

— Spring.

La réceptionniste identifia l'empressement dans la voix du chasseur et changea d'attitude en adoptant une posture d'écoute attentive.

— Un problème, monsieur Woodrow ? s'enquit-elle, soucieuse. Vous semblez perdu.

— Écoutez-moi Spring, c'est important. Il faut que vous alliez immédiatement me chercher un dossier au nom de Marsh dans les archives. L'année de son enregistrement est probablement 1939.

— C'est curieux, s'étonna Spring. Récemment, le directeur me l'a aussi réclamé.

Le corps de Theodore se raidit. Il était décontenancé. Richard avait pris le dossier. Quel était son intérêt ? Après le pacte qu'ils avaient scellé, ils s'étaient promis de ne plus évoquer le moindre souvenir de ce jour maudit. S'il avait enfreint la règle, c'est qu'il se révélait au courant de détails que lui-même ignorait.

— Quand ça ? demanda Theodore prestement.

— Hier, répondit Spring. Il me l'a rendu aujourd'hui avant de partir pour un rendez-vous. D'ailleurs, ces jours-ci, il n'est presque jamais présent, ajouta-t-elle avec un air pensif.

Soudain, le regard de Theodore s'assombrit. Le directeur avait déterré le dossier Marsh après le jour où Lloyd lui avait appris sa traîtrise. Cela ne pouvait pas être qu'une coïncidence. Était-ce pour le protéger de cette affaire de trahison ? Si oui, pourquoi ne l'avait-il pas mis dans la confidence ? Le chasseur se remémora tous les moments passés avec Richard en cherchant un détail équivoque dans son attitude qui pourrait appuyer ce raisonnement. Rien n'avait changé à part une chose… la mission de protection ! Ses yeux s'agrandirent. Tout s'expliquait. Richard avait dû apprendre d'une manière ou d'une autre que l'Entreprise et son employé faisaient l'objet d'une sérieuse menace. Entre-temps, Pierce Collins avait dû consulter Richard au sujet de son sentiment d'insécurité après son erreur à Wall Street. Richard y avait probablement vu l'opportunité de faire de lui un garde du corps afin de l'écarter de l'Entreprise et d'assurer sa protection en se chargeant lui-même de cette affaire. Ce ne serait pas la première fois que le directeur aurait choisi d'agir seul pour protéger les siens. Et puis, il connaissait la mentalité de son employé. L'homme au costume bleu serait prêt à tous les sacrifices s'il apprenait que Richard et l'Entreprise se trouvaient en difficulté. Son visage se contracta, entre colère et désolation. Il n'acceptait pas le fait que le directeur puisse payer de sa personne pour le secourir. Jamais il ne l'abandonnerait face au danger.

— Apportez-le-moi s'il vous plaît, commanda Theodore à Spring.

— Je suis sincèrement désolée, monsieur Woodrow, dit-elle en se mordillant les lèvres d'un air confus, mais c'est un dossier confidentiel. Et sans l'autorisation du directeur, je ne peux pas…

— Spring, coupa Theodore, je suis sur une importante affaire. J'ai besoin de ce dossier.

La réceptionniste hésita. Le chasseur ne pouvait plus attendre. Il devait faire jouer sa corde sensible.

— C'est une question de vie ou de mort, insista-t-il. Marcy, vous ne voulez pas avoir de mort sur la conscience ?

— Non, bien sûr, mais…

— Alors, faites une exception. Pour moi.

— Je ne sais pas si…

— Le directeur n'en saura rien. Faites-moi confiance, Spring, et puis, je vous promets qu'il ne vous en tiendra pas rigueur. N'oubliez pas que je suis son employé numéro un.

Spring pesa intérieurement le pour et le contre. Inutilement, car elle ne résista pas longtemps à son air de chien battu.

— Bon, d'accord, accepta-t-elle, de guerre lasse.

— Merci.

— Mmh… vous savez vraiment vous y prendre avec les femmes.

La réceptionniste se leva de sa chaise et entra dans la salle d'archives avec sa clé personnelle. Dedans, plusieurs boîtes, triées par dates et titres de dossiers, étaient empilées sur des étagères qui touchaient presque le plafond. Des années de contrats, de registres de chasse et de documents officiels de l'Entreprise référencés et prêts à être réduits en cendres si la situation venait à l'exiger. Une mesure radicale qui révélait l'état d'esprit pessimiste des employés. Formés à affronter le pire, ils vivaient dans l'angoisse constante que tout s'arrête du jour au lendemain. Pour eux, la vie n'était qu'un jeu de rôle et l'Entreprise le fondement de leur identité. En tant qu'administratrice en chef du classement, cela ne prit à Spring que cinq minutes pour trouver le bon rayonnage. Elle ouvrit la boîte datée de 1939 et récupéra le classeur souhaité pour le transmettre à Theodore avec un sérieux avertissement :

— Si le directeur vient à l'apprendre…

— Je me porte garant de toutes les conséquences, promit Theodore.

En remerciement, le chasseur se pencha sur le comptoir pour offrir un rapide baiser sur la joue de la réceptionniste. Elle sourit et le regarda partir en vitesse avec un léger soupir rêveur.

— Pourquoi cet homme n'est-il donc pas marié…

Dans l'indifférence générale, Archie, Clyde et Jim enchaînaient des parties de billard dans la salle de repos depuis plusieurs heures. Une pile de billets était entassée dans un coin de la table ainsi que de vieilles pièces collectées au fond de leurs poches. Quand les fonds étaient insuffisants, l'astuce imparable de Clyde était de fouiller au creux des canapés et des fauteuils de l'Entreprise. Ce jour-là, le veinard avait recueilli pas moins de trente dollars pour compléter la somme du pari. Heureux étaient les jours de fête où les collègues étourdis, trop pressés de rentrer chez eux, ne prenaient pas le temps de vérifier leurs poches mal fermées.

Le jeu était serré, mais tout pouvait encore changer. Jim s'était hissé premier dans le classement, et Clyde se trouvait désormais à égalité avec Archie. Celui-ci termina son coup puis vint le tour de Clyde. En fumant, il visualisa attentivement le plateau de jeu. Tout le secret de ce sport résidait dans les angles. Il trouva une échappatoire et annonça la bille numéro 5 dans un trou du milieu. Pour muscler son jeu, il appliqua de la craie sur le bout de la queue de billard, puis se plaça en condition de tir après s'être décidé sur la technique à adopter. Il allait enfin rabattre son caquet à cet empaffé de chapeau melon soi-disant joueur expert. C'était compter sans Lloyd qui arriva à ce moment-là pour interrompre leur partie.

— Messieurs, il faut que je vous parle immédiatement, déclara-t-il d'un ton impératif.

Une cigarette coincée dans un coin de sa bouche, l'Écossais ferma un œil et se concentra pour pousser la bille blanche sur celle annoncée.

— Désolé pour toi, capitaine, dit-il, mais vu que j'vais bientôt empocher tout le pactole, ta p'tite causette devra attendre.

— C'est capital.

— C'qu'on fait maintenant l'est aussi. Si je gagne, j'pourrai enfin bâfrer aut' chose que des boîtes de conserve.

— Pour l'amour du ciel, écoutez-moi ! insista Lloyd sèchement.

Déconcentré, Clyde rata son tir. Sa queue de billard dérapa sur le tissu vert et éjecta la bille blanche sur la bille numéro 13 dans un trou de l'autre côté de la table. Cette faute mit en joie ses adversaires, qui esquissèrent un joyeux sourire. Il pouvait dire adieu aux côtes de porc et redire bonjour aux haricots mollasses. Il lança au dandy un regard mauvais, figé avec son bâton à la main, rêvant d'être un magicien pour que celui-ci se transforme en flingue.

— J'espère pour toi que tu dis vrai, rouspéta-t-il, parce que j'te jure que les prochaines boules que j'vais éclater ne se trouvent pas sur ce billard.

— Où est Antonin ? demanda Lloyd en cherchant le jeune homme du regard.

— Il est parti il y a une demi-heure pour un contrat, répondit Archie.

— Tant mieux.

D'un air préoccupé, Lloyd se rapprocha de ses amis pour leur parler à voix basse :

— Je crois que Ted a d'énormes ennuis.

— Quel genre ? demanda Archie en fronçant les sourcils.

— Je vous dirai tout, mais pas ici. Les murs ont des oreilles.

Les trois hommes eurent la même expression d'interrogation tandis que Lloyd guettait, inquiet, la présence du stagiaire et de plusieurs chasseurs en pleine séance de relaxation.

# CHAPITRE XII
## Marécage

*New York, novembre 1958.*

Après un déjeuner d'affaires interminable en ville, un employé de Sutton quitta, contrarié, son véhicule pour rejoindre d'un pas empressé son lieu de travail. Certes, c'était un jour férié, mais son patron n'avait pas souhaité fermer boutique. Dans l'activité du chiffre, il était bien vu de ne pas compter ses heures, ou mieux encore, de ne pas réclamer son paiement d'heures supplémentaires. Comme si le simple fait de travailler était un beau cadeau en soi. Depuis le jour de son arrivée, il ruminait une haine envers cette tour de béton, ce monstre géant de bureaucratie grignotant le temps et l'âme de ses occupants anesthésiés au profit. Maintes fois, il avait imaginé un tremblement de terre la faisant vaciller, puis l'arrachant du goudron comme un arbre affaibli par une sécheresse caniculaire, pour finir par s'effondrer dans un nuage de poussière ; ne laissant rien sur son passage, engloutissant tous ces chiffres qui maintenaient sous perfusion ces pauvres âmes exploitées. Une conversation animée le tira de ce rêve horrifique. En regardant sa montre, il fut pris d'un spasme mental. Ses rêvasseries lui avaient fait encore perdre la notion du temps. Il y avait déjà cinq minutes qu'il fixait la tour indestructible. Des rires tonitruants lui firent tourner la tête. Quelques hommes en costume prenaient leur pause cigarette devant l'entrée des bureaux. Il les connaissait, ils appartenaient au service commercial pour le crédit. Les vendeurs du malheur en pourcentage, comme il les surnommait. Un des commerciaux se vantait avec indécence d'avoir entubé un client au profit d'une généreuse commission. Ses collègues rirent à gorge déployée et le félicitèrent un par un d'une bonne claque dans le dos. Le marasme de l'humanité se trouvait ici. Il camoufla sa haine pour cette espèce qui ne respectait pas les règles. Le fanfaron le vit passer et l'invita à les rejoindre d'un geste ample de la main. Il refusa sans même les regarder et entra dans la porte tambour. Il n'avait pas le temps pour ces absurdes amabilités. Tant de choses étaient encore à faire. De toute façon, il les méprisait, tous autant qu'ils étaient. Toutes ces petites fourmis qui ne faisaient que travailler dans la servitude la plus complète. Abject. Lui ne faisait cela que pour un but bien précis. Plus important que l'argent, plus respectable qu'une vulgaire promotion. L'honneur. Il avait hâte de tout quitter. Ces murs de prison criards, ces bureaux-cages, ces chiffres sans fin et ces honteux héritiers de la déchéance du genre humain. Bientôt, se disait-il. Il devait encore prendre son mal en patience. Il attendit l'ascenseur qui allait l'emmener au premier étage, atteignit le bureau d'accueil et fut reçu par les habituels clics soutenus de la machine à écrire. En homme civilisé, il passa devant le bureau de la réceptionniste en ôtant respectueusement son chapeau. La bonne éducation passait par le silence, c'est ainsi qu'on lui avait appris les choses de la vie.

— Monsieur Williams, l'appela la réceptionniste.

L'homme marqua un temps d'arrêt, gardant sa main sur la poignée de la porte des bureaux de comptabilité.

— Oui, Judith ? dit-il sur un ton doucereux.

— Pendant votre absence, un client est passé au bureau. Il désirait vous voir au sujet d'une erreur de comptabilité que vous auriez commise. Je n'ai pas eu le temps de lui dire que vous étiez en déplacement qu'il était déjà parti.

Sa main ornée de sa chevalière se crispa sur la poignée. Le mot « erreur » était comme un coup de poignard qu'on lui infligeait dans le dos.

— Je ne commets jamais d'erreur, réfuta-t-il d'une voix sombre. Quel était son nom ?

Le réceptionniste vérifia ses notes.

— M. Theodore Woodrow.

Ce nom fit tellement blanchir ses phalanges que Judith crut voir ses os transpercer sa peau.

— Cet homme, portait-il un complet bleu ?

— D'après mes souvenirs, il portait en effet un complet bleu… Cela a-t-il de l'importance ?

« Sombre idiote ! », pesta-t-il intérieurement. Bien sûr que cela en avait. L'immonde couleur de la vérité avait fait irruption sur son territoire. Comment avait-il fait pour le retrouver ? Il avait pourtant pris toutes les précautions pour rester dans l'ombre. La base de son parfait château de cartes s'ébranlait. Tout pouvait désormais s'écrouler en un instant. Il était déstabilisé. Un trouble qu'il n'avait pas ressenti depuis longtemps et qui lui déplut fortement. Cela n'allait pas se passer ainsi. Pas après tout ce qu'il avait enduré. Personne ne pouvait se mettre au travers de sa route, et encore moins Theodore Woodrow. Sa maîtrise retrouvée, il ouvrit la porte avec énergie et se déroba derrière elle en la claquant avec rage.

Le soleil d'automne se couchait à l'horizon, le temps était à l'heure des révélations. Sur le toit de l'Entreprise, Archie, Clyde, Jim et Lloyd formèrent un cercle. C'était le seul endroit dans l'Entreprise où personne ne pourrait entendre ce que le dandy avait à leur dire. Tout fut déballé : les étonnants documents qu'il avait trouvés dans le bureau du directeur, son escapade à la société Sutton ainsi que l'étrange comportement de Theodore tout de suite après sa découverte. Les trois amis restèrent interdits par ces aveux sans précédent. L'un des leurs, leur ami, leur frère, était un renégat.

— C'est quoi ces conneries ?

— Calme-toi, Clyde, tempéra Archie.

— Me calmer ? On vient d'apprendre que Teddy est un sale traître et tu veux que je reste calme ?

— Ted n'est pas un traître, rétorqua Lloyd.

— Et les preuves, t'en fais quoi ?

— Clyde n'a pas tort, intervint Archie, même si j'imagine Teddy incapable de faire ça, des preuves existent.

Lloyd soupira en se passant une main épuisée dans les cheveux. Il savait qu'il ne serait pas facile de leur faire entendre raison. Theodore était celui qui les avait tous liés, mais l'Entreprise était celle qui les avait tous réunis.

— Il est vrai que tout semble aller contre lui, admit Lloyd, mais réfléchissez. Pensez à tout ce que Ted a fait pour chacun d'entre nous. Il est notre ami.

Désabusé, Clyde se détourna du groupe avec un geste indigné. Il se rapprocha du bord du toit pour regarder, ses mains cramponnées sur le garde-corps, le soleil rougissant entamer sa lente descente. Personne n'osait parler, au risque de produire un échauffement soudain qu'aucun n'était sûr de maîtriser. Ils avaient déjà eu des disputes, des bagarres et autres différends d'hommes emplis d'orgueil. Mais dans le cas présent, il s'agissait d'une trahison qui remettait en question leur passé commun.

Au bout d'un moment, l'Écossais baissa la tête et lâcha, acerbe :

— Et si c'était pour nous berner…

— Que veux-tu dire ? demanda Lloyd.

— Peut-être qu'il jouait un rôle.

— Ne dis pas ça, Clyde.

— Il a pu créer des liens uniquement pour servir ses intérêts, rugit ce dernier en se retournant vivement.

— Tu sais pertinemment que cela est faux.

— Ted a toujours été secret sur son passé. Avoue que c'est quand même étrange. Qui peut affirmer avec certitude qu'il n'est pas coupable ?

Lloyd s'avança d'un pas et répliqua avec force :

— Theodore t'a sauvé la vie plus d'une fois, alors à ta place, je me garderais de telles accusations.

Rageur, Clyde s'était à son tour rapproché du dandy pour le défier.

— Pourquoi es-tu si sûr de son innocence ?

— L'Entreprise, c'est toute sa vie. Ted est l'un des nôtres. Je crois en son innocence.

— Joue pas les dégonflés. Sois honnête pour une fois. Dis-nous pourquoi t'es pas venu nous voir en premier quand t'as appris pour les comptes ?

En accord avec cette question, Archie et Jim se mirent à regarder l'homme aux lunettes avec intérêt. Il allait devoir jouer cartes sur table s'il voulait les rallier à sa position.

— Je voulais lui donner une chance de s'expliquer.

— Ou alors, peut-être que t'es de mèche avec lui ? répliqua Clyde, méprisant.

— Pardon ? s'étonna Lloyd, sidéré. Serais-tu en train de sous-entendre que je suis un traître ?

— Ouais, t'as parfaitement compris. Possible que vous ayez tout manigancé depuis le début. Tu t'es toujours cru le plus malin, c'était l'occasion rêvée pour toi !

Lloyd fut pris d'un rire nerveux. Il n'en croyait pas ses oreilles.

— Bien… Partons du principe que ce que tu dis est vrai. Explique-moi pourquoi je ferais l'idiotie de vous révéler la trahison de Ted, au risque de dévoiler la mienne ?

— Dans le genre baratineur, t'es bien le roi. Oublie pas que j't'ai déjà vu à l'œuvre. La vérité, tu peux la changer comme ça te chante et tous nous rouler. Dès qu'on aura le dos tourné, tu te feras la malle avec tout le fric que vous vous êtes fait.

L'expression du visage de Clyde changea subitement et il claqua des doigts, comme si tout venait de prendre sens dans son esprit.

— Bien sûr, mais c'est ça, putain... dit-il avec un sourire incisif. Maintenant, j'comprends mieux toute ta joncaille, tes habits de prince et ta baraque dans l'Upper West Side !

Lloyd leva les yeux au ciel.

— J'hallucine... soupira-t-il avec un rire jaune. Après toutes ces années, ta jalousie envers moi me sidère toujours autant.

— Moi, jaloux ? fit Clyde d'un ton aigre. J'préfère encore vivre sous un pont que de te ressembler.

Le dandy ferma les yeux en joignant ses mains contre sa bouche. Il ne s'était pas du tout attendu à ce déchaînement de rancœur. Il savait que Clyde avait toujours envié sa qualité de vie, mais de là à le lui reprocher, cela le consternait. Il soupira, rouvrit les yeux et déclara sans ménagement :

— Très bien, Clyde, tu m'as demandé d'être honnête, je vais l'être. La vérité, c'est que depuis le tout premier jour, tu me reproches de bien gagner ma vie. Sauf que tu as tendance à oublier que j'ai dû travailler comme un forcené pour obtenir ce qui me revient de droit.

— Qu'est-ce que ça veut dire ? Qu'on ne mérite pas de vivre aussi bien que toi ?

— Les gars, je ne pense pas que ce soit le bon moment pour ça, interjeta Archie pour empêcher ses amis de prononcer des paroles qu'ils pourraient aussitôt regretter.

— Si, justement, vérité pour vérité, répliqua Clyde en regardant Lloyd d'un air de défi. Contrairement à toi, j'suis pas né avec une cuillère en argent dans la bouche. Dès le départ, j'ai dû gagner ma croûte à la sueur de mon front !

— Je t'en prie, Clyde, répondit Lloyd, fatigué, cesse pour une fois de jouer la carte du pauvre gars de banlieue. Je gagne peut-être confortablement ma vie, mais la tienne est tout aussi riche.

— Riche de quoi ? De fuites dans le toit ? De haricots bouillis ?

— Tu as une famille, bon sang ! s'exclama Lloyd, ahuri. Et s'il y a une personne à jalouser, c'est bien toi. Quand tu as fini ton travail, tu as une femme et des enfants qui t'attendent. Moi, il y a bien longtemps que j'ai laissé passer cette chance. Tu connais mon vécu, les épreuves que j'ai traversées. Tu sais que ma vie n'est pas aussi parfaite que je le laisse paraître. Comme tout le monde, j'ai aussi eu ma part de douleurs. Parfois, l'argent ne fait que dissimuler une autre misère…

Clyde ne prononça aucun mot, mais à l'expression rembrunie sur son visage, il admettait que le dandy avait essuyé quelques malheurs sur sa route. La fortune n'empêchait pas les drames. Pour certains, elle ne faisait que taire par intermittence les évidences et les blessures qu'on refusait d'affronter.

— Écoute… reprit Lloyd. Je suis navré que ma réussite financière t'écœure autant. Sache toutefois que si je le pouvais, j'échangerais tout ce que je possède pour ce que tu vis. Crois-moi, jamais la fortune ne pourra se substituer au bonheur d'une famille. Et bien que tu refuses d'y croire, tout ce que j'ai gagné, je l'ai obtenu honnêtement. Et au fond de toi, tu sais que c'est la vérité.

— N'empêche que toi et Teddy, vous êtes proches, plus qu'avec nous quatre, rétorqua Clyde avec des gestes accusateurs. Tu ne peux pas le nier.

— Antonin est proche de Ted et ce n'est pas pour autant que tu vas l'accuser d'être un traître, répliqua Lloyd, outré.

— Peut-être qu'il se sert de lui.

— Il le considère comme son fils !

— Justement ! cria Clyde, le visage rouge de colère. Plus les liens sont forts, plus il est facile de tromper les personnes qui nous font confiance, et tu en sais quelque chose !

Ces mots offensèrent le dandy, mais il se contrôla pour ne pas l'afficher. Clyde était doué pour appuyer là où ça faisait mal. Il usait souvent de vos écarts oubliés pour vous désarmer. Et le passé de Lloyd n'en manquait pas.

En provoquant Lloyd du regard, Clyde ajouta hargneusement :

— Même si tu n'as rien à voir avec cette histoire, peut-être qu'il t'a aussi manipulé.

— Ceci est ridicule et mensonger, objecta Lloyd d'un geste improbateur de la main.

— Pourquoi as-tu une foi aveugle en lui ? hurla Clyde.

— Je lui dois la vie ! s'écria Lloyd, ne pouvant plus se contenir face à toutes ces attaques.

Lloyd regarda Clyde droit dans les yeux. C'est là qu'il comprit. Il avait d'abord pensé que son ami se servait de leur rivalité pour le mettre en porte-à-faux. Mais ce n'était rien de tout cela. L'Écossais avait les sourcils légèrement obliques et les pupilles dilatées, signe d'une peur profonde. Ils partageaient la même peine, mais il subsistait en Clyde une partie de lui qui croyait à cette trahison : une vérité qui pourrait entraîner pour tous une remise en question destructrice.

— Tout comme toi, reprit Lloyd qui s'était radouci. N'oublie pas ce qu'il a fait pour toi par le passé.

Depuis tout gosse, Clyde enchaînait les ennuis. Des conneries d'adolescent aux plus sérieux. Et quand le monde l'appelait à replonger dans ses vices, Theodore avait toujours été là pour lui tendre la main. Même quand la mort leur pendait au nez, jamais il ne l'avait lâché. Il était ainsi fait. Et lui, quel ami faisait-il en l'abandonnant au pire moment ? La loyauté, c'était tout ce qu'il leur restait. Sans elle, ils étaient comme tous les autres. Vides et hypocrites. Clyde baissa les yeux et se détendit un peu. Un changement de comportement qui donna plus de poids à Lloyd pour plaider sa cause.

— Il est facile de prétendre être un ami quand la fortune est à votre porte, mais lorsque le sort s'acharne, c'est alors que vous devez prouver votre loyauté et votre sincérité. Alors ? Que choisissez-vous ?

Lloyd regarda tour à tour ses amis réfléchir. Ils étaient partagés entre la colère de ne pas avoir été mis dans la confidence et l'hésitation à prendre parti pour leur ami plutôt que pour l'Entreprise. Les chasseurs interrogèrent leur conscience en se retranchant dans un silence introspectif. Celui-ci perdura un temps. Archie fut le premier à donner sa réponse :

— Je te suis, j'ai confiance en Teddy. Je suggère tout de même qu'on le retrouve pour en savoir plus.

Jim accepta de rejoindre ses amis puis tenta de convaincre, ou plutôt de menacer, en langue des signes, l'Écossais indécis :

— Refuse, et ta femme apprendra que t'as perdu quatre-vingts dollars dans une partie de billard. Tu veux manger de la pâtée pour chien pendant un mois ?

Pendant quelques secondes, Clyde imagina le goût de cette affreuse tambouille dans sa bouche. Mais la vision du visage intraitable de sa femme l'obligeant à la dévorer entièrement le fit capituler sans résistance.

— OK, j'suis des vôtres, accepta-t-il, résigné.

— Bon garçon, signa Jim d'un air narquois.

— Rhaaa, la ferme !

Le cercle reprit forme.

— Qu'est-ce qu'on fait pour Tony ? demanda Archie.

— On ne lui dit rien, répondit Lloyd.

— Tu veux lui mentir ? répliqua Clyde avec un grognement sceptique.

— Si Ted nous a effectivement trahis, Antonin sera hors de contrôle. Je préfère ne rien lui dire tant que nous ne connaîtrons pas toute la vérité.

— Le directeur est au courant des faits, prévint Archie, une chasse aura sûrement lieu contre Teddy.

— J'ai besoin de votre concours. Plus vite on le retrouvera, plus vite on comprendra le dessous de toute cette affaire.

Lloyd avait raison. Il leur fallait retrouver leur ami pour découvrir la vérité. Theodore en était le détenteur tout comme le directeur, mais l'un en était plus proche que l'autre. Et Richard ferait tout pour que la sienne soit la seule à exister.

En plein complot, ce dernier et Parker se trouvaient toujours dans le bureau de l'appartement privé. La rouquine profitait de la fin de sa cigarette pour poser à son amant une question qu'elle n'avait jamais osé lui soumettre. Après cette tragédie, chacun avait, de manière consensuelle, évité de rappeler à l'autre cette période sombre de leur vie.

— Au fait, tu ne m'as jamais raconté comment tu avais fait pour convaincre Woodrow d'éliminer Eddy et Clayton.

— En usant de l'une de ses plus grandes qualités, répondit Richard.

— Son humour ? se moqua Parker.

— Sa loyauté. Theodore s'est toujours montré loyal envers moi. Même après l'histoire du projet Marsh et le déménagement du pôle principal à New York, il a pris l'initiative de me suivre, alors que la plupart des employés ont choisi de migrer dans d'autres États après la guerre.

— Que lui as-tu dit pour qu'il te suive aussi aveuglément ?

Richard pinça ses lèvres, le regard plongé dans le vide.

— Te souviens-tu du soir où tu es venue me prévenir qu'Edward avait menacé de nous éliminer après les élections ?

— Comment l'oublier ? répondit Parker avec rancœur. J'avais vu ma vie défiler devant mes yeux. Quand il m'a surprise en train de fouiller son bureau, j'ai cru qu'il allait repeindre ses murs avec ma cervelle.

— Ce soir-là, j'étais retourné à mon appartement. Il venait d'être totalement dévasté par ses hommes de main.

— Tu ne me l'avais jamais dit.

— Edward voulait trouver la copie d'Evans et par la même occasion tenter de m'intimider.

— Comment Eddy pouvait savoir que tu détenais la copie ?

— Evans a été torturé par Holloway. Il lui a tout déballé, le lieu où il cachait l'original, le fait qu'il m'ait donné sa copie et sa demande de protection. Je savais qu'Holloway n'allait pas tarder à craquer. Ce qu'il ignorait, c'était que l'article ne se trouvait pas à mon domicile, mais à l'Entreprise de Chicago.

Il réunit ses documents sur le bureau en faisant des tas.

— J'ai ensuite prétendu qu'Edward connaissait tout de l'Entreprise et qu'il le révélerait à Clayton. Avec comme preuves, la copie de l'article et le registre de chasse qu'il aurait volés chez moi. Une révélation qui aurait garanti à Clayton une place de choix en politique et fait de lui un intouchable. Certainement l'homme le plus influent du pays.

Et les rangea dans un coffre dissimulé derrière une plaque d'aération encastrée dans un mur, elle-même cachée derrière une commode. Attentive, Parker continua de l'écouter en le regardant faire.

— Woodrow a marché. Nous avons supprimé les Holloway en arrangeant les faits comme une vengeance du clan Singleton. L'opinion publique y a cru, de même que Clayton. Nous en avons profité pour le faire disparaître une semaine avant les élections. Son départ est resté un mystère. Certains ont même pensé qu'il s'agissait d'un stratagème du camp politique adverse. En concluant un marché avec les Singleton contre Holloway, il était évident qu'ils me seraient redevables et garderaient le silence. Quelques-uns ont dû payer le prix de cette vengeance par procuration en prison. Suite au contrat avec Holloway, leur clan était en infériorité numérique et proche de la banqueroute. J'ai pu ainsi contraindre leur chef à sélectionner des membres de son gang pour se désigner coupables du crime que nous avions commis à leur place en échange de nos services. J'en ai profité pour faire d'eux mes nouveaux partenaires commerciaux. Ce fut chose aisée, puisqu'ils avaient perdu de leur influence, et cela m'a permis de garder la mainmise sur les affaires de banditisme de Chicago pendant plusieurs années.

Lorsque tout fut en place, Richard se tourna vers Parker.

— Il ne me restait plus qu'à faire croire à Woodrow que nous devions récupérer le registre chez Edward et que la copie de l'article avait été détruite.

— Je vois que tu n'as rien à envier au renard. Ta ruse pour te dépêtrer des pires situations t'honore toujours autant.

— En espérant que le vent ne tourne pas.

Là-dessus, le téléphone sonna sur le bureau. Richard et Parker échangèrent un regard interrogatif. Peu de personnes détenaient ce numéro et son propriétaire n'attendait aucun appel. La sonnerie continua de jouer sa mélodie inquiétante. L'air incertain, Richard prit le combiné et le plaça contre son oreille.

— Oui ?

Après un souffle, une voix glaçante lui répondit :

— Bonsoir, directeur. Je suis navré de devoir vous déranger en plein ménage, mais il m'a semblé important de vous faire part d'un mauvais présage.

Richard identifia son maître-chanteur et s'efforça de garder son calme.

— Qu'entendez-vous par là ?

— Votre Corbeau s'est montré plus habile que je ne le pensais. Dans peu de temps, je crains que nous assistions, impuissants, au dépérissement de notre petite affaire.

Les bruits des machines à écrire ajoutés aux sonneries infernales en fond sonore du côté de son interlocuteur déconcentrèrent Richard. Il se pinça nerveusement le haut du nez et essaya tant bien que mal de se focaliser sur la conversation.

— Vous étiez pourtant d'accord avec mon plan, non ?

— Je l'étais, jusqu'à ce que j'apprenne que votre oiseau avait touché de près la vérité.

— Vous voulez dire que Woodrow est au courant de tout ?

— Non, mais cela ne saurait tarder. Vous le connaissez. À votre place, j'éviterais de le sous-estimer. Je serais plus inquiet de me retrouver à sa merci qu'à celle de vos loups enragés.

— Que voulez-vous que je fasse ?

— Débrouillez-vous pour le mettre hors course dès ce soir. Ou notre partenariat risque d'être rompu.

— Il était convenu de mettre le plan en place demain.

— Avancez-le, termina sèchement l'associé en raccrochant.

Ébranlé par la tonalité, Richard reposa lentement le combiné.

— Qui était-ce ? s'inquiéta Parker.

— L'associé de Woodrow, répondit Richard. D'après lui, Theodore commencerait à avoir des soupçons.

— Comment ? s'étonna Parker.

— Je n'en ai aucune idée.

En perte de repères, Richard s'accrocha solidement à son bureau.

— J'ai peur qu'il puisse remonter jusqu'à moi par l'affaire Marsh, présagea-t-il, soucieux.

— Pourquoi s'intéresserait-il à une affaire vieille de dix-neuf ans ? Il n'existe aucun lien qui prouve ta culpabilité.

— Je l'espère… Nous n'avons plus de temps à perdre. Woodrow croit toujours que je suis de son côté. Nous devons en profiter pour le mettre hors d'état de nuire.

Il prit de nouveau le téléphone pour cette fois-ci le tendre à Parker.

— Appelle-le et donne-lui rendez-vous ce soir.

— Que dois-je lui dire ? demanda la rousse, confuse.

— Ce que nous avions prévu. Que tu dois le voir pour régler la note de son contrat.

Parker hésita un bref instant, puis se saisit finalement du téléphone. Elle allait devoir piéger une fois de plus l'homme dont elle s'était éprise.

Le dossier Marsh en sa possession, Theodore rentra chez lui pour l'étudier. Dix-neuf ans en arrière, ce dossier avait été constitué pour le protéger auprès du comité. Il espérait qu'il puisse cette fois encore le sauver si cela venait à tourner mal. Il déballa le dossier confidentiel sur la table basse de son salon afin d'en extraire une trentaine de pages. L'information qu'il cherchait se trouvait quelque part dans cette liasse de documents officiels. Il s'installa dans son fauteuil et visualisa chaque document qui passait entre ses mains. Quelques minutes de lecture plus tard, ses yeux commencèrent à fatiguer. Le torrent de renseignements troublait sa compréhension, les mots et les dates se mélangeaient dans son cerveau embrumé. Il massa machinalement ses arcades sourcilières en soupirant d'agacement. Les jours passés sur la mission de protection l'avaient épuisé. Ce n'était pas le moment de défaillir. Une menace planait sur lui et l'Entreprise. Il siffla une gorgée de thé pour réveiller son acuité mentale, et arrêta son regard sur une page qui le fit tiquer. Un contrat de chasse le préoccupait. Il le relut longuement en plissant le front. Il entoura un nom au stylo, tapota sa tempe de l'index et attrapa soudainement le dossier personnel de Charles Williams. La ride entre ses deux yeux se creusa. Il intervertit les deux dossiers et se renfonça dans son fauteuil. Ses yeux s'illuminèrent, sa bouche s'entrouvrit. Non, jamais il n'avait oublié un visage… Sa pire crainte s'était révélée exacte. C'est sur cette sombre réflexion que le téléphone se mit à sonner.

L'heure fatidique approchait. Les bêtes sauvages n'allaient pas tarder à être lâchées dans la jungle new-yorkaise. Quand un traître devait payer sa dette, l'Entreprise ne tardait jamais à faire valoir ses droits. Les secrets éventés, le groupe de chasseurs devait joindre

Theodore au plus vite pour connaître sa version de l'histoire. Ils descendirent du toit de l'Entreprise pour regagner la salle de repos. Un téléphone à cadran s'y trouvait à disposition. Après avoir composé le numéro de Theodore, Lloyd entendit la sonnerie de retour d'appel. La ligne était occupée, cela signifiait au moins qu'il se trouvait à son domicile. Il raccrocha et fit part de la nouvelle à ses amis. Archie avança l'idée de se rendre chez leur ami pour lui parler directement, mais à peine avaient-ils fait un pas vers la sortie que Mike s'interposa et ordonna :

— Tous les chasseurs ont l'obligation de rester à l'Entreprise. Ordre du directeur.

— Pour quelle raison ? demanda Archie.

— Rassemblement général, contrat renégat.

L'assistant partit faire passer le message aux autres chasseurs. Le parasite écarté, Lloyd signifia d'un geste à ses amis de se regrouper.

— Le directeur veut chasser Ted ce soir, dit-il à mi-voix. Nous devons le retrouver avant qu'il ne sonne la traque.

— On ne peut pas quitter l'Entreprise sans paraître suspects, indiqua Clyde en observant discrètement la salle.

Jim eut l'idée de présenter son cran d'arrêt au groupe.

— Jim a raison, approuva Archie. Le seul moyen de protéger Theodore, c'est de leur faire croire que nous voulons participer à la chasse.

— Quel meilleur déguisement que d'être soi-même ? confirma Lloyd avec un regard en biais vers leurs collègues qui allaient apprendre la nouvelle.

À dix-sept heures trente pile, Charles Williams entra d'un pas décidé dans le bureau de son chef qui avait la tête penchée sur un bilan comptable. Avec gravité, il déposa devant celui-ci une lettre à son nom. Pensant à un rapport journalier, le patron le remercia sans le regarder et le congédia pour la journée d'un geste indolent en lui souhaitant, avec juste assez de chaleur dans la voix, de passer un joyeux Thanksgiving en famille. Mais Williams ne bougea pas. D'une manière militaire, l'employé croisa ses mains dans son dos, releva dignement la tête, et présenta à haute voix sa démission. L'effet de la déclaration fut immédiat. M. Sutton se redressa spontanément dans sa chaise, comme si son fessier avait été piqué par une punaise, et ouvrit si grand sa bouche de surprise que Williams crut le voir gober une mouche qui rôdait autour de son visage. Cette nouvelle le laissait sans voix, il tombait des nues. Et pour cause, Williams était un employé exemplaire. Le meilleur élément de la société. Travailleur et obstiné, il n'avait jamais manqué un seul jour de travail, ne s'était jamais fait porter pâle. Discret, ponctuel, compétent, les qualités ne manquaient pas pour le qualifier. De plus, il avait réussi à assainir à lui seul la trésorerie de Sutton. Pourquoi quittait-il le navire aujourd'hui ? Avait-il trouvé un meilleur poste ? Étaient-ce ces vautours d'avocats du vingtième qui avaient finalement réussi à le recruter ? Il ne pouvait pas le laisser partir ainsi. Pas sans se battre. Le patron tenace bondit de sa chaise et s'efforça de marchander pendant plusieurs minutes avec l'employé modèle pour le faire rester par tous les moyens possibles. En vain. Chaque nouvelle proposition, plus intéressante que la précédente, fut rejetée par un catégorique « non merci » de Williams. Rien ne semblait pouvoir le faire changer d'avis. Même une belle promotion et la promesse d'un bureau individuel ne purent le retenir. La liberté n'avait pour lui pas de prix. D'une voix claire et sans émotion, Williams se contenta d'un simple « merci » et d'un « bonne chance pour la suite ». L'ex-comptable tourna les talons et quitta le bureau de son ancien employeur sans lui donner d'explications sur la raison de son départ. Il jeta son badge d'employé à la poubelle, débarrassa son bureau sous les yeux décontenancés de ses collègues, puis il partit de Sutton, sans même un regard ni un adieu, avec son carton rempli dans les bras. Il n'avait jamais ressenti un pareil soulagement qu'en quittant cette misérable tour gangrenée par l'incompétence. En rentrant chez lui, il ouvrit son armoire et ôta ses habits hideux d'employé pour une tenue à la hauteur de sa prétention, sans oublier son élégant foulard Ascot, et se mit immédiatement au travail. Le principal était fait, mais il restait encore des parties à mettre au point pour la dernière phase de son plan. Tout devait être parfait. Il n'y avait pas de place pour le hasard. À vingt et une heures, il termina d'écrire un mot éclairé par la lumière rouge extérieure qui se reflétait sur la surface de son bureau. Il écoutait « Chi è là ? », une autre chanson tirée de l'acte IV de l'*Otello* de Verdi. À ce moment précis, Desdémone, dans son lit, est réveillée par Otello qu'elle ne reconnaît pas tout d'abord, puis celui-ci l'accuse d'adultère. Elle nie, mais Otello ne la croit pas et la tue de ses mains, soutenu par un orchestre rugissant. En chantonnant l'air, il posa sa plume, plaça le message dans une enveloppe, la cacheta avec de la cire puis souffla sur la bougie pour embrasser l'obscurité, sa compagne d'une vie. L'heure de la vengeance avait sonné.

Richard était de retour à l'Entreprise. L'avertissement téléphonique l'avait contraint à mettre son plan à exécution dès cette nuit. Celle-ci serait probablement la plus sombre de sa carrière. Il arpenta hâtivement les couloirs vides, refusa un appel à la réception et prit le chemin de son bureau, transportant dans son attaché-case les documents qui inculpaient Theodore.

— Directeur ! s'exclama une voix haletante derrière lui.

Sa respiration se bloqua. Coupé dans son élan, Richard se retourna presque malgré lui et rencontra, soulagé, Mike qui s'avançait jusqu'à lui.

— Ah, Mike ! Tout est prêt pour la réunion ? demanda-t-il.

— Oui, monsieur, confirma Mike en remettant une enveloppe à son patron. Cette enveloppe a été déposée pour vous au comptoir du pressing.

Richard se statufia, laissant échapper un grognement involontaire. Il avait développé une phobie des lettres depuis que cet homme mystère jubilait à jouer les messagers de mauvais augure. Il dissimula sa nervosité pour ne pas alarmer son assistant et demanda :

— Par qui ?

— Je ne sais pas, monsieur. Ce sont les employés qui m'ont demandé de vous la remettre.

— Merci, Mike, vous pouvez disposer.

Mike opina de la tête et regagna aussitôt la salle de repos. Richard retourna l'enveloppe pour lire sur le verso : « Pour le directeur. Urgent. » C'était la même écriture que sur les précédentes. Il la décacheta rapidement et retira un mot manuscrit :

> *« Rendez-vous, 22 h 30, à l'endroit de votre sortie mensuelle avec votre courtisane. Ne soyez pas en retard. »*

Une photo accompagnait le message. Richard lut le mot au dos : *« La reine a éjecté son roi. »* Que cela pouvait-il signifier ? Il retourna le cliché. Dessus : Theodore et Parker, l'air réjoui, sortaient d'un club de jazz. Cette image lui glaça le sang. Contrarié au plus haut point, il se retint de hurler sa rage. Il froissa la photo d'une seule main et entra en furie dans son bureau. Il claqua la porte avec force, faisant, à quelques mètres, sursauter Spring.

La salle de repos était remplie de chasseurs, bien plus nombreux qu'aux réunions habituelles. L'assemblée était particulièrement tendue. Il s'agissait d'un rassemblement imprévu et personne ne s'attendait à ce qui allait être dit. Certains pensaient à des licenciements liés aux réductions budgétaires, d'autres à une délocalisation. En tout cas, tous envisageaient une mauvaise nouvelle, comme savait si bien les orchestrer l'Entreprise. Décontracté, Antonin entra et s'installa dans un coin de la salle, sans remarquer les regards inquiets de ses amis posés sur lui. Ces derniers craignaient sa réaction quand Richard ferait son annonce. Et celle-ci ne dissiperait sans doute pas leur pessimisme.

La grande porte s'ouvrit, Richard entra, une mallette à la main. Tous les chasseurs se levèrent et s'arrêtèrent de parler. Comme à son habitude, le directeur se positionna derrière son pupitre :

— Messieurs, dit-il.

— Directeur, répliquèrent les employés.

Une mécanique bien huilée pour endormir les plus vifs. Richard chaussa ses lunettes puis les autorisa à s'asseoir. En joignant ses mains, il s'accorda un temps de concentration avant le début de son réquisitoire. Il n'avait pas le droit à l'erreur.

— Je sais que beaucoup d'entre vous se posent des questions au sujet de cette réunion imprévue, débuta-t-il sur un ton formel, et que tout comme moi, vous auriez préféré retrouver votre famille pour célébrer ce jour de fête. Vous savez que je ne vous aurais pas fait venir en ce soir de Thanksgiving si cela n'était pas d'une importance vitale.

Il pinça les lèvres et redressa la tête pour regarder ses hommes droit dans les yeux. Le meilleur moyen de s'assurer qu'un mensonge fonctionne, c'était d'affronter le regard de ceux qui vous vouaient une confiance totale.

— Ce que je m'apprête à vous dire sera une vérité difficile à entendre et à accepter. Mais je vous prie de me croire, car le temps nous manque et celui des questions nous ralentirait. Je vais être franc avec vous : un employé de cette Entreprise a trahi l'Organisation en bafouant ses règles.

Des chasseurs s'insurgèrent.

— Messieurs, s'il vous plaît, tempéra Richard d'un geste de la main. Un homme que je considérais comme un membre de ma famille m'a trahi, ainsi que l'âme même de cette Entreprise. Un homme usant de notre crédulité, de notre force et de notre réputation.

— Qui ? réclama un employé, tout aussi intrigué que ses collègues.

— Une personne insoupçonnable.

Tous se jaugèrent. Des regards incriminants, des murmures réprobateurs, des gestes nerveux. Chacun tentait de deviner qui pouvait être le traître dans leurs rangs lorsqu'un nom stoppa la fièvre diffamatrice qui s'était propagée dans la salle…

— Theodore Woodrow, révéla Richard solennellement.

La bombe était lâchée, elle avait sonné tous les employés. À l'écart, Archie, Clyde, Jim et Lloyd observaient les réactions. Une expression éberluée s'affichait sur tous les visages. Spring ravala un cri de stupéfaction et posa une main contre sa bouche pour étouffer un sanglot. Il y eut un long silence, suivi d'un déluge d'indignations.

— Teddy ? s'exclama Gary, abasourdi.

— Impossible, protesta Antonin. Il n'aurait jamais pu faire ça.

Richard haussa le ton pour se faire entendre de l'auditoire perturbé.

— Theodore Woodrow n'est pas l'homme qu'il prétend être. C'est un fraudeur. Il a détourné plusieurs sommes d'argent de l'Entreprise et les a placées dans une société fictive en Angleterre.

Il sortit de son attaché-case les documents corroborant ses révélations pour les présenter à l'assistance.

— J'ai en ma possession toutes les preuves l'inculpant dans cette trahison, si toutefois vous avez encore des doutes. À l'aide d'un complice, Woodrow a pu légalement blanchir ses gains et les transférer sur un compte aux États-Unis. Une récente révélation obtenue après des recherches approfondies.

Le directeur fit signe à Mike de faire passer les preuves à ses hommes.

— J'en conviens, c'est une réalité difficile à assimiler. Mais vous savez que meilleur employé ou pas, la règle reste la même pour tous. Tout employé qui trahira le code de son Entreprise ou de l'Organisation sera puni par la main de l'un des siens.

C'était invraisemblable. Antonin ne pouvait pas y croire. Il se dressa dans l'assistance et ouvrit la bouche pour se révolter avec colère :

— Je ne peux pas croire que Teddy ait pu faire une chose pareille ! Il est le meilleur d'entre nous, il a donné sa vie pour l'Entreprise. Jamais il n'aurait pu faire ça.

— Les preuves sont pourtant là, répliqua Richard.

— Donnez-lui une chance de prouver son innocence.

— Aucune explication ne pourrait contrer ces faits.

— Vous ne pouvez pas le supprimer, le comité ne vous le permettra pas. Tout employé a le droit à un procès en règle.

— J'ai contacté tous les directeurs de chaque État de ce pays, tonna Richard en même temps que son employé révolté. La majorité a tranché, ajouta-t-il sèchement.

Antonin avait la nausée. Le visage écarlate, il vociféra dans un accès d'emportement :

— Après tout ce qu'il a fait pour vous, comment osez-vous le condamner sans prendre la peine de l'écouter ? Sans qu'il ait l'opportunité de prouver son innocence ?

Lloyd appela son ami à se calmer, mais le jeune homme ne décolérait pas.

— Theodore a risqué plusieurs fois sa vie pour vous sauver la mise, s'indigna-t-il. Et voilà comment vous le remerciez, en le supprimant comme s'il n'était qu'un vulgaire gibier !

— Les règles sont faites pour être suivies, insista Richard.

— C'est une exécution ! cria Antonin.

— C'est une justice ! s'écria à son tour le directeur.

Un silence pesant avait envahi la salle après ce défi d'autorité. Les chasseurs, déconcertés, fixaient le directeur et l'employé qui s'affrontaient du regard. En d'autres circonstances, Antonin aurait été prié de plier bagage, mais Richard s'avérait d'humeur anormalement magnanime.

— Woodrow ou pas, reprit-il d'un ton imperturbable, la ligne a été franchie et je ne peux pas me permettre de faire comme s'il ne s'était rien passé. Chaque acte a ses conséquences. Vous le savez mieux que quiconque, North.

Ces derniers mots empêchèrent Antonin d'étayer sa défense. Sa respiration était précipitée et profonde, ses dents se serrèrent, une veine gonfla sur son front. Il était prêt à exploser. Shepherd connaissait son passé et ses fautes. Le jeune chasseur avait lui aussi commis des impairs. Et s'il n'était pas un modèle d'exemplarité lui-même, comment pourrait-il se poser en avocat de l'indéfendable ? Il avait déjà perdu cette bataille avant même d'avoir pu sortir les armes.

— Je peux comprendre votre réticence, continua Richard avec une soudaine quiétude. Et de ce fait, je vous laisse la possibilité de participer ou non à cette chasse. Nulles représailles ne seront menées contre vous.

Ces paroles manquaient cruellement de véracité pour Lloyd. Une subtile colère s'était modelée sur le visage du patron faussement indulgent.

— Je m'y oppose, contesta Antonin.

Le directeur prit note et demanda si d'autres personnes souhaitaient le rejoindre.

— Les gars ? fit Antonin.

Sans réponse, il se retourna vers ses amis qui arboraient des airs désolés.

— Antonin… dit Lloyd, mal à l'aise. Les preuves sont contre lui. Nous ne pouvons pas fermer les yeux. Il a trahi l'Entreprise. Il doit en subir les conséquences.

— Jamais je n'aurais cru dire ça un jour, grimaça Clyde, mais Lloyd a raison.

— Il faut suivre le code, Tony, on n'a pas le choix, soutint Archie à son tour.

Ahuri, Antonin posa son regard suppliant sur Jim. Lui, il serait de son côté.

— Jim ? C'est aussi ce que tu penses ?

Jim afficha une expression navrée et signa avec gravité :

— C'est un renégat.

— J'y crois pas… Vous me dégoûtez.

Le jeune homme jeta un dernier regard affligé à ses amis et s'en alla à grands pas rageurs de la salle.

— Quelqu'un d'autre ? requit une dernière fois Richard.

Aucune réaction.

— Très bien. Tout d'abord, je veux que vous sachiez que l'Entreprise vous récompensera pour ce choix. Une chasse contre un renégat n'est habituellement pas rémunérée, mais au vu de la difficulté de la mission et de l'expérience de la proie… Je promets d'offrir une prime de cent mille dollars au chasseur qui la supprimera. Naturellement, le gain sera distribué ultérieurement, le temps que l'Entreprise puisse se remettre à flot. Cette mission a été partagée en mode migration. Vous ne serez donc pas le seul État sur ce contrat. J'ai fait la démarche de contacter plusieurs pôles de chasse, au cas où la proie sortirait des limites de notre territoire. L'objectif premier est de l'encercler. Vous pourrez faire la rencontre de migrateurs venant de pays frontaliers. Le Canada et le Mexique sont autorisés à participer à la traque. L'Organisation met en place tous les moyens à sa disposition afin que la proie ne prenne pas la fuite hors des États-Unis. Nous savons que des chasseurs de pays étrangers amis avec la proie seront prêts à la protéger si elle venait à se rendre dans un territoire voisin. Chaque directeur étranger a pour ordre de mobiliser des rapporteurs pour effectuer une surveillance des accès de leur pays respectif, mais aussi des chasseurs afin d'arrêter toute personne disposée à venir en aide à la proie. Pour des raisons d'équité et une meilleure discrétion, la chasse sera effective à compter de vingt-trois heures.

Richard regarda avec difficulté la suite de son discours. Il gesticula sur place, comme si ces mots écrits de sa main étaient des balles qui le traversaient, son cœur se trouvant en première ligne. Il ferma un instant ses yeux, puis les rouvrit :

— J'ajoute que la complice de la proie est une femme prénommée Parker. Elle lui fournirait une couverture en échange de sommes d'argent. Si vous l'apercevez en sa compagnie, supprimez-la. Je vous donne son profil : rousse, environ quarante ans, mesurant dans les un mètre soixante-dix.

C'était elle ou lui. Et depuis le premier jour, il avait choisi son camp.

— Je sais que ce ne sera pas facile, mais dites-vous que c'est pour le bien de l'Entreprise. Bonne chasse à tous.

Sa déclaration terminée, le directeur quitta la pièce sous les yeux irrités des quatre amis du renégat.

— Nous devons prévenir Ted, déclara Lloyd.

— Tu crois toujours en son innocence ? demanda Clyde.

— Plus que jamais.

Ils devaient sauver leur ami, même si cela revenait à se sacrifier. Un principe que Richard ne connaîtrait vraisemblablement jamais. La vision de Parker s'apprêtant à faire face à une mort certaine attristait ce dernier, mais ne le brisait pas. Il avait fait le choix de larguer du lest pour atteindre seul le rivage. Elle était le témoin direct des liens entre lui et Holloway, et les preuves gênantes devaient être supprimées. Le directeur bonimenteur se réconforta en songeant qu'il n'était pas le seul à jouer double jeu. Theodore s'était lui-même mis dans ce guêpier. Richard lui avait peut-être autrefois menti, mais aujourd'hui, sa trahison était du même niveau que la sienne. Il ne valait pas mieux que lui en ce soir de Thanksgiving. Une nuit de la reconnaissance qui révélerait ce que chacun était prêt à faire pour se sauver soi-même.

L'équipe de chasseurs à la rescousse de Theodore quitta l'Entreprise pour mettre au courant leur ami du contrat qui pesait sur sa tête. Au bord de la route menant au pressing, ils s'apprêtaient à monter dans leur break quand une voix féminine haut perchée et lointaine les arrêta.

— Monsieur Steadworthy, attendez, ne partez pas !

En ouvrant la portière, Lloyd tourna la tête pour voir une petite femme, affolée, accourir jusqu'à lui. Après quelques pas, il reconnut, étonné, Spring. Elle s'immobilisa devant lui avec une expression de désarroi sur le visage.

— Il faut que je vous parle, dit-elle en reprenant son souffle.

— Capitaine, faut pas qu'on traîne, signala Clyde à Lloyd d'un regard pressant.

— C'est au sujet de M. Woodrow, insista la réceptionniste en agrippant le bras du dandy pour l'empêcher de partir.

Au nom de son ami, le dandy se recula de la portière afin d'écouter Marcy. Voyant qu'elle avait réussi à obtenir son attention pleine et entière, Spring s'adressa à Lloyd sans ambages :

— Monsieur, croyez-vous que M. Woodrow soit un renégat ?

— Et vous ? répliqua Lloyd.

— Je crois que M. Woodrow a autant de chances d'être un traître que d'avoir un jour la bague au doigt.

Lloyd hésita à informer la réceptionniste de leur plan. En tant que secrétaire du directeur, elle pouvait lui rester fidèle et lui livrer des informations sensibles qui anéantiraient leur stratégie. Mais le dandy préféra écouter son cœur et croire que celui de Spring battait pour leur camp.

— Je le crois aussi, dit-il.

— Lloyd ! le sermonna Clyde.

— Elle est de notre côté, on peut lui faire confiance.

Clyde leva un bras désespéré.

— Spring, savez-vous où Theodore pourrait se trouver ? l'interrogea Lloyd avec espoir.

— Non, monsieur, répondit la secrétaire en secouant la tête. Tout ce que je peux vous dire, c'est que M. Woodrow est passé me voir en fin d'après-midi au sujet d'un dossier classé confidentiel.

— Quel dossier ? Vous souvenez-vous de son nom ou bien de la date ? demanda Lloyd, intéressé.

— Je crois me souvenir que c'était un dossier avec un nom curieux, dit Spring en fermant les yeux pour mieux visualiser la salle d'archives. Il était classé à la lettre M. Ma… quelque chose. Mar… Marsh ! s'exclama-t-elle triomphalement, les yeux grands ouverts. Oui, c'est bien ça ! Le dossier était au nom de Marsh, enregistré à la date de 1939. Comme le dit M. Woodrow, je n'oublie jamais un dossier, comme lui n'oublie jamais un visage.

— Marsh, cela ne me dit rien… souffla Lloyd en sortant son calepin de sa veste pour noter le nom et la date à la hâte.

— Je n'en connais pas la nature. Je dois d'ailleurs vous avouer que cette demande m'avait plutôt étonnée, car comme je le lui avais précisé, ce même dossier avait déjà été emprunté plus tôt par le directeur. Quand j'ai partagé cette information avec M. Woodrow, il en a été fortement troublé. Vous savez qu'il m'est interdit de transmettre des dossiers sans l'autorisation du directeur, qui plus est confidentiels, mais M. Woodrow semblait y être très attaché. Il m'a affirmé que c'était une question de vie ou de mort. Après avoir entendu cette terrible annonce de M. Shepherd lors de la réunion, j'ai pensé qu'il pouvait exister un lien avec cette traque.

— Une question de vie ou de mort, ça nous avance bien, ça, grogna Clyde.

— Écoutez, reprit Spring presque émue, je n'étais pas au courant de ce contrat renégat, je vous le jure.

— Je vous crois, Spring, la rassura Lloyd en posant une main affectueuse sur l'épaule tremblante de la réceptionniste.

— M. Woodrow a tant fait pour moi que je ferai tout ce qui est en mon pouvoir pour lui venir en aide, dit-elle d'une voix chevrotante en effaçant avec un mouchoir en tissu une larme qui coulait au coin de son œil.

Lloyd savait que la réceptionniste tenait profondément au chasseur et qu'il lui était impossible de feindre une telle sincérité.

— Vous pouvez faire quelque chose, Spring, mais je comprendrais que vous refusiez. Vous pourriez perdre votre travail, et peut-être même la vie.

— Les deux ne vont-ils pas de pair ? répliqua Clyde, sarcastique.

Archie jeta un regard désapprobateur à son ami.

— Quoi ? T'as déjà vu un mort faire une demande de rupture de contrat anticipé ?

— Dites-moi ce que je peux faire, quémanda Spring qui avait retrouvé sa voix d'origine.

Lloyd lui commanda d'appeler tous les pôles de chasse de chaque État du pays et de faire passer le message que la traque était retardée d'une heure. Il était plus intelligent de la ralentir que de l'annuler. La probabilité que Shepherd soit alerté d'un retard était quasi nulle. Il lui demanda également d'entraver l'arrivée des chasseurs des territoires limitrophes, grâce au carnet de contacts et de relations que l'Entreprise utilisait pour obtenir certains passe-droits lors des contrats. Spring promit qu'elle ferait tout ce qu'il lui serait possible. Elle étreignit Lloyd en lui souhaitant bonne chance, puis regarda avec inquiétude la bande embarquer dans la voiture pour se rendre chez Theodore. Le destin de l'homme au costume bleu était désormais entre leurs mains.

Dans le Connecticut, une famille dînait dans une euphorie stéréotypée autour d'une dinde grasse posée au centre de la table. Les enfants s'émerveillaient de la taille de la volaille en présence du respectable père de famille. La réplique de la famille idéale tout droit sortie du tableau *À l'abri du besoin* de Norman Rockwell. Un appel interrompit ce joyeux festin et obligea le père à quitter la table. Après trois oui consécutifs, il mit fin à la conversation téléphonique et récupéra une mallette de médecin dans sa penderie. Il contrôla à l'intérieur les armes qui remplaçaient stéthoscopes et médicaments, puis prétexta devant sa famille une requête pour un patient à l'agonie. Sur le perron de son foyer, il embrassa sa femme et descendit les marches avec sa mallette de tueur professionnel et un regard déterminé. Pendant ce temps, au fin fond du Dakota, un chasseur aiguisait lentement sa hache. Il effleura sa lame affûtée avec la paume de sa main et trancha une bûche d'un coup sec. Au Texas, un chasseur affublé d'un Stetson vérifiait et rechargeait son fusil en cartouches. Aussi dévastateur que le feu embrasant la broussaille d'une forêt desséchée, le même scénario se répétait dans chaque État. Chaque chasseur du pays se préparait pour une chasse hors norme. Aucun renégat ne pouvait demeurer en vie.

Les rues de la ville étaient maintenant illuminées par les éclairages du soir. Le menton enfoui dans le col de son manteau, Antonin avançait d'une démarche pesante. Tout son corps était alourdi par le poids du jugement rendu. La sanction proclamée résonnait perpétuellement dans sa tête comme le bruit sec du couperet d'une guillotine. Il emprunta des chemins délaissés et obscurs, préférant fuir la pleine lumière et la foule qui, lorsque son esprit était contrarié, accentuaient ses crises d'angoisse. Le Horla n'était jamais loin quand l'enfer, c'étaient les autres. D'ailleurs, les autres lui avaient tous tourné le dos. Aucun de ses amis n'avait pris parti pour Theodore. Jamais il n'aurait cru un jour que leur amitié se limiterait aux lois de l'Entreprise. Il avait vu dans leurs regards ce profond déshonneur, cette honte qu'on imposait aux pestiférés et aux lépreux. Comme si Theodore était devenu porteur d'une maladie à éradiquer par tous les moyens, de peur d'être à son tour contaminé. Or, il en était persuadé, Theodore ne les trahirait jamais. Il l'espérait… Une goutte tomba sur sa chaussure droite, puis un grondement lui fit lever les yeux. Des nuages menaçants au-dessus de sa tête s'amoncelaient, un orage se préparait. Après qu'il eut longtemps vagabondé dans Manhattan, ses pas le menèrent jusqu'aux bras de personnes qui ne le jugeraient pas. Il se faufila dans une impasse où la lumière se faisait rare. Elle était si étriquée qu'une seule personne à la fois pouvait y avancer. Au fond de l'allée louche et obscure, se trouvait une vieille porte en bois dissimulée dans le renfoncement d'un vieil immeuble. Il n'y avait aucun écriteau ni nom de famille. Rien ne semblait indiquer que le lieu appartenait à quelqu'un ou qu'il était habité. Pourtant, Antonin frappa à la porte et se présenta. Dans la foulée, un loquet fut tiré et il entra. Discrète et difficile à dénicher, la propriété avait été baptisée « L'Aiguille » par ses membres. C'était une maison close clandestine, où des messieurs pouvaient dépenser aveuglément leur argent pour voir des femmes de petite vertu se déhancher en une danse érotique tout en dévoilant des parties désirables de leur corps, et plus encore si l'on y mettait le prix. L'adresse du bordel était transmise sous le manteau. En ces temps nouveaux, les mœurs avaient changé et les boxons étaient prohibés. Plusieurs avaient déjà subi des descentes de flics. Bien sûr, le marché était bien trop lucratif pour y mettre un terme. L'omerta faisait perdurer les affaires. Ironique, quand on y pense. L'Entreprise partageait les mêmes principes qu'une maison de passe, les morts en moins. On y rencontrait des hommes qui, dehors, se prétendaient respectables et dès qu'ils passaient la porte de ce lieu de dévergondage se transformaient en goujats. Un passe-temps pour débauchés, diraient les plus vertueux. Certains venaient pour décompresser sans complexe, d'autres pour obtenir un peu d'amour et de chaleur humaine, factices. Antonin faisait partie du deuxième camp. La tendresse et les caresses d'une femme étaient les seules choses qui calmaient sa colère et ses tourments. Payer pour ne rien devoir après, c'était la raison qui attirait ces hommes avides de bonne compagnie. Gangsters, hommes politiques et d'affaires partageaient ce même penchant pour les jeux interdits.

Parfois, c'était même ici que les tricheurs concluaient ensemble des affaires peu recommandables. Poignée de main malhonnête et argent sale étaient la mauvaise herbe de ce monde pourri à la racine.

Ce soir, le club était plein. Les clients, ivres, fêtaient Thanksgiving à coups de cocktails et de billets verts qu'ils coinçaient sous les élastiques des dessous affriolants des prostituées. Pas sûr qu'Alexander Hamilton aurait apprécié de se retrouver entre les seins d'une blasphématrice. Ils dépensaient sans compter, dans le seul but d'oublier leur triste existence. Un spectacle avait même été organisé pour célébrer ce jour particulier. Les sourires lubriques des habitués s'étiraient à chaque bout de tissu ôté lentement par la fille de joie qui réalisait un effeuillage interprété trop de fois pour faire une erreur dans ses pas. D'habitude, Antonin fêtait ce jour entre amis, mais les circonstances l'avaient incité à rejoindre les lamentables solitaires. Il n'y avait pas plus déprimant que de se retrouver ici un soir de réjouissance. Il resta un quart d'heure à regarder le numéro musical, après quoi il demanda à la patronne à s'isoler avec deux filles dans une chambre à l'étage. L'ambiance était différente d'en bas. Plus intimiste. Des tentures de velours couvraient les murs sur lesquels étaient accrochés des tableaux d'un genre érotique : des femmes nues aux formes harmonieuses étaient peintes dans des poses provocatrices. L'éclairage était tamisé par des voilages sur les abat-jour des lampes d'appoint alors qu'un peu partout, des bougies étaient allumées sur des chandeliers à trois branches. Un cadre romanesque, pensé dans les moindres détails pour garantir aux clients un élan de passion jusqu'à l'aube. Il était possible d'utiliser le lit double, mais cela engageait des frais supplémentaires. Antonin s'assit sur une chaise avec un verre d'alcool et regarda, désœuvré, une femme danser langoureusement rien que pour lui, tandis que l'autre cajolait son corps insensible. Lorsqu'elle accentua ses caresses, glissant sa main chaude sous sa chemise, il l'arrêta d'une main ferme sur son poignet. La danseuse en tenue légère se figea d'étonnement. Cette agressivité chez le jeune homme lui était étrangère. Elle regarda Antonin se lever et aller se poster silencieusement en face d'un miroir mural. Le chasseur jeta un regard dégoûté à son reflet puis cogna, de son poing, la glace qui se brisa. Les deux femmes sursautèrent à ce geste d'une rare violence.

— Tony ? s'inquiéta l'une.

Antonin baissa la tête et fixa sa pièce d'Entreprise dans sa main contusionnée.

— J'ai fait quelque chose de mal ? demanda la danseuse, rendue soucieuse par le comportement du jeune homme.

— Non. C'est moi, dit Antonin, les paupières closes.

L'autre femme se rapprocha de lui. Elle posa une main tendre sur sa joue. La seconde les rejoignit et enlaça Antonin pour le réconforter.

— On peut t'aider ?

— Personne ne le peut, murmura le chasseur.

Il regarda les morceaux de verre brisé disséminés sur le plancher. Des fragments reflétaient partiellement son visage anéanti. Cette vision déstructurée de son être fit se rompre ses convictions les plus chères. Rien ne semblait vrai. À quoi devait-on s'accrocher quand tout foutait le camp ? Quand vos plus fidèles alliés vous tournaient le dos, que la personne en qui vous aviez le plus confiance se jouait peut-être de vous depuis le tout premier jour ? Qui croire lorsqu'un ouragan de traîtrise dévastait tous vos principes ? Nos souvenirs heureux suffisaient-ils pour avoir la foi ? La foi… Une folie de plus, croire à ce qui est invisible, se disait-il. Et pourtant, elle déterminait nos liens, notre âme. Un bonheur ou un désastre futur. Quel choix restait-il quand votre loyauté vous promettait un voyage sans retour ? Évidemment, le choix, il l'avait toujours eu. Mais Theodore lui avait constamment épargné les décisions les plus difficiles en prenant tous les risques et parfois, en pariant sa propre vie. Ce soir, c'était à son tour de choisir. En repliant ses doigts en sang sur sa pièce, il se détacha des deux femmes. Il jeta sa veste sur son épaule et laissa quelques billets sur une table.

— Tu peux garder ton argent, Tony, lui lança une danseuse.

— Gardez-le, et si vous ne le voulez pas, vous n'avez qu'à remplacer le miroir.

Antonin claqua la porte et quitta les lieux sous les yeux inquiets des deux femmes.

De l'autre côté de la ville, Richard filait dans une rue, pressé par le grondement d'un orage, prémices d'une nuit qui s'annonçait dévastatrice. Il rejoignit le théâtre Schubert, comme précisé dans la dernière missive reçue. Une grande enseigne lumineuse rouge à la verticale indiquait ce nom sur sa façade pour se refléter sur l'immeuble d'en face. Richard poussa les portes principales de la salle de spectacles au style architectural de la Renaissance vénitienne. Des lustres pendaient du plafond qui était couvert de peintures et de moulures du même genre décoratif. Il pénétra dans la salle vide et se heurta à une scénographie soignée. Le grand rideau rouge était levé. Au centre de la scène, la lumière d'un projecteur était braquée sur une chaise, une enveloppe posée sur l'assise. Surveillé par les visages des fresques d'un réalisme troublant, Richard s'avança dans l'allée centrale, monta sur scène et s'approcha avec prudence du message mis en évidence. Il lut le mot « Corneille » sur l'enveloppe. D'une main tremblante, il extirpa, déconfit, une photo d'Edward Holloway et d'un enfant qui souriait à ses côtés.

— Richard Shepherd. Que ressentez-vous à vous retrouver ainsi sur le devant de la scène ?

Cette voix, elle le poursuivait depuis des jours sans qu'il puisse y mettre un visage. C'était celle de son apporteur de mauvaise fortune. Ébloui par le projecteur, Richard plaça sa main devant ses yeux en cherchant sa source dans les gradins obscurs à l'étage.

— D'être dans la lumière.

— Quelle est cette comédie ? ragea Richard.

Une silhouette se dressa dans l'ombre et gronda :

— Mon cher ami, cela n'est point une comédie, c'est une tragédie.

Elle se déplaça paresseusement dans la pénombre du théâtre. En situation d'infériorité, Richard écouta la tirade inéluctable, tout en essayant de déterminer où pouvait être la menace, et ainsi éviter une mort shakespearienne.

— Une tragédie jouée il y a maintenant des années. Dix-neuf ans, pour être plus précis. Et comme dans toute tragédie qui se respecte, les personnages en scène luttent contre leur destin. Vous vous êtes pris pour un dieu, Richard. Vous avez joué avec ces forces. Sachez qu'on en reçoit toujours la facture, un jour ou l'autre. Tel Iago dans *Otello*, vous avez usé de bon nombre de manipulations pour arriver à vos fins. À commencer par l'embrigadement de votre dévoué bras droit. Vous avez fait croire à tous qu'il représentait un danger. Qu'il était prêt à vous trahir et à vous évincer.

— J'ai fait ce que vous m'avez demandé ! rugit Richard. Woodrow est entré dans le jeu.

— Je ne vous parle pas de Woodrow, mais de Holloway ! s'emporta l'homme. Ce nom ne hante-t-il pas votre esprit, ou, tout comme votre estime, s'est-il volatilisé de vos pensées ? Un homme qui a eu la malchance de croiser votre chemin.

— Je ne comprends pas, souffla Richard, perdu.

— *Alea jacta est.* Votre destin a été scellé au sien le jour où vous avez décidé de l'exécuter.

— Quel est le rapport avec Woodrow et sa trahison ?

La silhouette s'arrêta.

— Il n'en existe aucun. C'est une vengeance dont je me délecte de chaque acte. Un plan mené avec une telle perfection ! J'ai su faire preuve de patience et je vais en être récompensé. Je suis sûr qu'il aurait été aussi fier de moi que ma mère l'était avant d'être rappelée.

Richard tiqua à ces paroles. Cela ne pouvait pas être vrai.

— Vous êtes…

— L'ombre de vos cauchemars. Le requiem de vos songes et le glas de vos fautes.

La forme quitta l'ombre pour se placer dans la lumière éclatante d'un projecteur. Le grand faisceau lumineux blanc éclaira un jeune homme d'une trentaine d'années en costume noir avec un foulard Ascot en soie rouge noué gracieusement autour du cou. Un jeu d'ombres et de lumière masquait une partie de son visage, révélant sur l'autre le dernier descendant d'un héritage maudit. Même sans cape, il venait de faire revivre le fantôme de l'Opéra pour une énième représentation.

— Malone Holloway ! précisa-t-il avec enthousiasme. Fils de la regrettée grande famille Holloway ou, comme je me surnomme moi-même… le survivant, pour vous servir, termina-t-il avec une révérence.

Richard recula d'un pas, comme si ce qu'il voyait lui était inconcevable. Athlétique, le regard incisif avec ce large sourire sadique qui semblait décompter vos dernières heures sur cette Terre. Malone était le portrait craché de son défunt père. En pleine panique, Richard chercha son arme, mais son adversaire le torpilla en le visant avec son pistolet.

— Je ne ferais pas ça, si j'étais vous. Ces choses-là peuvent blesser et si vous manquez votre cible, elles peuvent vous tuer.

— Qu'attendez-vous de moi ? s'écria Richard.

— J'ai déjà obtenu tout ce que je désirais de vous. Je dirais même que c'était un jeu d'enfant. La question que vous devriez plutôt vous poser est : que puis-je faire pour vous ? demanda Malone d'un geste voluptueux de la main.

Holloway capta le trouble sur le visage de Shepherd.

— Je vois que vous êtes plutôt lent à la compréhension, une bien fâcheuse habitude, souligna-t-il avec insolence. Je m'en excuse. Il est vrai que nous n'héritons pas tous des mêmes gènes. Je vais éclaircir mes propos en vous les expliquant en trois points.

Premièrement, je connais votre façon d'agir, votre famille et vos affaires. Deuxièmement, vous n'avez nulle part où aller. À l'heure qu'il est, Woodrow doit certainement tout savoir, votre projet visant à faire de lui un traître, vos trafics et aussi pour votre rouquine. Et troisièmement, il ne tardera pas avant que votre Corbeau ne trouve un moyen de proclamer au monde son innocence. En d'autres termes, avant la déclaration d'une chasse à l'homme contre vous.

— Merci pour ce discours, répliqua Richard, acerbe, mais je me passerai de votre aide.

Le rire arrogant du perfide survivant éclata.

— Ne vous méprenez pas. Je vous présente mes plus plates excuses si j'ai laissé percevoir dans mes mots une once de sollicitude. En réalité, il s'agirait plutôt d'une expérience. Voyez-vous, depuis ma tendre enfance, je suis fasciné par les questions existentielles telles que le hasard, le libre arbitre, le destin. Et le jour où l'on assassine toute votre famille sous vos yeux, vous conviendrez que ces questions deviennent votre quotidien. Tout comme le désir profond de venger ceux qui vous ont été lâchement enlevés. J'ai mis tant d'années à découvrir votre minable organisme ! Tant d'années et de sacrifices à élaborer ce plan pour détruire tout ce que vous représentez. À jouer l'employé servile pour des personnes incapables de voir la réalité de leur futile existence. Trop ignorantes pour viser plus loin et trop pleutres pour se libérer des chaînes de ce monde hypocrite. Aujourd'hui, mon dessein est sur le point d'aboutir. Néanmoins, en ce soir d'action de grâce, je me sens miséricordieux. En l'honneur de ma mère, je suis disposé à révoquer ce beau projet, à une condition. Je souhaite vous proposer un marché. Et cette fois-ci, je m'y engage, sans ruse ni duperie. Tuez Woodrow et je vous fais la promesse solennelle d'enterrer à jamais ma vengeance.

— J'ai envoyé plusieurs chasseurs à sa poursuite. Il ne pourra pas indéfiniment s'échapper.

Malone tourna d'une manière badine sa tête de droite à gauche.

— Vous n'avez toujours pas compris. Permettez-moi de me montrer plus clair.

Il pointa Richard de son index.

— Je veux que ce soit *vous* qui tuiez Woodrow et personne d'autre, annonça-t-il avec un sourire pervers. Sans quoi, je révélerai à tous votre trahison, avec votre adultère en premier plan. M. Collins sera honoré de savoir que sa chère et tendre l'utilise comme second couteau, qui plus est au profit de l'un de ses plus proches amis, n'est-ce pas ? Surtout lorsque ce même ami utilise sous cape sa société de courtage avec pour objectif de blanchir ses trafics extérieurs grâce à ses médiocres actions en Bourse.

— Pourquoi moi ?

Malone se mit à ricaner.

— Voyons Richard, on ne tire que sur ceux qui visent le ciel. En résumé, soit Woodrow est tué par vos chiens, vous condamnant à une mort inévitable du fait de votre écart de conduite, soit Woodrow vous retrouve et vous disparaissez par son châtiment. Ou bien… vous réussissez l'exploit de le réduire à néant, et tous vos problèmes seront enfin réglés, avec la promesse que vous ne croiserez plus mon chemin. Je ne serai plus que le fantôme d'un passé jusqu'alors oublié. C'est amusant ! Je viens de me rendre compte que votre tragédie prend des accents faustiens, j'en serais presque jaloux si votre mort n'était pas en jeu. Alors, directeur, acceptez-vous ce contrat ?

Richard ne pouvait formuler aucun mot. Il n'en fallut pas plus à Malone pour prendre ce silence pour un oui. « Qui ne dit mot consent » était un dogme que la vie lui avait appris et qui lui avait donné cette force de se battre pour élever sa propre voix.

— Formidable ! fit Malone, exalté. Je sens que cela va être une soirée mémorable.

Malone s'en alla, mais s'arrêta momentanément pour se retourner face à Richard.

— J'oubliais, dit-il, l'index dressé. Un conseil. Avant que vous ne partiez vous acquitter de votre tâche, vous devriez faire un tour du côté de votre garçonnière. Afin d'être sûr que ce qui peut être convoité soit en sécurité. Bonne chance, directeur. Quoique je ne croie pas à la chance. Elle n'est pour moi que le témoignage d'une déficience d'esprit de ceux qui n'ont pas la volonté d'user de leur intelligence. Navré que vous en soyez dépourvu. Essayez tout de même de rester en vie. Vous ne voudriez pas causer de la peine à vos fils. En particulier à votre benjamin, votre petit préféré.

Mains dans le dos, il s'éloigna, la démarche conquérante, en ajoutant :

— Le jeune James serait tellement déçu de ne pas apprendre à conduire avec son père pour son dix-septième anniversaire. Je sais la tristesse que cela procure.

L'ombre enveloppa de nouveau le survivant qui chantonna l'air de « *Niun mi tema* ». Les portes principales claquèrent après sa sortie théâtrale, ratifiant la sentence de l'accusé. Tétanisé, Richard resta sur scène. La lumière du projecteur s'éteignit, l'isolant un peu plus dans sa perdition.

Il restait peu de temps avant la traque. Chaque minute qui défilait était une occasion en moins de prévenir Theodore du danger qui le menaçait. Sur le perron de sa maison, Lloyd tambourinait à sa porte d'entrée. Archie et Clyde attendaient, transis, que leur ami daigne leur ouvrir. Bonté divine ! Mais que faisait-il ? Les bruits de pas ou de clés, tant espérés, s'avéraient inexistants. Jim partit faire le tour du pâté de maisons pour voir si la voiture de Theodore s'y trouvait garée. Ne voyant pas la Riley, il s'approcha d'une fenêtre de la maison pour détecter un indice de sa présence. Il pressa ses mains sur un carreau et avança sa tête pour analyser l'intérieur. Les lumières du salon étaient éteintes. Il était impossible d'y voir quoi que ce soit dans ce noir insondable.

— Ted, c'est Lloyd ! Ouvre-moi !

Pas de réponse.

— Il n'est peut-être pas chez lui, souleva Archie.

— Il doit y avoir à l'intérieur des indices du lieu où il se trouve, dit Lloyd.

— La porte est verrouillée, et Teddy n'est pas du genre à laisser sa clé sous le paillasson.

Clyde partit un instant pour revenir avec un pied-de-biche, récupéré dans le coffre de leur véhicule.

— Moi, j'dis que ça sent le gaz, pas vous ? lança-t-il en tenant son outil d'un air décidé.

Archie renifla l'air pour détecter l'odeur, rien ne lui parvint. L'Écossais coinça le pied-de-biche dans le cadre de la porte en bois et exerça plusieurs pressions pour forcer son ouverture. Une fois que la fente fut assez large, il prit de l'élan et défonça la porte à coups d'épaule et de pied. Un craquement gigantesque accompagna le dernier assaut. La porte s'ouvrit en grand en cognant brutalement le mur de l'entrée. Satisfait de son bricolage, Clyde fit don du pied-de-biche à Archie et s'engouffra nonchalamment à l'intérieur de la maison devant les mines sidérées de ses amis.

— On sait à quoi va lui servir l'argent du bocal, marmonna Archie.

Le restant de la bande entra et commença à fouiller les lieux. Archie inspecta l'étage, Clyde la cuisine. Theodore n'y était pas, mais une théière était restée sur la gazinière. Il la toucha du bout des doigts, ses sourcils se froncèrent. Dans le salon, Lloyd et Jim eurent le même regard médusé puis se frayèrent un chemin dans un méandre de documents et de photos qui avaient inondé la pièce. Ils n'avaient jamais vu un pareil désordre chez leur ami. Il n'y avait pas de traces de lutte ou de sang, mais cette explosion administrative laissait à penser que le chasseur maniaque avait été forcé de partir à la hâte. Ils espérèrent que rien ne lui soit arrivé et passèrent au crible le dossier Marsh, éparpillé sur la table basse. Ils avaient bon espoir que celui-ci les conduirait sur sa piste. Après un tour rapide du propriétaire, Archie et Clyde rejoignirent leurs amis en train d'enquêter.

— Aucune trace de Teddy, dit Archie.

— On l'a raté de peu, ajouta Clyde, sa théière est encore chaude.

— C'est le dossier Marsh ? demanda Archie en désignant du menton les documents.

— Oui, et apparemment, il date de l'époque où le directeur dirigeait encore l'Entreprise à Chicago, répondit Lloyd avec une partie du dossier entre ses mains.

Le dandy tourna les pages pour examiner un rapport sur les Singleton.

— Ces rapports proies ont été rédigés sur plusieurs membres du clan Singleton.

— C'est quoi, ce clan ? demanda Clyde en ouvrant l'armoire à alcools pour prendre une bouteille de whisky.

L'Écossais afficha un air mitigé en reniflant son parfum au goulot, mais cela ne l'empêcha pas de se servir un verre.

— Il s'agissait d'un groupe de criminels en plein essor à Chicago dans les années trente, expliqua Lloyd. Concurrence directe avec la mafia Holloway, la plus influente de l'époque.

Archie demanda à voir le dossier puis déclara après une brève lecture :

— Il semblerait qu'Edward Holloway n'ait pas supporté qu'on marche sur ses plates-bandes. Un contrat a été signé avec lui pour supprimer le clan en question. Les responsables de cette chasse sont au nom de Grive Mauvis, Sterne Royale et Mésange Azurée.

— Je connais ces chasseurs, dit Lloyd. Ils travaillaient pour le compte du directeur lorsque le pôle principal des Entreprises était à l'époque centralisé à Chicago. En ce temps-là, Ted, Jim et moi étions nous aussi assignés à cette Entreprise. Au moment où la guerre a éclaté, j'ai pour ma part quitté le pays et intégré les rangs de l'armée britannique. Theodore m'a rejoint peu après. À la fin du conflit, la direction m'a chargé d'une mission en Allemagne dans le but d'échanger avec des directeurs sur la nouvelle politique de l'Organisation. Une fois de retour en Amérique, j'ai eu la surprise d'apprendre que l'Entreprise déménageait pour New York. Les raisons de ce transfert qui nous ont été données furent pour le moins obscures…

— Jim, t'étais au courant de ces contrats ? lui demanda Clyde en se laissant tomber sur le canapé avec à la main son verre de whisky, dont le liquide manqua de se renverser. Ted t'avait informé de quelque chose à l'époque ?

Jim secoua négativement la tête. Il était tout aussi déconcerté que ses amis.

Sur la table, Archie ramassa des rapports proies sur Clayton et Holloway pour extraire des contrats de chasse.

— Les Holloway n'ont pas tardé à suivre l'exemple des Singleton, signala-t-il. L'Entreprise de Chicago les a tous supprimés. Un rapport indique qu'elle a conclu un contrat avec les survivants du clan Singleton pour se venger des Holloway. La vengeance entre clans était le parfait prétexte pour légitimer leur suppression aux yeux de tous. D'après ce qui est rapporté, Edward Holloway était devenu un élément embarrassant. Il s'apprêtait à révéler l'existence de l'Entreprise, grâce à des documents compromettants qu'il avait en sa possession. Même chose pour un gars appelé George Clayton.

— Oui… je me souviens de cet homme, affirma Lloyd en agitant son index vigoureusement. C'était un politicien ambitieux qui briguait le poste de gouverneur. Il n'était pas très bien vu par la classe politique de l'époque. D'ailleurs, si je ne m'abuse, son premier mandat en tant que maire n'avait pas été très reluisant. Pendant un temps, sa cote de popularité était au plus bas, jusqu'à sa dernière année où elle avait subi une croissance exponentielle. En 39, il voulait être réélu maire de Chicago. Les sondages le sacraient favori, mais une semaine avant le résultat des élections, la presse a signalé sa mystérieuse disparition. Du jour au lendemain,

Clayton s'était évanoui dans la nature sans laisser de trace. La police n'a jamais réussi à le retrouver. Cette histoire a fait les choux gras de la presse pendant des semaines, puis les jours suivant sa disparition, les nouvelles de la guerre menée contre l'Axe l'ont fait peu à peu tomber dans l'oubli. Une étrange affaire, sauf si l'Entreprise y était évidemment pour quelque chose…

Il gratta pensivement un coin de sa tête.

— Je ne comprends pas… Quel peut être le lien entre ces deux contrats ? Et comment Clayton pouvait-il connaître l'existence de l'Entreprise ? Aucun document ne le relie à elle.

— Il est dit d'après des sources sûres que Holloway entretenait un lien avec Clayton, informa Archie en lisant la note d'un rapporteur. Leur relation avait pour objectif de le faire réélire en tant que maire.

— Pour sûr, un beau réseau, ça crée toujours de bonnes opportunités, râla Clyde en sifflant son verre. C'est pas avec le mien que j'vais pouvoir rénover ma cuisine.

Jim prit le relais de la conversation, en langue des signes :

— Peut-être que Holloway avait l'intention de faire parvenir les documents compromettants de l'Entreprise à Clayton. Avec une révélation pareille, il aurait pu garder sa place de maire à vie, voire plus. Et en contrepartie, Holloway aurait certainement bénéficié de sa protection. Clayton a probablement été supprimé pour éviter les fuites et garder les activités de l'Entreprise sous silence.

Clyde reposa son verre et présenta deux documents au groupe :

— Devinez qui s'occupait de ces deux contrats ? Corbeau et Corneille.

— Corneille, répéta Archie intrigué, c'est le nom de code du directeur. Il se serait personnellement occupé de cette affaire avec Ted…

— Pourtant, en dix-neuf ans, Theodore n'a jamais fait état de ces contrats, dit Lloyd, désorienté.

— C'était une affaire confidentielle, signa Jim pour Lloyd, il était probablement tenu au secret.

Pensif, Archie reconstitua tout ce qui avait été dit puis souligna :

— Quand on y pense, c'est tout de même étonnant de ne pas avoir employé plus de moyens pour un dossier aussi important.

Sur cette observation pertinente, le groupe continua d'éplucher le dossier Marsh.

— Qu'est-ce que vous foutez ici ? tonna une voix juvénile.

Les têtes se tournèrent. La bande tomba, stupéfaite, sur Antonin, à l'entrée du salon, tenant une arme à feu pointée sur eux.

— Antonin ? s'étonna Lloyd.

— Où est Teddy ? Vous l'avez déjà supprimé, c'est ça ? demanda le jeune homme rageur en déplaçant fiévreusement son arme sur chacun de ses amis immobiles. Vous êtes incapables d'attendre l'heure de la chasse. Après tout ce qu'on a vécu, je pensais que vous lui auriez accordé au moins ça. Mais apparemment, je me suis encore trompé, vous êtes comme tous les autres. Abattre le traître et prendre le fric, c'est tout ce qui vous intéresse !

Tremblant de fureur, Antonin éprouvait un violent ressentiment envers ses amis. Les voir ici le décevait profondément. Il avait bien compris qu'ils n'étaient pas de son côté, mais en tant que chasseurs émérites, il pensait qu'ils auraient néanmoins suivi les règles. Shepherd avait raison sur un point, les personnes les plus proches nous réservaient toujours des surprises.

— Ce n'est pas ce que tu crois, dit Lloyd, les mains levées à mi-hauteur.

— Tu penses que je vais te croire après le coup que vous m'avez fait tout à l'heure ? Où est-il ? cria Antonin.

— On n'en sait rien, répondit Clyde d'un ton sec. On pensait le retrouver chez lui.

— À la place, nous avons trouvé ce dossier, dit Archie en indiquant du regard l'amas de documents.

— Tu veux bien baisser ton flingue, maintenant ? grogna l'Écossais. Je refuse d'y passer avec le visage de Lloyd comme dernière image.

Clyde eut un haut-le-cœur en imaginant le dandy dans son plus simple appareil avec des ailes et une auréole sur la tête. La maigre tentative d'humour de son ami n'apaisa pas le jeune homme agressif. L'arme toujours pointée, il aboya :

— Ce que vous avez dit à la réunion, c'était du vent ?

— Nous ne voulons pas chasser Ted, avoua Lloyd. Tout ce que nous souhaitons, c'est des réponses.

Archie enchaîna :

— Nous pensions éviter les soupçons en persuadant tout le monde que nous étions du côté de l'Entreprise.

Ces belles paroles, bien que véridiques, n'avaient pas convaincu Antonin.

— J'vous crois pas, répliqua-t-il en secouant la tête, si c'était vrai, pourquoi m'avoir mis de côté ?

— Nous voulions simplement te protéger, révéla Lloyd.

— Si Teddy est coupable, tu ne le supporterais pas, ajouta Jim.

Antonin resserra l'emprise sur son arme.

— Qui me dit que ce n'est pas encore un bobard ?

— Tu as raison, admit Lloyd. Tu ne peux compter que sur notre parole. À toi de voir.

Clyde profita de la réflexion de son ami pour le supplier en levant sa main droite :

— Si tu tires, vise ma main, s'te plaît. Ce soir, j'suis de corvée de vaisselle.

Tiraillé, Antonin jaugea la bonne foi de ses amis, puis abaissa lentement son arme.

— Je suis sûr que Teddy est innocent, dit-il avec certitude.

— Nous le pensons tous, répondit Lloyd avec un fin sourire.

— Génial, fulmina Clyde, à moi la brosse à récurer.

Il grommela en buvant son whisky, puis regarda Lloyd d'un œil intéressé.

— T'es pas libre ce soir, par hasard ?

Le dandy esquissa un rictus de mépris en réponse.

— Il nous faut des preuves, déclara Archie.

— Comme le suggérait Spring, si le directeur et Ted ont ressorti ce dossier, c'est qu'il doit avoir un lien avec sa traque, supposa Lloyd.

— De quoi s'agit-il ? demanda Antonin.

— D'un conflit entre un groupe mafieux de Chicago et l'Entreprise, résuma Archie.

Parmi la paperasse, Clyde sélectionna le rapport proie sur Edward Holloway associé avec le dossier de Charles Williams.

— Sur la fiche d'Edward Holloway, le nom de Malone Holloway a été entouré, indiqua-t-il. C'est son fils. Et apparemment, Ted se serait aussi intéressé à un certain Charles Williams.

— Charles Williams, tu dis ? s'étonna Lloyd. C'est le nom du comptable que j'ai tracé à Sutton.

— Il a entouré la chevalière qu'il porte sur la photo. Qu'est-ce que ça signifie ?

— Montre-moi le dossier.

En analysant la page du rapport sur les Holloway, Lloyd reconnut la photo illustrant Malone à l'âge de seize ans. Il eut un sursaut. Le dandy compara instantanément le cliché avec la photo d'identité de Williams. Il n'en croyait pas ses yeux. Même avec quelques années de plus, le visage du jeune homme n'avait presque pas changé. Ce prétendu Charles Williams n'était autre que Malone Holloway, fils de son défunt père, Edward. Toutes ces diableries de comptabilité n'étaient qu'un jeu de dupes.

— Attendez… c'est ça ! Charles et Malone sont en réalité la même personne, s'exclama Lloyd en montrant les deux photos côte à côte afin que ses amis puissent les comparer. Regardez, sa chevalière est identique à celle que porte Edward sur cette photo. Quand nous étions au Devil's Pack, Ted a dû le reconnaître.

— L'Entreprise semblait avoir l'ambition de supprimer tout le clan Holloway, pourquoi est-il encore en vie ? demanda Archie.

— En 1939, Malone n'avait que seize ans, répondit Lloyd. L'Entreprise n'était pas en droit de supprimer un mineur.

— Peut-être, mais ce détail ne les a pas arrêtés, répliqua Clyde avec un rapport à la main. Malone a tout de même été notifié dans la liste des personnes à supprimer. L'enjeu devait être trop grand pour suivre les règles. Le comité a été contraint de faire une exception. Ils auraient noyé un nourrisson dans une baignoire s'il avait été là.

— Qui l'a laissé en vie et pourquoi personne ne l'a recherché depuis tout ce temps ?

La question fondée de Jim désorienta les cinq investigateurs.

— Tout ça pour devenir l'expert-comptable de Theodore ? fit remarquer Lloyd, consterné.

— Ça n'a aucun sens, rejeta Archie avec incrédulité. Et souvenez-vous, pendant le discours, le directeur nous a ordonné de chasser Teddy, mais aussi une certaine Parker. Une femme qui serait sa complice depuis des années.

L'homme au chapeau melon sortit le rapport proie sur Holloway.

— Dans ce rapport, il est indiqué qu'Edward Holloway entretenait une relation amoureuse avec cette femme. Vous pensez réellement que Teddy aurait eu une relation avec la compagne d'un parrain de la mafia ?

— C'est impensable, dit Lloyd d'un souffle.

— Parker… C'est bizarre, releva Antonin, en fronçant ses sourcils.

— À quoi tu penses ? l'interrogea Clyde.

— Eh bien… Teddy ne voulait pas que je vous le dise, mais depuis plusieurs jours, il est en mission de protection d'une Parker Collins. Elle serait l'épouse d'un riche client qui aurait pas mal d'ennuis.

La photo de Parker dans le dossier accrocha le regard d'Archie. Le nom de Collins lui rappelait quelque chose, mais quoi ? Il chercha une correspondance pendant une longue minute, puis un détail lui revint en mémoire. Il demanda à Antonin si Parker n'avait pas un lien avec Pierce Collins. Antonin lui fit savoir que d'après Theodore, il s'agissait effectivement de son mari. En un instant, Archie retourna toute la pièce pour dénicher un journal qu'il commença à feuilleter sans voir l'expression éberluée de ses amis. Clyde s'apprêta même à lui demander s'il ne voulait pas un café et un cigare pour aller avec. Heureusement, Archie trouva ce qu'il désirait et livra au groupe un article entier dédié à Collins :

— Ce type fait partie des courtiers les plus influents de Wall Street. Son histoire fait la une des journaux. Vous n'êtes pas au courant ? Il aurait fait perdre des millions à plusieurs actionnaires fortunés.

— Collins serait un ami proche du directeur, fit savoir Antonin. Le directeur voulait Theodore pour être le garde du corps de sa femme. Teddy m'a confié que Shepherd n'avait mis personne d'autre au courant de ce contrat, même pas l'Organisation.

Avec un air songeur, Jim signa :

— Cette femme est mêlée à ces deux affaires. Je ne crois pas aux coïncidences.

— Teddy ne semblait pas connaître cette Parker, alors pour quelle raison le directeur voudrait-il tuer l'épouse de l'un de ses amis ? demanda Antonin en regardant ses collègues, tout aussi perdus que lui.

— Dans le rapport, elle était autrefois signalée comme la compagne de Holloway, relata Clyde. Shepherd avait forcément connaissance de son existence bien avant cette histoire de contrat de protection, ajouta-t-il d'un air soupçonneux.

— Il a omis de nous préciser ce détail, répliqua Archie avec amertume.

Sur ce dernier point, Lloyd conclut :

— Si nous voulons obtenir des réponses, il faut que nous nous rendions à l'appartement privé du directeur. Depuis le déménagement à New York, il a pris soin d'utiliser un autre domicile pour gérer ses dossiers lorsqu'il ne se trouve pas à l'Entreprise.

# CHAPITRE XIII
## Jour de paye

Theodore était revenu au Devil's Pack. Un coup de téléphone l'avait sollicité pour une rencontre au plus vite. Il n'avait pas eu le choix de l'heure, seulement de l'endroit. Sans grand étonnement, il avait transmis l'adresse de son bar favori. Il se sentait de fait plus à l'aise sur un terrain dont il connaissait chaque recoin. Le chasseur s'était installé à l'opposé de l'entrée. Il détenait ainsi une vue d'ensemble des clients dispersés. Aucun ne le regardait. Ils étaient tous accaparés par une discussion avec leurs camarades qui, de temps en temps, levaient leur nez plongé dans leur verre de whisky pour réclamer une autre tournée à Neal. L'homme au costume bleu était perdu dans ses pensées. Il buvait un verre de *G and T* en fumant une cigarette au comptoir. Le dossier Marsh le hantait. Depuis qu'il avait déterré cette boîte de Pandore, les mêmes questions tournaient en boucle dans son esprit. Il termina sa boisson. Une pièce venait d'être mise dans le juke-box. Il reconnut le début de la chanson *Fever* de Little Willie John. Un homme accoudé à la machine regardait le disque tourner derrière la vitre de protection. La porte du bar s'ouvrit, un courant d'air s'engouffra. Theodore déplaça son regard sur l'entrée et distingua une svelte silhouette féminine. Un théâtre d'ombres se créa avec la forme céleste, contrastant avec la lumière extérieure et celle tamisée du bar. Il l'ignora et commanda un nouveau verre. À l'entrée, la femme déboucla lentement la ceinture de son pardessus. Tous les regards, excepté celui de l'Anglais, s'étaient figés sur la belle. Au bar, Neal versa de l'alcool dans le verre de Theodore. Elle retira d'un seul geste son pardessus et dévoila une robe rouge flamboyante. Elle se débarrassa avec grâce de son manteau et posa un premier pied provocateur sur le plancher de l'établissement. Theodore ne la regarda pas. Il sortit un paquet de cigarettes. La femme s'avança avec séduction pour atteindre le comptoir. Ses hauts talons noirs tapèrent sur les lattes en bois au rythme de la musique. Un homme, à une table, la reluqua. Elle le snoba. Un seul oiseau était dans son viseur. Theodore porta une cigarette à sa bouche. La diablesse rouge maintint son cap avec un déhanché désinvolte. Il prit son briquet et l'actionna. Elle ondula entre les tables du bar. Il alluma sa cigarette. Elle se planta devant lui au moment où il refermait son jouet de pyromane. En expirant une bouffée, il jeta un regard en biais sur l'importune. Il fit lentement remonter ses yeux sur son corps et tomba sur le visage radieux de Parker. Légèrement agacé, il détourna son regard loin devant lui et maugréa :

— C'est cela que vous appelez discrétion, avec une robe pouvant exciter le plus sauvage des taureaux en chaleur ?

— Vous restez bien de marbre, répliqua Parker. Quel danger pourrait-il y avoir ?

— Je ne suis pas le seul mâle.

Theodore lui indiqua les autres clients d'un signe de tête. La rousse haussa les épaules.

— Question de domination, dit-elle. Plus les regards sont fixés sur vous, plus vous pouvez maîtriser les éléments qui sont autour de vous.

— Pourquoi pensez-vous que je me suis installé ici ?

— Pour mieux me dévorer du regard, répondit Parker avec un air malicieux en prenant place sur le siège voisin.

Excédé, Theodore soupira et s'alcoolisa paresseusement.

— Et pour répondre à votre question…

— Je ne vous ai jamais rien demandé, l'interrompit Theodore, et c'est bien ça mon malheur.

— Quand les regards sont posés sur votre personne, vous n'avez pas à réfléchir sur votre manière de vous comporter avec la peur de vous faire démasquer.

Theodore ne daigna pas réagir à cette remarque. Il avait accepté cette entrevue uniquement pour obtenir des explications. L'argent, il s'en moquait. Grâce au dossier Marsh, il avait appris sa relation antérieure avec Edward Holloway et il comptait bien arracher à Parker des éclaircissements sur cette étrange corrélation.

Une cigarette entre ses doigts, il pencha son regard dans le vide alors que Parker avait sorti un tube de rouge à lèvres et un miroir de poche de son sac à main. Vu depuis l'autre côté de la vitrine du bar, le couple était comparable à deux oiseaux de nuit perchés sur une branche au clair de lune. Edward Hopper aurait pu crier au plagiat si ce tableau avait été non pas une simple coïncidence, mais une mise en scène volontaire.

Parker détecta l'air ennuyé du chasseur et se demanda ce qui pouvait bien le tourmenter.

— Que vous arrive-t-il encore, Teddy-Bear ? lui demanda-t-elle d'un ton désinvolte en vérifiant son maquillage dans le reflet de son miroir. Vous me semblez bien grincheux pour un homme s'apprêtant à recevoir sa récompense.

— Veuillez m'excuser de me soucier de votre sécurité, grogna Theodore.

— Qu'est-ce qui vous fait dire que je suis en sursis ?

— En vous préoccupant moins de votre camouflage, vous auriez sans doute remarqué que nous sommes encerclés par la mort.

— De quoi parlez-vous ?

— Les trois types jouant aux cartes à la table du fond. Ils sont armés jusqu'aux dents et prêts à vous mettre une balle dans la tête dès que vous vous lèverez de votre chaise.

Elle jeta un œil sur les hommes mis en cause.

— Vous portez bien une arme et ce n'est pas pour autant que vous allez vous en servir, rétorqua-t-elle. C'est un droit que nous accorde notre cher deuxième amendement.

— Je ne m'inquiète pas de ceux qui portent une arme, je m'inquiète de ceux qui ont l'intention d'en faire usage. Et croyez-moi, quand un type veut vous faire la peau, son regard vous le fait savoir.

— Soit, que dit le regard de ces messieurs ?

— À la table de gauche, les deux hommes sirotant leur verre de scotch avec un colt qui dépasse de leur veste du dimanche, vous les voyez ?

Elle scruta discrètement les deux hommes et remarqua les pistolets accrochés à leur taille.

— Quand vous êtes entrée, leur regard a changé et je vous garantis que ce n'était pas pour vous inviter à danser, ajouta Theodore d'un air revêche. Ils ont le même regard que l'un de mes amis quand il repère un morceau de viande vendu à moitié prix. Même chose pour le type près de la porte, et je veux bien croire qu'il soit gâté par la nature, mais de cette envergure-là, je n'ose l'imaginer.

Elle tourna son regard. Un homme contrarié, présentant une partie grossie au niveau des poches de son pantalon, se tenait près de la porte d'entrée.

— Cela n'est peut-être pas votre cas, mais vous seriez surpris de savoir que certains hommes ont été bénis des dieux.

— Au lieu de perdre votre temps à comparer les dons du Seigneur, je vous signale qu'un tireur est posté à la fenêtre de l'immeuble d'en face.

Parker utilisa son miroir de poche et repéra, à l'endroit décrit, le tireur en position.

— Quel bel engin a-t-il là, dit-elle avec ironie. Vous croyez que les dimensions des armes de ces messieurs sont égales à celles de leur anatomie ?

— Si c'était le cas, vous m'en voyez désolé pour votre mari.

La rousse foudroya l'homme au costume bleu du regard. Il fit abstraction de son mépris et but une autre gorgée de son gin-tonic.

— En ce cas, si la mort s'invite à notre table, que fait-on pour s'en débarrasser ? demanda Parker.

— On paye l'addition, dit Theodore en posant son regard sur le client assis au comptoir sur leur droite.

Il n'en fallut pas plus à la rouquine pour déchiffrer le sous-entendu. Parker était douée pour une chose, rendre fous les hommes au point de leur faire perdre la tête. Et jusqu'à présent, aucun d'entre eux n'avait échappé à son venin. En chasse, elle aborda sensuellement le client qui buvait un verre de scotch.

— Bonsoir. Cette place est prise ?

Sans attendre la réponse du client, elle s'installa à ses côtés.

— C'est un bon cru ?

Il ne put répondre à sa question qu'elle commandait déjà un Martini au barman. Neal déposa un verre en forme d'entonnoir devant Parker et commença à préparer la boisson avec virtuosité. Elle se tourna vers le client au scotch pour lui faire la conversation.

— J'ai toujours pensé que le choix d'une boisson déterminait la personnalité d'une personne. Vous devez être un homme de grande stature pour boire un scotch single malt.

Le Martini prêt, Neal glissa le verre entre les mains de Parker. Elle n'en but pas et préféra jouer avec le cure-dents de la boisson incolore. Un geste qui hypnotisa le client. Elle tissait lentement mais sûrement sa toile.

— Une boisson légendaire révélant en longueur un arrière-goût puissant.

Elle plaça le cure-dents dans sa bouche et d'un geste érotique aspira l'olive. L'homme se raidit sur place. Parker passa sa bouche près de l'oreille du client piqué au vif en aventurant doucement sa main sur le chemin de son entrejambe.

— Vous semblez en être digne, murmura-t-elle d'une voix charmeuse en subtilisant son arme.

Elle avait réussi son tour de passe-passe et enfonça discrètement l'arme dans les côtes du client.

— Faites ce que je vous dis et votre whisky ne finira pas en cocktail Manhattan.

Paralysé, le client déglutit l'alcool qui était encore dans sa bouche.

— Je veux que vous commandiez à vos camarades de nous laisser partir et de préférence en vie. Sans quoi, je crains qu'il n'y ait pas que le scotch que vous ne pourriez plus jamais savourer.

Elle déplaça l'arme entre les jambes du client pour lui faire entendre ses recommandations.

— Me suis-je bien fait comprendre ?

Le client hocha la tête et dicta silencieusement aux autres hommes de ne pas intervenir. Elle se rapprocha de lui et chuchota :

— Un geste brusque et votre lignée s'arrêtera au bout de cette détente.

Fière d'elle, elle retourna auprès de Theodore.

— Partons avant qu'ils ne changent d'avis, lui dit-elle.

— Si ce n'est pas déjà fait, répliqua Theodore d'un air inquiet.

Parker suivit son regard. Un homme déterminé les attendait devant la porte d'entrée et tous les autres étaient maintenant debout prêts à tirer sur eux. Elle regretta immédiatement de ne pas avoir changé la couleur caramel du whisky en cerise.

— Apparemment, ils se fichent des plaisirs de la chair, soupira-t-elle avec déception.

Theodore leva un sourcil interrogatif.

— Laissez tomber. Vous êtes hors-jeu, ajouta Parker avec un geste blasé.

— La porte de service des cuisines est notre plus proche moyen de sortie.

— Sans vouloir vous paraître désobligeante, Teddy-Bear, vous avez remarqué que pour parvenir à cette porte du salut, il nous faut éviter une armada de colosses armés.

— Si vous avez une autre solution rangée dans votre sac à main, Betty Boop, n'hésitez surtout pas à la partager. Et pour information, je ne crois pas que votre petit jeu de séduction fonctionne sur ces messieurs.

— Encore une fois… vous seriez surpris.

Las, Theodore but son *G and T* devant l'air exaspéré de Parker.

— Vous comptez mourir un verre d'alcool à la main, pesta-t-elle, ou vous vous décidez enfin à ce que l'on puisse sortir d'ici en vie ?

— Nous allons sortir d'ici en vie.

— Au moins, face à la mort, vous gardez espoir.

— Et je ne laisse jamais un verre d'alcool vide. Question d'équilibre.

Theodore s'apprêta à finir son verre, mais celui-ci explosa d'une façon inattendue entre ses mains. Le tireur de l'immeuble d'en face venait de faire feu. Parker lâcha un grand cri tandis que l'homme au costume bleu n'avait même pas cligné des yeux. Le ton était donné.

— C'est bon, vous avez terminé ? paniqua Parker. Pouvons-nous partir avant qu'ils n'utilisent les planches de ce bar pour fabriquer nos cercueils ?

Theodore soupira et essuya ses mains dégoulinantes d'alcool avec une serviette en papier. Le danger à son paroxysme, Parker fut ahurie par le comportement flegmatique de l'Anglais et douta de ses réelles compétences à la protéger. À vrai dire, à part sa course-poursuite qui avait failli lui coûter la vie, elle n'avait encore jamais vu le chasseur numéro un à l'œuvre. Comme des cow-boys du far west, tous les hommes avaient gardé une main sur leur arme pour la dégainer au bon moment. Personne n'osait ni bouger, ni parler. Nullement déstabilisé, Theodore leva la main pour réclamer le service d'un Neal apeuré. Le barman n'était pas à son premier coup d'essai en termes d'accrochage, mais celui-ci était de loin le pire qu'il ait subi dans son restaurant-bar.

— Un autre, commanda Theodore.

Neal s'exécuta et déposa, tremblotant, un autre verre de gin-tonic devant son client. Theodore huma le verre, l'avala d'une traite, le reposa bruyamment sur le comptoir et fit disparaître sa main dans sa veste. Un geste provocateur qui obligea ses assaillants à braquer leur arme sur lui. En douceur, Theodore sortit une innocente cigarette pour la mettre dans sa bouche, puis insinua à nouveau sa main dans la poche intérieure de sa veste. Les hommes armés chargèrent leur arme. Cette fois, Theodore révéla avec décontraction son Zippo métallique qu'il activa pour embraser sa cigarette. Il le rangea, prit une bouffée et perçut sur le côté un homme s'apprêtant à tirer. La musique s'arrêta. En moins de trois secondes, Theodore dégaina son arme et le tua d'une balle.

— Couchez-vous ! cria-t-il à Parker.

Theodore et Parker se jetèrent au sol et s'abritèrent contre une paroi du comptoir. Dans la seconde qui suivit, des balles volèrent au-dessus de leur tête. Elles transpercèrent le bois du bar et les bouteilles d'alcool sur l'étagère qui éclatèrent les unes après les autres. Au cours de l'assaut, Neal se prit une balle perdue dans la poitrine et s'écroula, lâchant la bouteille de gin dans sa main. Sous le feu de l'ennemi, Theodore se redressait par intermittence pour riposter. À ses côtés, Parker boucha ses oreilles sensibles de ses deux mains. Elle n'était toujours pas habituée aux luttes armées, malgré le fait de partager sa vie avec des hommes qui dormaient en compagnie d'un pistolet sous l'oreiller. Le chasseur ignora ses peurs et exigea sa coopération.

— Vous savez vous servir d'une arme ? s'écria-t-il en tirant.

— Autant que vous de votre manche, répondit Parker sur le même ton, en pointant du regard l'entrejambe de Theodore.

Theodore prit l'arme volée par Parker et lui montra comment s'en servir.

— Chargez, visez et tirez.

— C'est votre mode d'emploi pour séduire les femmes ?

— Non, pour leur dire de la boucler, répliqua Theodore en lui rendant l'arme.

L'homme au costume bleu progressa à couvert de l'autre côté du comptoir et se glissa derrière par son ouverture.

— Vous autres les Britanniques, vous avez toujours eu ce je-ne-sais-quoi pour faire craquer les femmes, ronchonna Parker en suivant le chasseur à quatre pattes.

En sûreté, Theodore regarda le corps sans vie de Neal étendu sur le sol. Le regard vide et figé du barman le peina. Une victime collatérale supplémentaire d'une guerre vengeresse. Il serra la mâchoire et retournait à la réalité lorsque Parker l'apostropha :

— Pourrions-nous connaître la suite de votre idée de génie ?

— J'finis ma cigarette, dit Theodore en chargeant son arme.

— N'est-ce pas maladif de vouloir absolument finir tout ce que vous commencez ? râla Parker en élevant la voix pour couvrir le bruit des tirs.

Theodore se releva, supprima un homme et se repositionna hors d'atteinte.

— Généralement, on me dit juste merci, répondit-il.

Parker leva les yeux au ciel. Un autre homme allait répliquer, mais Theodore le surprit en premier et l'élimina.

— Tuez aussi la fille ! cria un des hommes qui s'étaient arrêtés de tirer. Le patron veut qu'on la supprime !

Theodore continuait de tirer par à-coups alors que Parker s'était brusquement figée. L'expression de son visage était défaite, sa bouche entrouverte et ses yeux frappés d'une terreur qui accélérait les palpitations de son cœur. Un cœur autrefois fidèle, qui s'était rompu lors de cette injonction exécutrice. C'était impensable : Richard avait donné l'ordre de la tuer ! Elle avait pourtant pris son parti… Un homme resquilla jusqu'au comptoir, sa tête dépassa du bar. Le traumatisme de ce parjure était tel qu'elle crut voir le visage de Richard au lieu de celui de l'agresseur. À cette hallucination visuelle, ses mains se nouèrent, comme une corde autour du cou d'un condamné, sur la crosse du pistolet. Elle redressa son arme et tira une balle dans la tête de l'homme qui succomba au tir.

— C'est maintenant que vous vous décidez à participer ? railla Theodore.

— Sachez, mon cher, que je suis la seule à décider du moment où j'entre en jeu.

Le client au scotch était monté sur une table pour viser derrière le comptoir avec son pistolet. Il n'eut pas le temps d'actionner sa gâchette que Theodore s'était redressé pour lui tirer dans la jambe. Le client chuta sur la table et poussa un cri déchirant en dégringolant sur le plancher. Theodore grimpa sur le comptoir, l'acheva d'une balle dans le torse puis tira sur un autre homme à découvert. Il sautait sur la terre ferme quand un blondinet fonça sur lui avec un couteau à la main. Le chasseur le neutralisa d'une prise de combat. Il le tua d'un coup sec avec son coupe-papier et laissa lourdement retomber le corps. Ce fut la dernière attaque. Le danger écarté, Parker se releva et regarda Theodore constater les dégâts. L'odeur de poudre et d'alcool avait remplacé celle du bon café en grains et des plats cuisinés du Devil's Pack. Tous leurs adversaires étaient à terre. L'homme au costume bleu s'approcha du corps sanglant de l'un d'eux. Un objet rond de la taille d'un pouce scintillait près de celui-ci. Il le ramassa et reconnut la pièce de l'Entreprise de Californie avec son grizzly et sa devise : « Jamais vaincu, toujours triomphant. »

— Des chasseurs, dit Theodore.

— Comment le savez-vous ? s'étonna Parker.

Theodore lui montra la pièce. Un sentiment de remords fouetta la conscience vacillante de la rouquine. Elle avait mis en danger le seul homme qui avait voulu la sauver. Elle avait fait le mauvais choix, encore…

— Teddy-Bear… Écoutez, je…

Un bruit extérieur alerta Theodore. Il imposa à Parker de se taire et scruta la rue par la baie vitrée. Un groupe de chasseurs arrivait.

— D'autres ne vont pas tarder, signala Theodore en dépossédant les cadavres de leurs munitions. Il faut partir. Venez.

Il entraîna Parker par la porte de service des cuisines afin de rejoindre une ruelle. Une clameur les força à se claquemurer dans ce lieu exigu. Dissimulé contre un mur, l'homme au costume bleu guetta les environs. Des chasseurs se déplaçaient fiévreusement dans la rue principale.

— Ils sont plus là ! cria un chasseur. Le renégat a buté tous les autres.

— Foutez-moi le feu à ce gourbi et trouvez-moi ce salopard de traître, rugit un autre. J'lui foutrai moi-même la balle qu'il mérite dans sa tête de piaf !

Theodore ne savait pas ce qu'il se passait, mais il ne prendrait certainement pas le risque de jouer les gladiateurs une deuxième fois pour le découvrir.

— Il faut que je vous parle, dit Parker avec vigueur.

— Je ne crois pas que ce soit le bon moment, répliqua Theodore en observant la ruelle.

— Ces chasseurs veulent votre mort. Je connais la personne qui les a engagés pour vous tuer.

— De quoi parlez-vous ?

— C'est Richard.

Theodore tourna subitement les yeux vers Parker. Elle le regardait avec désolation.

— Rick s'est joué de vous depuis le début, c'est lui le véritable renégat, avoua-t-elle d'une voix contrite. Je peux tout vous expliquer, toutes les preuves qu'il vous faut se trouvent dans son appartement secret. Vous m'avez sauvée, laissez-moi vous rendre la pareille. À vous de choisir ou non de me faire confiance, mais le temps de votre réflexion est compté, si l'on se fie aux paroles de vos collègues.

Theodore était déboussolé. Il doutait de la sincérité de Parker. Ce n'était pas la première fois qu'elle lui jouait des tours, et cette histoire avec Holloway ne l'aidait pas à avoir confiance. Il avait toujours suivi son instinct, mais cette fois-ci, il craignait qu'il ne l'amène sur un mauvais chemin. Les pas et les voix des chasseurs s'éloignèrent. Il analysa la situation. Fuir le pays lui était impossible. En supposant que Richard fût l'orchestrateur de cette chasse, l'homme avait sans doute tout prévu pour qu'il ne puisse pas quitter l'État. Et même s'il le pouvait, il le refuserait. Depuis toujours, on lui avait appris à résister et à se battre. Il était déjà trop tard pour demander de l'aide à ses amis d'outre-Atlantique, et ceux d'ici avaient probablement été interceptés par Richard pour contrecarrer toute forme de rébellion. Shepherd était un fin tacticien. Sa méthode favorite de chasse était d'isoler mentalement et physiquement sa proie pour l'affaiblir, afin de lui ôter tout espoir de s'en sortir. Tactique qui s'était révélée efficace à plusieurs reprises. Theodore continua sa réflexion devant le regard suppliant de Parker, puis se résigna à quitter la ruelle, lui saisissant la main. Il fallait faire vite. La ville devait déjà fourmiller de chasseurs. Un départ de feu se déclencha dans les cuisines du Devil's Pack et se propagea rapidement dans le reste de l'établissement dévoré par les flammes. L'alcool répandu sur le sol accéléra l'embrasement inévitable. Les poutres du bar fragilisées par le feu s'effondrèrent sur le comptoir et les tables. Les corps disparurent avec tous les souvenirs, les racontars d'un soir et les beuveries amicales dans un brasier effroyable. L'enseigne calcinée de la devanture tomba sur le trottoir comme une virgule détachée de son point, et la longue et belle histoire du Devil's Pack s'acheva dans un tas de cendres sinistre.

Quelque part, au son lointain des sirènes de pompiers, le dégénéré Curtis Yap prenait du bon temps à brutaliser un passant innocent. Gage et Hicks riaient aux éclats de cet acte gratuit devant Flamingo qui regardait la scène sans rien dire. Bien résolu à faire ses preuves depuis la récompense promise par le directeur, le jeune stagiaire avait marché solitairement dans les rues pour avoir une chance de débusquer le Corbeau traître avant les autres. C'est au croisement de l'une d'elles qu'il était tombé sur Yap et sa bande. Ô combien heureux de cette rencontre, Yap l'avait invité à rejoindre son équipe pour lui montrer de quelle manière procédait un chasseur de sa trempe. Le chasseur de Floride avait alors pris ce passant pour cible comme première leçon.

— Je ne veux pas de problèmes, prenez mon argent, supplia l'innocent en proposant d'une main tremblante son portefeuille aux malfrats. Je vous en prie, laissez-moi partir, ma femme et mes enfants m'attendent.

Yap prit le portefeuille et le jeta derrière son épaule, puis il accula avec force sa victime contre un mur pour lui faire subir tout ce qu'il imaginait pour son bon plaisir.

— Tu pourrais être prêtre que j'en aurais rien à foutre, tronche d'Alpha-Bits, cracha Yap en pressant puissamment ses joues charnues avec une seule main. Hein, les gars ? Vous ne trouvez pas qu'il a la même tête que sur les boîtes de céréales ?

Gage et Hicks rirent, mais pas Flamingo, resté à distance.

— Laissez-moi, j'ai rien fait, s'affola le passant.

— Ah oui ? fit Yap qui ne semblait pas de cet avis. J't'ai pourtant prévenu de ne pas marcher sur mon trottoir. Et qu'est-ce que tu viens de faire ?

Yap appuya sur sa trachée.

— J'ai marché sur le trottoir, répondit le passant, la gorge étouffée.

— Eh oui, mon petit bonhomme. Tu as marché sur *mon* trottoir. Et tu vois, quand les types dans ton genre se croient tout permis, j'leur fais vite comprendre qu'ils ne sont rien d'autre que ce qu'ils sont, de la merde. Mais avant ça… Petite leçon d'alphabétisation.

Le chasseur de Floride força sans ménagement le passant à se coucher sur le ventre.

— Répète après moi. Je…

Le passant se rebiffa. Roulant des yeux, Yap continua de le maintenir au sol en tordant son bras jusqu'à la limite du supportable.

— J'ai dit répète après moi. Je, rabâcha-t-il.

— Je…

— Ne suis.

— Ne suis…

— Qu'une.

— Qu'une…

— Merde.

— Merde…

— Félicitations ! s'exclama Yap, ravi. Maintenant, on répète la phrase en entier.

L'homme prononça la phrase si doucement que Yap ne put rien entendre.

— Qu'est-ce que t'as dit ? Vous avez entendu, les mecs ?

— Que dalle, répondirent ses collègues.

— T'as entendu, ceux qui sont au fond de la classe n'ont rien compris à tes marmonnements. Donc… le professeur veut que tu répètes la phrase plus fort pour que tout le monde puisse profiter du cours. C'est pas compliqué, tout de même. Allez, on t'écoute, face de fion.

— Je ne suis qu'une merde, cria le passant sous la douleur.

— Bah voilà. Ce n'était pas si difficile. Et maintenant, on imprime.

Le barbare appuya fortement et à répétition la tête du passant contre le sol. Il s'arrêta et le retourna pour chevaucher son corps.

— Fin de la leçon. Il est temps de passer à la note finale, déclara Yap en exhibant un couteau pliant à la face effrayée de son souffre-douleur.

La lame en acier de Damas présentait des motifs en forme de vagues avec un alligator gravé sur le manche en ivoire. Un couteau fait sur mesure à la demande de son propriétaire adepte des armes blanches.

Au même instant, Antonin, Archie, Clyde, Jim et Lloyd arrivaient en voiture dans le quartier de l'appartement secret du directeur. Connaissant le chemin, Lloyd commanda à ses amis de continuer à pied et ils s'engagèrent dans une rue déserte. Au bout de la rue qui menait au domicile, ils s'immobilisèrent en apercevant la bande de Yap.

— Yap ! ragea Clyde. Qu'est-ce que cet enfant de putain fiche ici ?

— Il doit être à la recherche de Teddy comme tous les autres, répondit Antonin.

— Flamingo est avec eux, dit Archie. Le directeur lui a sans doute ordonné de protéger le secteur.

De l'autre côté, Hicks entendit du raffut et reconnut au loin les chasseurs new-yorkais.

— L'un de ses chiens nous a flairés, signala Clyde, s'ils nous voient prendre la tangente, ils vont pas nous lâcher.

— Changement de plan, dit Lloyd. Antonin, fonce à l'appartement, nous, on se charge de les retenir.

Antonin fila par une autre rue puis la bande s'avança de front vers Yap. Hicks interrompit son chef râleur dans son jeu pour le prévenir de l'arrivée imminente des chasseurs concurrents. Yap releva la tête et eut un large sourire en voyant le groupe s'approcher. Il regarda sa victime et plaça sa lame tranchante contre sa gorge oppressée.

— J'ai une autre leçon à donner à d'autres merdes dans ton genre, dit-il sur le ton de la menace. Alors, sois sage et ne quitte pas ton lit, face de fion. Sinon, je peux t'assurer que tu chanteras comme un enfant de chœur toute ta vie, suis-je clair ?

Pour faire passer son message, Yap pressa son couteau sur les parties intimes de sa victime. Il n'en fallut pas plus pour que le passant hoche vivement la tête.

— Bon garçon, dit le chasseur en tapotant sa joue rosie.

C'est avec chagrin que Yap se détacha de son joujou humain pour se confronter aux oiseaux de malheur. Les bras grands ouverts, il s'avança jusqu'à eux en s'écriant, réjoui :

— Que font ici les plus célèbres bouffons new-yorkais en plein milieu de cette belle nuit ensanglantée ?

— On vient nettoyer les rues d'ordures dans ton genre, répondit Clyde, acerbe.

Yap ricana à cette pitoyable insulte.

— Au vu de l'épreuve que tu traverses, je vais te pardonner pour cet écart de langage, mon cher Clyde. Je sais à quel point ton petit cœur doit souffrir de cette trahison familiale. Crois-le ou non, je suis sincère. D'ailleurs, pour preuve de bonté, je te promets que lorsque je retrouverai votre petite maman adorée, j'lui couperai la tête d'un seul coup sec, comme pour les poulets.

— Va te faire foutre, Yap, fulmina Clyde.

— Avec plaisir, j'te laisse la place du chauffeur.

— Qui est-ce ? demanda Lloyd en jetant un regard derrière l'épaule de Yap.

Le chasseur de Floride se retourna pour regarder brièvement le passant qui n'avait pas bougé du bitume.

— Oh, ça ? fit-il d'un haussement d'épaules. Une merde qui souille mon trottoir.

— Laisse-le partir, exigea Clyde avec colère. T'as pas le droit de chasser sans contrat.

— Qui te dit que ce n'en est pas un ?

— Montre ton ordre de mission.

— Pas de problème, mon poussin.

Yap tâta ses poches sans rien trouver et mima une expression embarrassée.

— Merde, j'crois que je l'ai oublié chez toi quand j'ai baisé ta bourgeoise hier soir. Quel dommage !

Le sang de Clyde ne fit qu'un tour. Il libéra de son holster son colt Python et le pointa sur Yap.

— Wooh ! Toujours aussi court à c'que j'vois, ricana Yap, moquant le canon de quinze centimètres de son rival. Calme-toi mon mignon, je plaisantais. Ne me dis pas que tu as perdu le sens de l'humour, en plus de ta virilité. Si tu la veux, je te la laisse. Elle est toute à toi…

D'un geste de la main, Yap lui désigna, en souriant, le passant affolé, à qui Clyde cria de ficher le camp. La victime se redressa et se sauva à toutes jambes. Une remise en liberté qui causa un cruel désappointement au chasseur de Floride.

— Oh non, putain, t'as laissé filer mon repas ! geignit-il. Quel terrible gâchis… Tant pis, je me rassasierai avec le Corbeau.

Archie dévisagea le stagiaire aux côtés des comparses de Yap.

— Qu'est-ce que tu fais avec eux, Flamingo ? s'indigna Archie.

— Réponds pas, petit, coupa sèchement Yap d'un geste menaçant. Les merdes dans son genre, on ne fait que les écraser.

— Sale fils de pute ! l'insulta Clyde d'un ton féroce.

— C'est vrai. Je ne vais pas renier mon arbre généalogique. Qu'est-ce qu'on y peut, on ne peut pas tous descendre du singe, répliqua Yap en regardant Archie avec répulsion.

Furieux, Clyde enclencha le chien de son arme.

— Tu veux tirer sur moi ? s'esclaffa Yap. Vas-y, je t'en prie. J'm'ennuyais, alors ça ou autre chose.

— Ne fais pas ça, Clyde, tu serais radié de l'Entreprise, le prévint Lloyd, épouvanté.

— Qu'est-ce que t'attends ? aboya Yap.

— Arrête, Clyde ! Fais pas l'con, tonna Archie.

— J'ai les bourses qui commencent à geler, chérie !

Enragé, Clyde n'écouta pas ses amis. Il raffermit sa main sur son revolver et pressa un peu plus son doigt sur la détente.

— Attends ! J'vais t'aider, proposa Yap en plaçant lui-même l'arme sur son front. Allez, vas-y, j'suis prêt. Un, deux…

— N'oublie pas la mission ! cria Archie.

L'instant était critique. Tous le savaient, si Clyde tirait, leur couverture serait détruite et plus personne ne pourrait croire à leur obéissance à l'Entreprise. Theodore se retrouverait alors condamné. Le chasseur resta en position de tir, regardant Yap dans sa posture de crucifixion. Les yeux rapprochés, Clyde imaginait la mort de Yap et le sentiment de bonheur que cela lui procurerait de voir sa tête exploser. Un seul tir. Juste une foutue balle dans sa cervelle faisandée et il ne ferait plus partie de sa vie. Il n'était plus qu'à une pression d'abattre le chasseur aliéné quand une main fraternelle vint se poser sur son épaule. Clyde n'eut pas besoin de tourner son regard pour savoir que c'était Jim. Qui d'autre pourrait l'empêcher de faire cette erreur, si ce n'était l'homme qui avait déjà eu à vivre cet instant ? Seulement, il doutait d'avoir la même force d'esprit que son ami. Jim comprit son débat intérieur et lui serra doucement l'épaule. Ce geste silencieux valait pour eux bien plus qu'un long sermon. Trente secondes plus tard, l'envie de meurtre de l'Écossais prenait miraculeusement fin. Il venait de renoncer à sa revanche. Il abaissa son arme en serrant les dents devant un Yap qui souriait comme un imbécile. Même s'il abdiquait, il se promit de lui régler son compte à la prochaine occasion. Il se le jura sur la tête de Lloyd : ce rat d'égout finirait à la décharge.

— C'est bien c'que j'pensais, ricana Yap. Même un eunuque a plus de couilles que toi.

Du fond de la rue, un chasseur du Colorado siffla la bande de Yap.

— Alligator, rassemblement ! cria-t-il.

— Ouais, j'arrive… Désolé, mesdemoiselles, mais le devoir m'appelle.

Le sourire aux lèvres, le chasseur de Floride s'éloigna à reculons, escorté de sa garde rapprochée.

— C'est jour de paye pour Yap ! s'écria-t-il en brandissant ses deux poings en l'air.

Les chasseurs new-yorkais restèrent sur place et regardèrent, rageurs, la bande de Yap s'en aller. En d'autres temps, ils seraient repartis avec la gueule cassée et claudiquant comme des vieillards.

En route pour la garçonnière de Richard, Theodore rompit la vitesse de croisière de sa Riley et déboîta pour doubler toutes les voitures qui traînassaient sur la file. Pas le temps de jouer les bons conducteurs. Il devait arriver le premier au domicile du directeur afin de récupérer tous les dossiers préjudiciables qui le décrédibilisaient. Côté passager, Parker profita du trajet pour expliquer à Theodore la machination conçue par Richard pour lui nuire. Pour ne pas l'accabler plus que de raison, elle censura les quelques passages qui pourraient lui révéler sa part de complicité. À quoi bon le faire souffrir ? L'important était qu'il croie qu'il avait toujours eu une alliée sur laquelle il pouvait compter. Elle lui raconta son idée, s'il venait à être découvert, de lui faire endosser l'entière culpabilité du chapitre Marsh ainsi que ses affaires extérieures frauduleuses. Richard avait apparemment pensé à tout pour s'exempter de la justice de l'Organisation. Cela ne l'étonnait même pas. Shepherd avait toujours eu le talent pour inverser les situations à son avantage. Le chasseur resta silencieux pendant une longue minute. Une question le tourmentait. Comment Parker avait-elle pu être au courant de tous ces faits ? Une partie de lui pensait le savoir, et une autre refusait de le croire. Le mieux pour l'instant était d'éviter d'en connaître la réponse. Évoquer sa relation avec Holloway lui sembla plus pertinent, mais à peine avait-il décidé d'entamer la conversation qu'ils étaient déjà arrivés sur les lieux. L'immeuble de Richard était de dix étages et son appartement se trouvait au neuvième. Hélas, il n'y avait pas d'ascenseur, mais un escalier de pierre en colimaçon d'une grosse centaine de marches. Un effort serait à faire. Theodore refoula sa douleur à la jambe et monta l'escalier avec Parker pour atteindre, un peu essoufflé, le palier de l'appartement de Richard.

Pendant que la jeune femme surveillait les alentours, Theodore força la serrure de la porte d'entrée au moyen d'instruments de crochetage, toujours à portée de main dans le coffre de sa voiture. Il était préférable de faire preuve de discrétion, car si un voisin venait à les surprendre en mission d'infiltration, ils seraient bien incapables d'offrir une explication acceptable qui leur éviterait les sirènes de police et la garde à vue prolongée.

Le chasseur cambrioleur arriva vite à ses fins. Un déclic lui indiqua que la porte était déverrouillée. Il pressa la poignée et constata sa réussite.

— Je vous attends ici, dit Parker.

La rouquine resta pour faire le guet. Theodore évolua avec vigilance dans la pénombre de l'appartement. Il cibla la porte du bureau de Richard jouxtant le salon. Il tenta de l'ouvrir, or elle était verrouillée. À vue d'œil, la porte n'était pas plus épaisse qu'une lame de parquet et le verrou aussi utile que pour interdire à Lloyd d'entrer. Son ouverture ne nécessiterait pas ses talents de malfaiteur. Il opta donc pour la méthode que Clyde lui avait enseignée lors d'un contrat où une proie s'était cloîtrée derrière une porte barricadée. D'un coup de pied franc, il défonça la porte et passa de l'autre côté. Il examina les lieux et fonça sur la commode décrite par Parker. Il la déplaça sur le côté, arracha la plaque d'aération du mur et découvrit un coffre. Un gros cadenas en fer sécurisait la boîte en métal. Comment l'ouvrir sans la clé ? Lloyd lui aurait conseillé de jouer la carte de la prudence et Clyde celle de la rapidité. Le temps pressait. La voix de l'enfant terrible l'emporta de nouveau sur celle de l'homme sage. Tant pis pour les voisins. Le chasseur tira sur la serrure avec son pistolet. Le mécanisme sauta sur le coup. Le couvercle du coffre s'ouvrit et révéla des documents, une liasse de lettres, du liquide et un pistolet. Theodore prit le monceau de dossiers entre ses bras pour le lâcher en une fois sur le bureau. Il confisqua un carnet de comptes avec une liste de clients, des fiches de transactions bancaires, des papiers concernant ses trafics d'actions ainsi qu'un article de journal plié en quatre qu'il déploya à la lumière d'une lampe d'appoint. Ses yeux coururent le long des lignes incriminantes et se fixèrent sur la signature éditoriale. Il pâlit. C'était l'article, celui d'Evans. Impossible… Il y a dix-neuf ans en arrière, Richard lui avait certifié qu'il s'était occupé de sa destruction. Après toutes ces années de loyauté, il découvrait que le directeur avait gardé la preuve qui déterminait le lien entre Holloway et Clayton. La preuve qui alerterait de l'étrange simultanéité de leur disparition en plus de celle d'Evans et des Singleton. La preuve qui pourrait innocenter Richard si une enquête venait à être faite, légitimant un règlement de comptes entre le mafieux et le politicien. La preuve qui mettait en danger l'Entreprise et Theodore, qui n'avait fait que servir les intérêts de Shepherd. Tenant fermement l'article entre ses mains, Theodore se mit à repenser à tous les mensonges que cet homme lui avait déclarés. À tous les discours hypocrites et à tous ces instants où il avait été prêt à mourir pour un idéal que ce manipulateur avait implanté dans son esprit. Richard n'avait fait que tirer les ficelles. La vérité, c'est qu'il n'était à ses yeux qu'une marionnette. Un pantin que cet imposteur ambitionnait de jeter au feu si la situation venait à le désavantager. Il était atterré. Pire que ça, il se sentait trahi. Parker avait dit vrai…

Des pas décidés retentirent dans l'escalier. Parker se pencha furtivement par-dessus le garde-corps pour voir de qui il s'agissait. Elle tressaillit. C'était Richard. Il grimpait à toute vitesse les marches en spirale, comme s'il était poursuivi par un animal féroce. L'homme furieux donnait l'impression de jaillir de l'œil d'un cyclone. En sortant de son véhicule, il avait vu la fenêtre de son bureau éclairée. Le signal d'alerte qu'un individu s'était introduit dans son domicile sans y avoir été invité. Bien sûr, Richard avait déjà son idée sur l'identité du criminel. Et à cette allure, il risquerait de rencontrer très bientôt son principal concurrent dans ce marathon à l'amnistie.

Theodore rassembla à la hâte tous les documents sur le bureau. En fermant un dossier, il se crispa à la vue du cendrier Lucky Strike. Au milieu de la cendre se trouvait le cadavre d'une cigarette noircie qu'il aurait pu reconnaître entre mille. Il retira le mégot de la Craven A en le pinçant entre deux doigts, pour l'examiner de plus près. Du rouge à lèvres était visible sur la partie brune. Elle était récemment venue ici et avait potentiellement commandité sa mort avec Richard. Theodore relâchait le mégot dans la petite boîte quand Parker surgit en trombe dans la pièce.

— Richard est ici, l'avertit-elle d'un air alarmé. Il faut s'en tenir au plan. Fuyez par cette fenêtre, elle conduit à une issue de secours.

Il regarda Parker sans bouger.

— Que faites-vous ? Partez ! insista-t-elle avec un geste impatient.

Des pas vifs s'approchaient. Sans autre issue, il finit par ouvrir la fenêtre et l'enjamba pour accéder à la plate-forme de l'escalier de secours. Par la fenêtre du bureau, il regarda Parker quitter la pièce, puis fila avec les preuves par l'escalier de fer.

En rejoignant le salon, Parker rencontra Richard qui venait d'entrer en coup de vent après avoir vu sa porte d'entrée fracturée.

— Richard !

— Parker ? Qu'est-ce que tu fiches ici ?

Richard était déboussolé. Elle était là, devant lui et en vie. Envoyer une escouade à sa poursuite n'avait apparemment pas suffi.

— J'ai tenté de l'arrêter, lui expliqua Parker en simulant l'affolement, mais il n'a rien voulu savoir.

— De quoi est-ce que tu parles ?

— Woodrow ! Il a tout emporté, tout ce qui se trouvait dans ton coffre. Tes fiches bancaires, la liste de tes clients, l'article d'Evans.

Livide, Richard se précipita dans son bureau, accompagné de Parker. Il chercha avec acharnement ses documents personnels dans son coffre, mais plusieurs avaient disparu, dont l'article de journal.

— Le fils de… !

Il jeta rageusement à terre des documents sans aucune valeur et tourna le dos à Parker pour se pencher sur son bureau, ses mains en appui. Il était fichu. Theodore avait tout découvert et il s'était évaporé avec son seul moyen de s'innocenter.

— J'ai fait tout ce que j'ai pu, Rick, dit Parker.

— Comment a-t-il pu savoir ? cria Richard en tapant du poing sur la table.

— Woodrow a supprimé tous les chasseurs que tu as envoyés dans le bar. L'un d'eux était blessé, il l'a menacé. Le chasseur lui a révélé que tu étais l'auteur de cette chasse. Woodrow cherchait à savoir pourquoi et apparemment, il savait où aller pour trouver les réponses. Après ça, je l'ai suivi et…

Elle espérait que Richard croirait à son mensonge, mais son silence ne la rassurait pas. Richard était perdu. Il se sentait vaseux et étouffait dans son costume, comme prisonnier sur un manège infernal qui n'en finissait plus de tourner. Le voilà devenu la victime d'une odieuse conspiration de laquelle il n'était plus aux commandes. *L'avait-il seulement été ?* Pris d'un vertige incontrôlable, il desserra le nœud de sa cravate pour retrouver un nouveau souffle. Rien n'y fit. Il n'arrivait pas à faire baisser cette saloperie de tension qui accélérait son cœur fragilisé par l'angoisse de finir sur le gibet. Son médecin lui avait pourtant dit de lever le pied. Il brassa désespérément des papiers sur son bureau pour chercher son tube de comprimés, qui le soulageraient. Son regard s'égara sur la surface du meuble puis, comme celui de l'homme qui l'avait précédé, il s'arrêta sur le cendrier. Lorsqu'il analysa son contenu, le tourbillon prit fin. La réponse à tous ses tourments se trouvait là, sous ses yeux, depuis le début.

En douceur, Parker s'était rapprochée de Richard pour lui faire entendre raison :

— Rick. Quand Woodrow a tout découvert, il était désorienté. Je ne l'avais jamais vu dans cet état. J'en ai profité pour le manipuler. Il sait que tout le monde est contre lui. Je suis la seule personne en qui il ait encore confiance. Il avait besoin d'un lieu sûr pour cette nuit, et je connais l'endroit où il se trouve. Va le retrouver et tout sera fini.

Richard était immobile. Les yeux noirs, il continuait de fixer le mégot de Craven A qu'il aurait voulu incendier par sa seule pensée. Un objet insignifiant qui ranimait pourtant l'une de ses plus grandes craintes. Les poings de Richard se serrèrent sur son bureau. Il pouvait tout lui pardonner, sauf être remplacé par un autre et qui plus est, son ennemi.

Dehors, Theodore descendait, preuves en main, les derniers échelons de secours pour atterrir dans une ruelle. Alors qu'il s'apprêtait à partir, une personne s'interposa dans sa fuite. Une expression de surprise se figea sur son visage.

— Tony ?

Impensable. Antonin était face à son mentor et le visait avec son revolver chargé. Rage et tristesse accaparaient son visage. Nul doute que le jeune homme avait appris ce dont Theodore était accusé.

— Dis-moi que c'est faux, exigea Antonin amèrement.

— Tony, ce n'est pas le moment, répliqua Theodore en jetant un œil inquiet par-dessus son épaule. Des chasseurs pourraient débarquer.

— Dis-moi que c'est faux !

— Je ne suis pas un renégat.

— Il existe des preuves.

— Shepherd vous a leurrés. Il s'est servi de moi comme appât. C'est lui le traître.

— Les comptes sont réels.

— Il les a falsifiés, répliqua fermement Theodore.

De la méfiance passa dans le regard d'Antonin. Sa main devenue moite peinait à garder son arme dressée, tant il avait sué à la seule pensée de cet acte inimaginable.

— Tony, supplia Theodore.

Le mentor, l'ami, parfois le père, se tenait face à lui. Il ne demandait qu'à le croire sur parole. Une partie de lui était persuadée que Theodore n'était pas un traître, mais son jugement avait trop longtemps été faussé par l'Entreprise. Les mensonges dans son passé l'avaient détruit, jusqu'au jour où il avait croisé la route de l'homme au costume bleu. Et perdre foi en la seule personne qui l'avait remis sur pied le briserait à jamais. Il se remémora toutes les fois où cet homme avait été présent dans sa vie, et ce, jusque dans les moments les plus sombres où il ne méritait pas sa clémence. Ce soir, il faisait face à ces ténèbres. Au mépris des preuves et des ordres, il fit le choix de croire en lui, au risque de rester à terre. Theodore lâcha un discret soupir de soulagement lorsque Antonin baissa son arme.

— Je sais comment piéger Shepherd, dit-il. J'ai un plan, mais il faut que tu préviennes les autres.

— Ils veulent des preuves.

— Je les ai, va les prévenir.

— Hors de question, je reste avec toi.

— Nous n'avons pas le temps pour ça, Tony.

— J'te laisserai pas.

— Une putain de meute de tueurs est à mes trousses ! s'emporta Theodore. S'ils te voient avec moi, ils te descendront !

— J'm'en fous ! Je reste avec toi, rétorqua Antonin avec fermeté. On doit toujours couvrir les arrières de nos frères, quelles que soient les conséquences, ce n'est pas ce que tu me disais ?

— Je ne peux rien faire tout seul. Sans les autres, je n'aurai aucun moyen de prouver mon innocence et aucune chance de survie. C'est ça que tu veux ?

Mentor et élève se défièrent du regard. Antonin luttait pour ne pas l'abandonner. Theodore sortit son stylo-plume et écrivit l'adresse d'une usine désaffectée, située dans une zone reculée de New York, sur un des documents qu'il donna à Antonin.

— Si tu veux couvrir mes arrières, allez mettre ces documents en sûreté, et prenez garde à ce que personne ne vous suive. Ne faites confiance à personne. Ensuite, rejoignez-moi à cette adresse. L'entrepôt numéro vingt-six, Jim connaît l'endroit.

Theodore recula, mais il voyait qu'Antonin s'obstinait à rester sur place. Agacé, il ramassa au sol une boîte de conserve rouge et blanc de tomate concentrée vide.

— Obéis ! rugit-il en jetant la boîte sur le jeune homme stoïque pour le faire réagir.

D'un pas sur le côté, Antonin évita la boîte de justesse puis s'enfuit malgré lui. Theodore veilla à ce qu'il ne revienne pas sur ses pas et s'éloigna en courant dans la direction opposée.

À la retombée de la boîte en fer, Richard avait subitement levé son regard sur la fenêtre ouverte de son bureau, obstruée par un rideau blanc. Il s'en approcha et s'y pencha en dégageant violemment le voilage qui s'envola dans l'air du soir. Un bruit de pas précipités dirigea son regard. Là ! Une silhouette masculine courait dans l'artère principale. Richard se trouvait à une trop grande distance pour reconnaître le jeune North et pensa instantanément à Theodore. L'obscurité ne lui permettait pas de voir avec exactitude, mais la taille et l'habit du fuyard paraissaient correspondre à son employé. Il ne pouvait s'agir que de lui. Qui d'autre pourrait être à sa poursuite ? Il passa précipitamment par-dessus le châssis de la fenêtre pour le prendre en chasse. C'était une chance unique de l'arrêter et de se débarrasser définitivement de Holloway.

— Rick ? Qu'est-ce que tu fais ? s'affola Parker.

Richard dévala à tombeau ouvert les volées de marches métalliques, son pistolet à la main. En bas, il sauta à son tour dans la ruelle. Il espéra retrouver Theodore dans la rue principale, mais il n'y avait déjà plus personne. Le fugitif avait été plus rapide et il avait pris trop d'avance pour qu'il puisse le rattraper. Il était foutu. Ce chien de l'enfer l'avait une fois de plus doublé. Richard cria sa rage. Il frappa avec son pied dans une poubelle qui roula à terre en vomissant ses déchets. Il fit quelques pas agités avec la crosse de son arme collée contre sa tempe, puis s'arrêta en la serrant puissamment dans sa main. Il devait se maîtriser. La colère était l'ennemie de la réflexion. Il n'était pas l'heure de renoncer. Rester serein, c'est ainsi que toutes les batailles pouvaient être gagnées. Il reprit contenance et affirma sa détermination destructrice par une expression d'une austérité olympienne. Il était temps d'en finir.

# CHAPITRE XIV
## Disgrâce

Minuit. Tout le monde avait maintenant connaissance du lieu où se cachait la proie. Dans quelques minutes, l'usine abandonnée serait assiégée par une vingtaine de chasseurs qui avaient pour mission de traquer et tuer l'ennemi numéro un, Theodore Woodrow. Le rugissement d'une tempête tonna dans le ciel ombragé. Aux abords de l'usine, on entendait siffloter une comptine, désagréablement entrecoupée par l'effleurement d'une longue barre de fer contre le bitume mal entretenu. Sifflotant, Yap marchait en toute décontraction en traînant derrière lui la tige de métal. En arrière, Hicks, Gage et Flamingo rôdaient à l'écoute du plus petit bruissement.

De l'autre côté de la fabrique, un moteur ronfla, puis une paire de phares jaunes naviguant dans la nuit surgirent. Le moteur fut coupé, les phares s'éteignirent. La lueur d'un réverbère révéla une voiture de couleur marron stationnée à l'entrée de l'usine. Richard, Parker et deux chasseurs new-yorkais sortirent du véhicule. Parker menait la marche sous une pluie fine. Elle entraîna le groupe jusqu'à l'entrée principale du bâtiment. Comme détaillé par Theodore, la façade était marquée à la peinture blanche du numéro vingt-six. C'est ici que devait avoir lieu la rencontre. L'usine semblait abandonnée depuis quelque temps. Il n'y avait aucun bruit de machine en fonction ni d'ouvrier au travail. Le parfait lieu isolé pour un règlement de comptes, songea le directeur en vérifiant le chargeur de son pistolet.

La boue avait eu vite fait de tacher les chaussures en cuir de Richard. Le directeur grogna, fit signe à ses hommes d'attendre son retour. Il emboîta le pas de la rouquine qui entra dans la bâtisse détériorée pour s'aventurer au centre d'une salle vide. Des gouttes d'eau tombaient du premier étage à travers une brèche dans le plafond pour atterrir dans une flaque aux pieds de Parker. Une forme confuse et noire se refléta dans l'ondoiement de l'eau. Plongée dans l'obscurité, elle présidait muettement le prétoire du jugement qui allait être rendu.

— C'est ici, dit Parker à Richard. Teddy-Bear, c'est Parker !

L'appel se réverbéra dans l'usine. Theodore devait faire son apparition sous peu. Elle avait délibérément amené Richard à cet endroit pour le donner en offrande au chasseur. C'était le plan qu'elle et l'homme au costume bleu avaient conçu. À moins qu'il n'ait changé d'avis… Elle désespéra de ne pas le voir et cria son nom encore une fois. Alors une voix, plus froide et plus profonde, la remplaça.

— Je le retrouverai moi-même.

Parker se retourna, Richard pointait un pistolet sur elle.

— Rick, à quoi joues-tu ?

— J'élimine les dangers.

Richard était calme. Peut-être trop même, au goût de Parker qui s'en inquiéta.

— De quoi est-ce que tu parles ?

— Plus de mensonges. Je sais, pour toi et Woodrow.

— Où veux-tu en venir ?

— Ne me prends pas pour un imbécile.

Il avait haussé le ton. La colère s'était substituée à sa lucidité. Parker le regretta. Comme tous les hommes avec qui elle avait partagé sa vie, Richard était impulsif. Et comme tous ces hommes, il agissait sans penser aux conséquences.

— Tu étais la seule au courant pour le coffre, fulmina Richard en secouant son arme. Comment aurait-il pu savoir qu'il devait se rendre à mon appartement ?

— Je te l'ai dit, c'est un chasseur qui t'a dénoncé.

— J'aurais pu te croire si tu ne me trompais pas avec lui.

— Comment tu…

Il ne lui laissa pas l'occasion de terminer sa phrase.

— Pensais-tu sincèrement pouvoir me devancer ? s'écria-t-il.

Parker fixa Richard d'un œil énigmatique. L'expression sur son visage n'était plus qu'aversion. Ils ne marchaient plus dans la même direction. La poupée en porcelaine se fissura puis adopta un comportement détaché.

— Je ne ferais pas ça si j'étais toi, dit-elle d'un ton dégagé. Dois-je te rappeler que si tu choisis de me tuer, nos affaires prendront fin et Pierce fera tout pour me retrouver ? Sans oublier que les chasseurs ont l'interdiction de tuer pour leur compte.

— Je n'ai plus rien à perdre, répondit Richard froidement. L'argent n'a plus aucune importance. Tout ce qui compte ce soir, c'est de protéger ce que j'ai mis tant d'années à construire. Pour ce qui est de l'Entreprise, j'ai persuadé tout le monde que tu étais du côté de Woodrow, sans le moindre effort. Il est étonnant de constater comme le mélange de l'argent et de l'autorité peut faire changer les esprits, même les plus chevronnés.

Il arma son pistolet.

— Depuis le premier jour, nous savions tous les deux que ce serait l'un ou l'autre. Il est temps de rompre, chérie.

Le regard noir, Richard pressa la gâchette de son arme, défiant l'expression terrorisée de Parker. Elle pria de toute son âme pour que Theodore lui vienne en aide. Elle espéra jusqu'à la dernière minute voir apparaître son ange bleu qui la sauverait et lui pardonnerait ses erreurs.

Une détonation se répercuta à l'extérieur du bâtiment désaffecté. En rasant les murs, Theodore l'entendit. Il s'adossa contre un mur et ferma les yeux, espérant qu'il n'était pas déjà trop tard. Une patrouille de chasseurs l'avait ralenti. L'inquiétude de ne pas avoir pu arriver à temps pour la secourir le mortifia. Elle ne méritait pas de mourir pour lui. Personne ne le méritait. Il identifia la position du coup de feu et s'élança vers le point de son origine. À proximité, Yap et sa bande le virent entrer à l'arrière de l'usine. Le sourire de Curtis s'élargit. Le Corbeau venait de tomber tout droit dans la gueule grande ouverte de l'Alligator.

Dans l'usine, Parker gisait au sol. Elle était encore en vie, mais un flot ininterrompu de sang quittait son enveloppe corporelle en péril. Un trou béant s'était creusé au niveau de son foie. Richard avait appuyé sur la détente, faisant fi de leurs liens et de tous les moments vécus ensemble. Il avait choisi de la sacrifier pour se sauver. L'arme encore fumante dans sa main, il s'approcha lentement de son corps mutilé. Il s'accroupit à ses côtés pour l'observer agoniser. La reine gémit de douleur et suffoqua devant l'insensibilité de son roi qui dissimulait péniblement un sourire victorieux. Il glissa ses doigts dans ses fins cheveux roux, caressa tendrement son visage qui était devenu d'une pâleur exsangue, puis passa sa main sous sa nuque pour l'approcher rudement de lui et plaquer sa bouche contre son oreille.

— Tu sais, mon amour, murmura-t-il d'un ton dédaigneux, tu as toujours su manipuler les hommes en leur faisant croire au meilleur d'eux-mêmes, mais au fond, tu n'as jamais vraiment su mentir. Tout est déjà si transparent chez toi. Ta solitude, ta tristesse, ta rancune envers eux. Tu les hais autant qu'ils peuvent t'aimer. Et le pire, c'est que tu en as pleinement conscience.

Il appuya avec force sur la blessure à vif, provoquant un cri de souffrance chez Parker.

— Tu t'amuses à les faire souffrir, à les écraser dans leurs sentiments, à les rendre dépendants de toi, jusqu'au moment de disparaître pour les abandonner plus bas que terre. Je pensais que notre relation était unique. Au bout du compte, je ne suis qu'une croix de plus à ton tableau de chasse. Personne ne te pleurera, car pour ça, ma chère, il faut être aimé.

Il frotta avec son pouce le pendentif devenu rouge de sa pièce maîtresse et le laissa retomber sur sa poitrine asphyxiée.

— Tu le salueras de ma part.

Richard embrassa le front de Parker. Un baiser d'adieu sans passion pour l'achèvement de ce qu'avait été leur relation, la chute au fond d'un précipice d'un amour à la frontière de la haine. Elle vit la mort dans son regard. Aucune prière ne pourrait lui épargner son destin. Il sortit son cran d'arrêt et le planta dans sa blessure pour le retirer aussi sec. Parker poussa une plainte libératrice. Elle éprouvait une profonde tristesse, aussi douloureuse que la lame de son bourreau qui avait entaillé son être. L'homme au costume bleu ne l'avait pas sauvée. Était-il déjà mort ? Avait-il été retardé ? Ou bien avait-il fait le choix de l'abandonner à son triste sort ? Quelles que soient les raisons, elle lui pardonnait, car pendant un court instant, il l'avait aimée.

Richard la regarda s'éteindre lentement dans ses bras. Elle était partie sans supplication ni larmes. Échec et mat. Il se redressa en sortant un mouchoir de poche, et nettoya, insensible, ses mains enduites de sang, face au corps de son ancienne amante reposant dans sa dernière couche d'infidèle.

Les deux chasseurs new-yorkais surgirent aux côtés du directeur. L'un d'eux demanda :

— Directeur, que faisons-nous pour Woodrow ?

— La chasse est toujours ouverte, répondit Shepherd, sans détacher son regard de Parker.

La sentence exécutée, l'ombre dans la flaque disparut dans l'impact d'une goutte translucide au cœur d'une mare sanguine.

Des trombes d'eau sévissaient hors de l'usine. Un éclair terrassa le ciel orageux. C'était un temps digne des derniers actes, pensa Lloyd en arrivant sur le site avec ses amis à bord du break. Avant de rejoindre Theodore, ils avaient suivi ses recommandations et trouvé un lieu sûr pour cacher les preuves contre Richard. Ils étaient maintenant prêts à répondre à l'appel de leur frère en sursis. Prêts à honorer leur amitié jusqu'au sang. En révisant l'état de leurs armes, ils virent au loin la voiture de Richard et d'autres chasseurs mobilisés pour la traque.

— Le directeur est ici, informa Antonin.

— Dispersons-nous, suggéra Lloyd. Nous aurons plus de chance de retrouver Ted.

Le groupe se divisa en trois équipes. Archie et Clyde partirent d'un côté, Lloyd et Antonin d'un autre, et Jim décida de faire cavalier seul. Chacun inspecta le terrain en veillant à ne pas se faire repérer par les chasseurs en quête du même objectif. La plupart de ces derniers étaient au courant de leurs liens d'amitié avec Theodore et mettaient sérieusement en question leur prise de position pour l'Entreprise. Il valait donc mieux rester discrets. La vie de leur ami en dépendait, surtout avec ce détraqué de Yap à ses trousses. En filant, Theodore l'avait aperçu dans sa course et avait été contraint d'abandonner son plan initial. Amener Parker à Yap, c'était offrir la souris au chat. Il connaissait l'animal. Et s'il devait l'affronter, il préférait le faire dans un huis clos plutôt que lors d'une chasse. Bien que faisant partie du genre humain, sa cervelle restait celle d'un carnivore attiré par l'odeur de la viande fraîche. Le chasseur de Floride était pire qu'un loup enragé lorsque sa proie se carapatait dans la nature. Il pouvait traquer une cible sur des kilomètres sans connaître la fatigue ou la lassitude.

Theodore s'abrita en catimini dans un local sombre et décrépit. Un peu partout se dressaient d'énormes machines métalliques hors d'usage. En les longeant, il entendit des pas derrière lui et se cacha précipitamment derrière l'un des engins. Le bruit d'un interrupteur qu'on activait résonna. Pourtant, rien ne se passa. Gage cria à ses compères que l'éclairage de la fabrique était en panne. Un soulagement pour l'homme recherché, passager toutefois, car un autre détail le préoccupait. Sur le mur d'en face, une partie de l'ombre des machines se reflétait sous l'éclat de la lune traversant les vitres poussiéreuses de l'usine. Les nuages noirs dans le ciel, qui se déplaçaient au gré du vent, révélaient par intervalles la lueur bleutée de l'astre. Theodore espérait que celle-ci ne s'orienterait pas en sa défaveur. Il veilla à ne pas faire de bruit et écouta Yap s'avancer dans la salle en chantonnant, avec sa folie légendaire :

— C'est une petite colombe aux ailes brisées. Enfermée dans une cage, elle rêve de s'envoler. Un jour la porte s'ouvre, elle retrouve sa liberté, elle s'envole dans les airs puis chute par terre. Oh ! non… Un chasseur l'a butée, lui tirant dans la tête avec une mitraillette.

Le regard de Yap rampa sur le sol puis sur le mur, l'ombre de Theodore s'y profilait. Comme il l'avait redouté, la lune avait trahi sa position. Yap avait trouvé sa cachette et il était hors de question de laisser partir sa proie en vie. Nul n'avait échappé à sa sévérité sans verser une goutte de sang.

— J't'ai vu, l'Corbeau, s'exclama-t-il d'un ton réjoui. Plus la peine de te cacher. Allez, montre-toi, qu'on puisse s'amuser un peu…

Theodore hésita à décharger toutes ses munitions, mais rejeta immédiatement cette idée. Il n'avait aucune chance de s'en sortir face à quatre hommes armés. Surtout si le dernier resté en lice était le plus redoutable de tous. Une autre solution vint à lui. S'il maîtrisait Yap et l'utilisait comme monnaie d'échange, peut-être que ses molosses le laisseraient partir sans qu'il ait à subir leurs tourments. C'était un pari risqué, mais il devait tenter sa chance. L'homme au costume bleu quitta sa cachette et se dévoila, sans duperie, revolver à la main. Cela n'inquiéta pas Yap qui, dans sa démence, l'invita à se rapprocher avec un curieux sourire.

— Allez viens, dit-il d'un geste avenant. C'est ça, approche, n'aie pas peur.

Theodore s'exécuta avec lenteur, puis s'arrêta à deux mètres de Yap. Le visage tendu, il tenait son arme le long du corps, son index déjà posé sur la détente. Yap était fichtrement rapide et il craignait qu'il n'arrive à le désarmer avant qu'il ait pu tenter quoi que ce soit. L'esprit follement dérangé, Yap se galvanisait de ce moment. Il ressemblait à un enfant survolté prêt à fêter son dixième anniversaire. Theodore arma son bras. Mais Hicks, redoutant un tir, riposta. Une balle transperça le bras du chasseur new-yorkais qui, un genou à terre, cria de douleur et lâcha son arme, vite ramassée par Gage. Une initiative qui fit éclater Yap de rage contre son sbire :

— Non, non, non ! Qu'est-ce que j'ai dit ? Il est à moi, merde !

— J'suis désolé, Curtis… J'pensais que… bafouilla Hicks.

— TU PENSAIS QUOI ? BORDEL ! TU VIENS DE ME L'ABIMER ! hurla Yap en jetant, hystérique, sa barre de fer.

— J'voulais juste t'aider.

Les traces d'une cruauté infinie s'agrandissaient dans les yeux noirs de Yap qui s'approcha vivement de Hicks avec son couteau.

— M'aider ? fit-il d'un ton moqueur. Parce que tu penses me servir à quelque chose ?

Hicks n'eut pas le temps d'ouvrir la bouche que Yap se jetait sur lui pour poignarder sauvagement son palpitant.

— Tu ne comprends jamais rien ! cria-t-il. T'es qu'une putain de couille molle !

Yap retira son arme du corps de Hicks qui tituba sur place en comprimant sa blessure. Une large auréole de sang s'était répandue sur sa chemise blanche. Le chasseur fou bouscula violemment Hicks au sol. Il l'immobilisa en s'asseyant à califourchon sur sa carcasse, comme un cavalier enjambant sa monture. Ses yeux étaient frappés d'une folie meurtrière. Plus rien ni personne ne pourrait l'arrêter. Il brandit son poignard puis, à chacun de ses mots, larda, survolté, plusieurs parties de sa *piñata* humaine écharpée.

— Alors. Comment. Veux. Tu. Me. Servir. À. Quelque chose ?

Du sang giclait sur le visage de Yap à chaque nouveau coup porté. Une main sur sa blessure, Theodore regarda cet ouragan de violence avec résignation, se préparant psychologiquement à devenir sa prochaine pochette-surprise. Soudain, un bruit parasite derrière Yap mit Theodore en garde. Il affina sa vision et reconnut Archie et Clyde, derrière des machines, lui signifiant de ne rien tenter. Ils étaient son unique chance de ne pas finir en charpie. Il dissimula son soulagement, Yap ne devait rien suspecter.

Hicks décéda au troisième coup de couteau, les yeux révulsés et la bouche béante. Ce qui n'empêcha pas Yap de s'acharner, encore et encore, sur sa victime esquintée. Les mains en sang, il passa l'une d'elles sur son visage, maquillant ignoblement une partie de celui-ci.

— Tous des incapables, maudit-il en expectorant un graillon sur le macchabée.

Après un temps mort, Yap, haletant, reporta son regard assoiffé de sang sur Theodore et déroula un nouveau sourire féroce. L'homme au costume bleu ne le lui rendit pas. Il se contenta de regarder le monstre dégoulinant de sève rouge s'avancer vers lui en faisant danser son couteau dans sa main.

— Petite colombe sans cervelle qui va finir dans ma gamelle, chanta Yap.

Le chasseur de Floride vint placer son visage près du sien. Theodore pouvait sentir l'odeur du sang encore chaud de Hicks sur le forcené. Refusant qu'elle devienne sa nouvelle fragrance, il pria pour que le plan de ses amis fonctionne.

— Cui-cui, chuchota Yap, pauvre Corbeau tombé de son nid. Qu'est-ce que ça fait de se retrouver sans sa petite famille ? Tout seul…

— Vas-y, Curtis ! l'encouragea Gage avec fougue. Descends-le pour qu'on encaisse le magot !

— J'en ai rien à foutre du fric ! s'écria Yap brusquement. Maintenant, ferme ta putain de grande gueule et laisse-moi faire c'que j'veux !

Gage referma sa bouche et déglutit. Il n'avait pas eu le courage de répliquer, au risque de finir comme feu son ami. Le silence revenu, l'Alligator reporta son regard barbare sur sa proie et lui demanda :

— Une dernière parole avant ta mise à mort ?

— Va au diable, cracha Theodore.

— Je suis sa créature, répondit Yap avec un sourire sardonique.

Curtis plaça la pointe de son couteau contre la gorge de Theodore, refusant de détourner son regard du sien. Ce défi excita un peu plus Yap, qui imaginait déjà tout ce qu'il pourrait inventer pour faire hurler le Corbeau de plaisir. D'abord, les boyaux, puis le cœur, avec bien sûr les cris de souffrance pour combler son appétit. Exploitant cette seconde d'inattention, Archie arriva en silence derrière Gage et lui trancha la gorge, pour ensuite menacer Flamingo de son pistolet, tout en faisant glisser l'arme de Theodore dans sa direction. En un tournemain, le chasseur de Floride sentit l'embout métallique et froid d'un revolver sur sa nuque.

— Lâche ton couteau, ordonna Clyde, prêt à tirer.

Yap s'immobilisa, l'arme tranchante sur la gorge offerte de Theodore.

— Ne serait-ce pas une sensation de déjà-vu ? se moqua Yap.

— Je ne le répéterai pas, lâche ton arme.

— Je suis peut-être fou, mais pas idiot. Je suis en nombre inférieur, ce qui veut dire que je ne sortirai jamais vivant d'ici. Alors, dis-moi, pourquoi je t'obéirais ?

— Ça déterminera ta façon de baiser le sol.

Yap jeta un rire mesquin. Abaissant son couteau, le chasseur de Floride accepta les conditions, pour les trahir aussitôt. Il se retourna rapidement vers Clyde et effleura son torse de sa lame. Clyde, légèrement blessé, recula. Témoin de la scène, Archie pointa son arme sur Yap pour protéger son ami. Theodore, debout, l'imita.

— Non ! Laissez-le-moi, cria Clyde à ses amis. Retrouvez Shepherd. J'vous rejoindrai une fois que j'en aurai fini avec ce chien.

Dès que l'attention ne fut plus sur lui, Flamingo leur faussa compagnie en courant vers une porte au fond de l'usine. Theodore et Archie le poursuivirent, d'un commun accord, pour l'empêcher d'avertir Richard ou d'autres chasseurs de la situation. Clyde se retrouva seul avec Yap. Le moment tant attendu était arrivé. Il jeta son colt Python par terre pour sortir son couteau. S'il devait tuer cette ordure, ce serait à armes égales. Surexcité, Yap joua avec le sien en tournant autour de Clyde, imitant ses déplacements.

— T'es sûr de vouloir jouer à ça ? demanda Yap, amusé.

—Te renvoyer là d'où tu viens sera ma plus grande satisfaction.

Clyde s'échauffait, mais Yap savait comment dégoupiller la grenade qu'il était.

— C'est vrai que celle d'honorer ta femme n'a jamais été ta priorité. Pour sûr qu'avec une queue qui fait la taille de ton flingue, elle a sûrement dû déjà essayer de se faire sauter la cervelle avec. Après t'avoir troué le bide, j'te promets d'aller remplir ton devoir conjugal et de faire capter ses cris jusqu'au Minnesota.

L'entendre parler ainsi de sa femme fit exploser Clyde. En criant, il fonça furieusement sur Yap qui l'évita. Un corps à corps s'engagea entre les deux chasseurs. Ils le savaient, l'un d'eux y passerait. Clyde réussit à éviter plusieurs coups enragés de son ennemi, et il répliqua avec son arme, sans réussir non plus à le toucher. Un mauvais calcul qui joua en la faveur de Yap. Celui-ci lui fit une entaille au bras en éclatant de rire. L'Écossais ignora sa blessure et contre-attaqua avec force, lui envoyant son poing dans la mâchoire. La tête de Yap valdingua sur le côté. Il perçut un goût métallique dans sa bouche et la seconde suivante, expulsa une flopée de sang. Il esquissa un grand sourire, ses dents teintées de rouge, puis lança une frappe rapide dans l'estomac de son ennemi.

Clyde contrôla sa douleur et mutila la jambe de Yap. Le chasseur de Floride hurla. Une entaille profonde s'était formée dans sa cuisse. L'adversaire déstabilisé, Clyde se rua sur Yap qui tenta en vain de riposter. Le chasseur de New York réussit à le désarmer. Il le poignarda à l'abdomen tout en le plaquant avec force contre un mur.

— Tu n'aboies plus ? grogna Clyde en remuant le couteau dans ses boyaux.

Malgré la douleur, Yap riait, crachant du sang.

— C'est tout c'que tu sais faire ? T'es qu'un bouffon, Clyde. Tu m'fais plus rire qu'autre chose. Tu te crois meilleur que moi, mais au fond, on est pareils.

Clyde intensifia sa torture.

— J'ai rien en commun avec une pourriture dans ton genre.

— T'aimes les voir supplier leur mère de leur venir en aide, dit Yap, sa main sur celle de Clyde. Les voir perdre la vie et tout espoir de survie. Tu as cette étincelle dans les yeux, celle que tu as en ce moment même. Je la vois…

La raison envolée, Yap enfonça de lui-même plus profondément le couteau dans son corps sur le déclin. La pointe de la lame perfora un organe vital, lui tirant un râle atroce.

— La lame pénétrant leur chair, continua-t-il avec difficulté, leurs yeux sortant de leurs orbites et leur sang coulant le long de ta peau comme la douce caresse d'une femme.

En renforçant le supplice, Clyde ne le quitta pas des yeux. Du sang gouttait entre leurs mains liées sur l'arme qui tuait Yap.

— Toi et moi, on est des assassins, suffoqua Yap.

— Je le fais pour survivre.

— Le crime se paye toujours, railla Yap, entre deux quintes de toux ensanglantées.

— Le prix des tiens sera ta vie, conclut Clyde en retirant son couteau.

L'arme blanche ôtée, Yap glissa doucement contre le mur, lâcha un soupir rauque et rendit l'âme. Sa mort sonna la fin d'une longue rivalité. Clyde avait tant rêvé de cette conclusion qu'il n'arrivait pas à défaire son regard du cadavre. Yap était depuis toujours son trophée de chasse rêvé. Et s'il existait un enfer, il était disposé à l'y rejoindre, mais il préférait que Yap en soit le guide. Une porte claqua. Des chasseurs approchaient. Clyde récupéra hâtivement son revolver et déguerpit.

Quelque part dans l'usine, Theodore et Archie couraient sans relâche après le stagiaire. Dix minutes plus tard, le fuyard avait réussi à les semer à travers un labyrinthe de salles. Le petit ne savait peut-être pas se battre, mais il se trouvait être le plus doué pour sauver sa peau. Le lapin avait filé, et il allait bondir dans son terrier pour rapporter la carotte à ses congénères. Ils ne pouvaient pas le laisser faire. L'arme au poing, ils continuèrent leurs recherches et entrèrent dans une nouvelle salle. La pièce était vide, avec quatre entrées. L'une d'elles les conduirait à leur fugitif. Ils ignoraient cependant laquelle emprunter. Ils cherchaient un indice laissé par leur proie lorsqu'un bruit dans leur dos les alerta. Ils tournèrent leurs armes et les abaissèrent aussitôt en voyant Antonin et Lloyd les imiter.

— Vous avez vu Shepherd ? interrogea Theodore.

— Non, répondit Antonin. Seulement des chasseurs à ta poursuite.

— Tu es blessé ? demanda Lloyd au Corbeau en regardant sa blessure au bras.

— Yap, dit-il pour seule explication.

Clyde rejoignit le groupe.

— Il ne sera plus un problème, annonça-t-il.

Theodore chercha Jim du regard. Il s'apprêtait à questionner ses amis sur son absence quand le grand brun apparut à l'improviste avec des taches de sang sur sa chemise. Tous enfin réunis, ils tinrent un conciliabule pour mettre au point une nouvelle stratégie.

— On a quadrillé tout le secteur, dit Antonin, aucune trace du directeur.

— Il ne doit pas être loin, signa Jim, sa voiture est garée près de l'entrée.

— On continue les recherches, déclara Theodore. Si vous trouvez Shepherd, vous le gardez en vie et vous me prévenez. Je me charge de lui.

— Ça sera plus compliqué que prévu, grimaça Archie, Flamingo a déjà dû donner l'alerte de notre arrivée.

— Qu'est-ce qu'on fait si on croise des chasseurs ? demanda Clyde.

Theodore sortit un paquet de Craven A.

— Pas de cris.

Les six hommes échangèrent des regards et prirent chacun une cigarette. L'instant était solennel. De fait, c'était peut-être la dernière fois qu'ils étaient ensemble. Jamais ils n'auraient pensé qu'un jour, cela puisse finir ainsi. Ils avaient déjà tutoyé la mort, mais aujourd'hui, c'était différent. Cette fois-ci, ils n'étaient pas sûrs d'en revenir vivants. Aucun mot ne fut prononcé. Lloyd n'avait pas de citation en réserve et jugea que ce silence unanime valait plus qu'un discours rébarbatif sur l'amitié. Tout comme Archie, qui avait pour habitude de sortir une blague pour dédramatiser ce genre de situations. Après tant d'années, un regard suffisait pour traduire leurs pensées. Theodore rangea son paquet dans la poche avant de sa veste et lança un regard explicite à ses amis. Il était temps de se quitter. Le groupe opina du chef et se sépara.

En équipe, Archie et Clyde se déplacèrent en silence dans une salle délabrée, écrasant sous leurs pieds des débris de verre et de brique. Personne dans les environs. Quand tout à coup, derrière un gros amas de gravats, un craquement se fit entendre. Les deux chasseurs s'échangèrent un regard alarmé puis braquèrent leur arme sur le tas de gravats. Le bruit se renouvela. Un chasseur devait se cacher derrière. L'encercler était la meilleure tactique pour le maîtriser. D'un signe de la main, Archie indiqua à Clyde de partir chacun d'un côté. Clyde prit le côté gauche et Archie le droit. Il fallait qu'ils soient les premiers à tirer, sinon l'un d'eux risquerait de prendre une balle. Arme à la main, Archie s'avança avec prudence et s'arrêta lorsque des pierres remuèrent du tas. Il afficha un air perplexe et la seconde suivante, lâcha un léger cri d'effroi en sautant sur place. Une petite souris, pas plus grande que sa main, était sortie des décombres pour filer entre ses jambes. Cet instant comique fit éclater de rire Clyde.

— C'est pas drôle, grogna Archie, je déteste ces saletés de bestioles…

— J'te signale, mon vieux, que c'est toi qui tiens un flingue, répliqua Clyde en reprenant son sérieux. Pourquoi t'as la pétoche ? C'est qu'une p'tite bête poilue avec une grande queue.

— On parle toujours de la souris, ou de toi ?

L'Écossais jeta un regard venimeux à son ami, puis les deux chasseurs reprirent leurs recherches.

— Tu crois que le directeur est toujours là ? demanda Archie.

— Directeur, tu parles ! rouspéta Clyde. Directeur de quoi ? De mes fesses, ouais ! J'te l'dis, c'est pas par sa bouche d'enfant de chœur qu'il va sentir passer mon flingue, ça va lui faire tout drôle quand j'vais lui prendre la température, à cet enculé de mes deux. Quand j'pense que depuis tout ce temps, j'aurais pu manger du homard mayonnaise !

En tendant l'oreille, Archie commanda à Clyde de se taire. Des voix se rapprochaient. Deux chasseurs du Montana avançaient dans leur direction.

— Cette année, j'pourrai me placer premier dans le classement, se vanta l'un d'eux. Suffit que j'coupe la tête de ce fils de garce avant ces autres branquignolles.

— Oublie pas ces autres chiens qui l'ont rejoint, ajouta son collègue.

— T'inquiète pas. J'ai assez de place sur ma cheminée pour d'autres trophées.

Les deux chasseurs franchirent la porte en éclatant d'un rire gras. Archie et Clyde, cachés de chaque côté de l'encadrement, les attendaient avec des couteaux. Au moment opportun, ils se lancèrent un regard significatif et bondirent sur les chasseurs pour leur trancher la gorge. Le danger écarté, ils reprirent leur tâche.

Au premier étage, Antonin et Lloyd longèrent un couloir inoccupé. Des bruits de pas se rapprochèrent. Un chasseur du Kentucky patrouillait dans le périmètre. Le jeune homme pénétra rapidement dans une pièce et indiqua d'un geste de la main au dandy de s'embusquer dans celle qui se situait en face. Le migrateur s'avança et entendit un grincement. Il s'arrêta entre les deux portes. En inclinant la tête en avant, il sonda prudemment du regard la pièce où se trouvait Lloyd, puis entra pour voir s'il n'y avait personne. Le migrateur n'avait pas dépassé le cadre de la porte que celle-ci se refermait brutalement sur lui. Le coup fut tel qu'il se trouva propulsé dans le couloir. Une diversion qui permit à Antonin de quitter sa cachette pour tuer le chasseur en deux mouvements. Les deux hommes transportèrent ensuite le corps dans une pièce afin que d'autres chasseurs ne les traquent pas sur cette piste.

Dans le même temps, Theodore entrait dans une salle vide. Il fit un pas en avant et fut surpris par un chasseur du Michigan armé d'un pistolet. L'homme au costume bleu vit dans son regard sanguinaire qu'il n'allait pas le laisser faire un pas de plus. Il voulut se défendre le premier, mais le type tomba inexplicablement, sans qu'il ait eu le temps de tirer. Theodore leva un sourcil épaté en découvrant Jim avec une planche de bois à la main. Le Rossignol avait toujours eu un goût prononcé pour le bricolage. Son équipier se débarrassa de l'objet encombrant et acheva le chasseur avec son couteau. De la même manière, Theodore et sa bande continuèrent, salle après salle, de sillonner l'usine pour capturer la bête immonde qu'était Richard.

Le directeur marchait à la tête d'un groupe de chasseurs. Dans ses rangs, Flamingo avançait d'un pas fier. Dès qu'il était tombé sur Richard, il s'était empressé de tout lui raconter, sans omettre la traîtrise des amis du renégat. Richard l'avait félicité pour sa précieuse délation et une belle promotion lui avait été promise. Ils traversèrent une gigantesque salle entourée de plusieurs ouvertures enténébrées, formées de grandes arches métalliques. Des enfilades de poteaux en fer soutenaient au milieu le poids de l'architecture. Il n'y avait pas de machines, comme dans les autres salles. Vide et immense, le moindre bruit pouvait ici se multiplier au centuple.

— Les règles ont changé, dicta Richard. Vous laissez Woodrow en vie. Les autres, vous les supprimez.

— À vos ordres, directeur, clamèrent ses hommes.

— Espérons qu'il ne soit pas déjà trop tard, souffla Richard pour lui-même.

Le cortège marcha au pas puis s'arrêta brusquement quand Richard leva sa main droite. Un objet inattendu au centre de la salle le déroutait. Il s'approcha et s'accroupit pour le saisir. C'était un paquet de cigarettes de la marque Craven A. En l'ouvrant, il retira l'unique cigarette de l'emballage et fronça les sourcils. Le bruit distinctif d'un briquet lui fit redresser la tête. Par une ouverture, il distingua une silhouette puis, pendant une demi-seconde, le visage de Jim éclairé par la flamme s'évanouissant dans l'opacité avant d'être remplacé par le bout rougissant de sa cigarette. Un autre briquet s'actionna. Richard bondit sur ses pieds. Il se retourna et entrevit par une autre ouverture Antonin allumant une cigarette. Une troisième flamboya. La lueur démasqua Clyde. Une quatrième, Lloyd. Une cinquième, Archie. Tous les chasseurs brandirent leur arme en direction de chaque ouverture. Richard balaya son regard angoissé autour de lui. Il était là, quelque part… Comme une traînée de poudre, un sixième et dernier briquet s'activa. Theodore embrasa sa cigarette et jaillit de l'ombre en même temps que ses comparses. Les six hommes encerclaient le groupe de Richard. Le directeur assujetti fixa, statufié, l'homme au costume bleu. Le clan de Theodore n'avait toujours pas dressé ses armes. Les deux camps se regardèrent en chiens de faïence. Chacun avait conscience que cette paralysie temporaire préfigurait la déclaration d'une guerre sans drapeau blanc. Ils étaient arrivés au point où s'entre-tuer était devenu inévitable. Une goutte de sueur perla sur le front d'un chasseur de Shepherd. Nerveux, il pressa légèrement la détente de son arme. Encore un peu plus. Une douille tomba. Il venait de tirer sans le vouloir sur Jim. Par chance, la balle avait manqué sa cible, mais pas celle de Jim qui riposta dans sa tête. Ce fut la débandade. Des chasseurs se placèrent à couvert, puis des coups de feu fusèrent dans tous les sens. Un chasseur du Texas arma son fusil à pompe et tira sur Lloyd et Clyde, qui esquivèrent le coup de justesse. Le chasseur du Texas rechargea son arme et recommença à tirer sans toucher ses proies. Mâchant d'une manière disgracieuse du tabac à chiquer, il déclara :

— J'vais tellement trouer ta face de rat que ta cervelle chiera du chili con carne.

Il cracha son tabac et reçut un gros coup de poing au visage de la part de Jim. Les yeux du Texan roulèrent sous ses paupières, et il s'écroula de tout son poids. Il tenta de se relever, mais Jim récupéra son fusil et lui tira dans la tête. Un amas de cervelle flottant dans une soupe de sang se retrouva éparpillé sur le sol. Curieusement, Jim trouva que cela ressemblait effectivement à un ragoût de haricots trop cuits, et plaignit Clyde pour ses repas.

Derrière une construction métallique, Antonin échangeait des tirs avec un chasseur de New York pendant que Theodore se battait au corps à corps avec un autre du Vermont. Il lui asséna plusieurs coups de poing puis l'utilisa comme bouclier humain. En face, il avait vu Gary le viser et attendait qu'il tire le premier pour riposter. Une prévision qui se révéla inexacte. De façon inattendue, Gary dévia son arme et tira sur le chasseur du Vermont au lieu du supposé traître. Theodore savait qu'il aurait pu le tuer ou même le blesser. Il avait fait un autre choix. D'un même regard, les deux hommes se comprirent, puis Gary se replia pour se protéger des prochaines attaques.

De l'autre côté, un chasseur du Montana, bâti comme une armoire à glace, fonça sur Archie en hurlant avec une hache à la main. L'homme au chapeau melon regarda, immobile, le chasseur brandir son arme de géant, et l'annihila en le poignardant mortellement avec son couteau d'à peine vingt centimètres. L'arme ne faisait pas le chasseur, avait coutume de dire Lloyd, et Archie venait une fois de plus de le prouver avec habileté.

Depuis le début des hostilités, Flamingo s'était retranché dans un coin le protégeant des tirs. Il n'avait pas encore tiré, par peur de recevoir une balle. Apparemment, un stage accéléré dans l'Entreprise ne suffisait pas pour se croire invincible. Il inclina la tête sur le côté et vit Clyde canarder un autre chasseur. Une colère intense s'infiltra dans ses veines qui se dilatèrent sous la force de l'envie d'une vengeance contre ce type qui s'était amusé à le rabaisser depuis son tout premier jour. Il quitta sa tanière en hurlant et tira sur Clyde, mais Lloyd le vit et cria :

— Clyde ! Flamingo sur ta gauche !

Clyde évita de peu le tir en plongeant ventre à terre. Fou de rage, Flamingo dirigea son arme sur Lloyd en s'égosillant :

— Je ne m'appelle pas Flamingo ! Mon nom est…

Étendu au sol, Clyde tira une balle dans la tête de Flamingo, pressant la détente. Le projectile transperça son crâne, suivi d'une giclée de sang. La tête perforée, le stagiaire chuta lourdement sur le sol. L'Écossais reprit son souffle et dit au dandy :

— Tu prends mon tour de vaisselle.

— Tu vises un peu haut, mon cher, répliqua Lloyd, un sourcil levé.

Dans la bataille, Richard avait fini par se retrouver à combattre contre Theodore. Caché derrière un poteau en métal, il tira sur l'homme au costume bleu qui se défendit en visant sa jambe. Richard cria. La balle venait de toucher un nerf. Gravement blessé, il prit difficilement la fuite par une ouverture. Lloyd, qui avait assisté au duel, s'écria tout en ripostant contre des chasseurs :

— Rattrape-le, Ted ! On se charge des autres.

Lloyd couvrit Theodore, assailli de balles, courant à travers la salle pour se lancer à la poursuite de Richard. Trois couloirs plus loin, le rescapé boitait à grand-peine, une main sur sa plaie. La douleur émanant de sa cuisse était devenue insupportable. Il arriva dans un cul-de-sac et emprunta un escalier pour accéder à l'étage. Theodore débarqua, après lui, au même endroit. Du sang se trouvait sur la rambarde. Il en déduisit qu'il était sur la bonne piste. Du liquide rouge perlait de la jambe de Richard qui vacillait, s'appuyant par moments contre les murs. Theodore l'avait rattrapé, mais Richard retarda sa course en tirant aveuglément dans sa direction. Plusieurs balles criblèrent les murs sans toucher l'homme au costume bleu. Affaibli, Richard n'eut d'autre option que de se réfugier dans la salle la plus proche. Il clopina jusqu'à un recoin obscur et, à bout de force, défaillit. La respiration saccadée, il retroussa son pantalon pour constater le sérieux de sa blessure. La balle était restée dans la chair. Il perdait énormément de sang et se trouvait dans l'incapacité de faire un garrot.

En position de tir, Theodore entra dans la pièce et l'inspecta avec précaution. Flairant la proie, sa première action fut de chercher toutes les issues possibles. Il n'existait qu'une porte par laquelle il venait d'entrer. Les fenêtres étaient toutes condamnées par des planches de bois, et pour finir, l'étage était trop élevé pour pouvoir s'enfuir par l'une d'entre elles. Conclusion, Shepherd se cachait forcément par ici.

Richard vérifia ses munitions : aucune. Il avait vidé tout son chargeur lors de l'affrontement. Pas à pas, Theodore suivit les traces de sang laissées par la bête moribonde. Le directeur chercha, impuissant, une autre arme. Un couteau, une pierre, n'importe quoi pour se défendre ! Trop tard. Theodore était apparu, son revolver pointé sur son visage désemparé. Croisant le regard sombre de son employé, il se redressa difficilement et essaya de se tenir sur ses jambes. Il n'avait plus qu'une seule échappatoire : la pitié.

— Theodore, je t'en prie, ne fais pas ça, supplia-t-il. Quelle justice en tirerais-tu ? Celle de la vengeance ? Tu sais que ce n'est pas dans nos principes.

— Vos principes ? répéta une voix amère.

Richard se tétanisa. Il était là… Une silhouette dans l'ombre, à la démarche grave et solennelle, se dévoila pas après pas. Les mains croisées dans le dos, Malone s'avança nonchalamment pour s'arrêter juste derrière Theodore. Son regard enflammé prouvait qu'il se plaisait à voir Richard en mauvaise posture. Il était venu assister à sa déchéance, après celle de Parker, et interpréter l'un de ses derniers rôles : l'avocat du diable.

— Quels principes avez-vous eus en enfreignant toutes les règles de l'Entreprise ? reprit-il avec dédain. Quels principes avez-vous eus en travaillant avec la pire espèce dans ce bas monde ? Quels principes avez-vous eus pour envoyer votre meilleur employé à la mort ?

Theodore ne bougeait plus. La venue de Malone ne l'avait pas fait sourciller. Il ne pouvait pas défaire son regard de cet individu pour lequel il avait donné sa vie et son âme. Shepherd n'était plus qu'un animal estropié qui suppliait son maître de le laisser en vie. Ce tableau l'écœurait au plus haut point.

— Ted… Je t'en supplie, l'implora misérablement Richard.

— Regardez-vous, s'insurgea Malone. Vous le suppliez comme un chien. Votre honneur est aussi fragile que votre esprit. Toutes ces années de mensonges et de tromperies ! Vous ne méritez certainement pas de vivre.

Richard peinait à rester debout.

— Ne l'écoute pas, répliqua-t-il avec un geste désespéré. Il… C'est lui qui a élaboré cette conspiration contre moi. Il m'a ordonné de te tuer ou il divulguerait tout sur l'Entreprise. C'est la vérité, Ted, je n'avais pas le choix.

Malone branla la tête et dit d'un ton âpre :

— Vous avez oublié ce que je vous ai dit lors de notre première rencontre, Richard. Nous avons toujours le choix. Le vôtre a été de trahir votre famille pour combler tous vos vices. L'avarice, la luxure, l'orgueil, la colère, la paresse, la gourmandise, l'envie. Il semble que vous ayez signé pour tous les péchés.

Il présenta une plume blanche cachée derrière son dos.

— Pensez-vous que votre cœur restera en équilibre ?

Et la laissa retomber dans le vide. Richard observa, effrayé, sa chute, puis reprit sa justification déplorable auprès de Theodore.

— Ne vois-tu pas ? Il se sert de toi pour venger la mort de son père.

— Il n'a plus à écouter vos ordres, balaya Malone. En franchissant cette ligne, vous avez détruit ce pour quoi il est, vit et se bat. Vous l'avez manipulé. Vous avez profité de sa loyauté.

— Je l'ai fait pour ma famille.

— Je croyais que l'Entreprise était votre famille ?

— Je…

— Ce mot-là n'a jamais eu d'importance à vos yeux, n'est-ce pas ? Comment peut-il en avoir une quand nous ne connaissons pas sa définition ? Une famille, c'est être prêt à tout pour ses membres. C'est donner sa vie sans condition. C'est venger ceux qui ont fait de soi ce que l'on est aujourd'hui. Allez-y, nous vous écoutons Richard, qu'avez-vous fait pour votre famille ?

— Je l'ai protégée pendant l'affaire Marsh, répondit Richard avec conviction. J'ai tout fait pour que l'Entreprise demeure en vie.

— En admettant que vous disiez vrai, pour quelle raison avez-vous gardé la copie de l'article d'Evans ? Dites-nous pourquoi vous avez gardé le seul indice démontrant le lien entre Clayton et mon père ? Si ce n'était pour vous protéger du fil d'Ariane qui remontait dangereusement jusqu'à vous et faire croire aux plus crédules que mon père voulait supprimer Clayton, Evans et la prétendue concurrence ? Avouez-le, vous avez préféré défendre vos intérêts plutôt que ceux de l'Entreprise.

Richard s'enferma dans son silence.

— Répondez ! exigea Malone, plus autoritaire.

— Teddy… supplia encore Richard.

Theodore fixa Richard qui implorait sa clémence du regard. Toutes ces années de sacrifices au nom d'une loyauté mensongère. Une vie entière mise au service d'une famille qu'il pensait la sienne pour terminer à ce croisement avec la mort. À présent, il était le nouveau juge désigné de cette tragédie. Indulgence ou vengeance, le choix lui appartenait. Les bons souvenirs occupèrent un instant son esprit, mais ceux-ci ne suffiraient pas à lui faire accorder son pardon. Une ligne avait été franchie. C'était la règle et il devait la suivre. Droit dans les yeux, il activa le chien de son arme et envoya, à bout portant, une balle dans le cœur de l'imposteur. Elle perça du même coup la poche intérieure gauche de sa veste dans laquelle était rangé son paquet de Lucky Strike. La cible au cœur du paquet fut trouée pile en son centre, un liquide rouge s'en déversa. Richard ne cria pas. L'exécution avait été nette et sans appel. Cela était peut-être la dernière grâce que son employé lui offrait, dans l'achèvement de cette longue collaboration. Richard savait que les limbes l'attendaient, et son unique regret était de quitter ce monde en imaginant que ses enfants connaîtraient peut-être la même souffrance. L'histoire nous oublie aussi vite que nous y sommes passés, quels que soient les chapitres que nous y ayons écrits. Le directeur déchu maintint jusqu'au bout son regard accroché sur le visage empreint de vengeance de son employé. Entre deux mondes, il entendit sur sa fin jouer les violons de son existence et se clore les ultimes notes de son requiem. Ses muscles se détendirent, son souffle s'écourta, et les ténèbres l'engloutirent.

— Justice, lâcha Malone.

Le temps du recueillement devrait attendre. Trois chasseurs de New York les avaient rejoints après le châtiment infligé à Richard. Une alliance éphémère s'imposait. Theodore et Malone tirèrent sur leurs ennemis et tuèrent l'un d'eux. Les deux autres ripostèrent. Les alliés se protégèrent derrière des poutres en béton soutenant la bâtisse. Malone répliqua, mais Theodore fut vite à court de munitions. Le jeune Holloway lui vint en aide en lui jetant sa deuxième arme à feu. Des balles sifflèrent, ricochèrent. Après un laps de temps, les deux chasseurs rivaux furent éliminés. Theodore et Malone quittaient les lieux quand quatre autres chasseurs les attaquèrent. Ils coururent pour échapper au groupe qui les avait pris en chasse. Dans leur fuite, une chasseuse de Géorgie leur barra la route. Theodore lui tira dessus pendant que Malone assurait leurs arrières. Le champ libre, ils atteignirent le palier d'un escalier et croisèrent un chasseur du Nevada. Celui-ci fonça sur Theodore qui l'éjecta par-dessus la rambarde, et Malone l'acheva d'une balle en plein vol. Les deux hommes descendirent l'escalier et s'évadèrent du bâtiment pour se retrouver sous une pluie battante. Un groupe de chasseurs les talonna en leur tirant dessus. Malone et Theodore répliquèrent avant d'être arrêtés par deux chasseurs de l'Indiana et deux autres de Virginie. Les fugitifs, dos à dos, étaient cernés. Malone ouvrit le feu, ses poursuivants ripostèrent. Des tirs alternèrent à des corps à corps jusqu'à ce que Malone et Theodore réussissent à venir à bout de leurs adversaires. Tout à coup, en même temps, les deux hommes se retournèrent, face à face, leur arme tendue devant eux. L'orage gronda. Fixes, malgré les bourrasques et la pluie drue qui se déversait sur leur visage, ils ne se quittaient pas du regard. Une rancœur profonde s'était imprimée sur celui de Malone et une impassibilité sur celui de Theodore.

— Vous n'auriez pas dû me laisser en vie, déclara Holloway d'un ton cinglant. Ce fut votre unique faiblesse et votre plus grande erreur.

— Ce n'était pas une faiblesse, dit Theodore. C'était un choix.

— Comme celui de tuer toute ma famille ? répliqua Malone avec colère.

Confronté au silence de Theodore, il reprit, acerbe :

— Vous et votre fichue Entreprise, vous vous croyez tout permis. Vous pensez ne pas être des meurtriers parce que vous avez su développer un système qui vous délivre de toute culpabilité. Créer vos propres règles pour endormir votre conscience et vous exonérer de toutes lois. Des lâches, c'est tout ce que vous êtes.

— Votre père était un criminel. C'est lui qui nous a contactés.

— Sauf que pour lui, le mot honneur avait un sens. Il tuait non par choix, mais par principe. Alors que vous, vous ôtez la vie sans vous demander pourquoi.

— J'ai fait mon devoir.

— Vous avez tué ma famille ! s'écria Malone.

Le film de ce jour funeste défila devant les yeux de ce dernier. Ce même cauchemar dans lequel, dix-neuf ans plus tôt, son père lui avait ordonné de se cacher au premier coup de feu. Il avait trouvé refuge dans cette armoire du premier étage où il avait écouté, impuissant, les cris de sa famille se faisant tuer.

— Vous avez sali leur honneur.

Dans cet espace étroit, il avait prié pour que personne ne le trouve, puis il avait entendu les pas lourds de l'assassin sur le plancher. Il n'avait pas su résister à la tentation de voir son visage. Il avait alors entrouvert la porte pour apercevoir, par l'entrebâillement, la silhouette d'un homme en costume bleu. Erreur fatale. Le tueur avait entendu le grincement et était retourné sur ses pas. Il s'était avancé jusqu'à l'armoire pour ouvrir la porte…

— Vous auriez pu me tuer.

… et découvrir le visage terrorisé d'un adolescent de seize ans. Malone se souvenait de ce regard perçant qui avait déchiré son âme et de cette arme qui pouvait à tout moment l'envoyer dans les bras des anges de sa mère. Ce visage éteint fut à jamais gravé dans sa mémoire, tout comme cette voix sans émotion scandant depuis le rez-de-chaussée un seul mot : « Corbeau ! » L'homme au costume bleu lui avait fait signe de ne pas faire de bruit, puis il avait refermé la porte avec une telle délicatesse que cela aurait presque pu passer pour un geste de courtoisie.

— Mais vous m'avez épargné.

Le jeune homme était resté plusieurs minutes caché dans ce piètre abri. Un silence morbide lui avait tenu compagnie sans qu'il sache s'il pouvait sortir. La cage thoracique compressée par l'enfermement, il avait poussé le battant de l'armoire d'une main fébrile pour retrouver un peu d'air. Il avait ensuite prudemment sorti la tête et balayé la pièce du regard. Elle était vide. Lorsqu'il avait quitté la chambre, il se souvenait encore de ce mal profond, de cette peur tiraillant ses entrailles d'être abattu comme s'il n'avait jamais compté pour ce monde.

— J'ai fait tant de sacrifices pour en arriver là…

En déambulant dans les couloirs du manoir de son enfance, il avait vu plusieurs hommes de son père assassinés, parmi lesquels des membres de sa famille. Il se souvenait d'avoir dû enjamber le corps de l'un d'eux pour pouvoir accéder au salon. Il était resté pétrifié en faisant face, avec ses yeux innocents, à un massacre qu'aucun mot ne saurait décrire. Les corps en sang épars et sans vie de membres du clan Holloway s'étalaient sur le sol comme de vulgaires ordures. Une hécatombe qui avait failli le faire vomir. Il avait tout perdu en quelques minutes. Mais soudain, un espoir s'était mis à renaître dans son cœur quand des gémissements s'étaient fait entendre derrière une table. Avachi contre un mur, son père se tenait la poitrine en sang. Horrifié, le jeune homme s'était précipité à ses côtés. Le mourant avait tenté de rester digne en réprimant toute expression de souffrance. Puisant dans ses dernières forces, Edward avait agrippé le bras de son fils, retenant ses larmes, et lui avait murmuré quelques mots interrompus par une toux violente. Malone avait hoché doucement la tête pour confirmer qu'il comprenait chacune de ses paroles. Une paix intérieure s'était lue dans les yeux du père à l'article de la mort après qu'il eut adressé ses ultimes volontés. Un testament vengeur qu'il savait entre de bonnes mains ; qui plus est, celles de son unique héritier. Tendrement, il avait posé une main sur le visage bouleversé de son enfant qui refusait de se voir arracher un autre être cher, puis ses yeux s'étaient fermés, pour toujours.

— … rêvé tant de fois de me retrouver face à vous…

En suppliant le ciel de rendre la vie à son père, Malone avait essayé de le sauver, mais le mal était fait. Anéanti, il avait pris son corps contre lui et avait pleuré toutes les larmes du sien.

— … de pouvoir venger les miens sans aucune chance de rédemption…

Il avait retiré la chevalière de la main inanimée de son père.

— … et de détruire tout ce que vous représentez.

Il s'était ensuite éloigné de sa dépouille pour reprendre le contrôle de ses émotions.

— Pourquoi moi ? Pourquoi m'avoir épargné ?

Pendant un long moment, il avait contemplé la chevalière dans sa main en sang, puis il l'avait refermée solidement, en se faisant la promesse que ce crime ne resterait pas impuni. La fureur avait remplacé sa tristesse. À cet instant précis, il s'était promis d'asservir tous ceux qui avaient participé à ce dessein et fait de lui un orphelin.

Malone tenait toujours Theodore en joue.

— Répondez !

Face au silence, il hurla :

— POURQUOI ?

Theodore fixa Malone avec un air navré. Il était le reflet de sa jeunesse. Cette foi, cette croyance qu'on pouvait prendre une revanche sur son destin. Soudain, la main avec laquelle Theodore tenait son arme se mit à trembler, puis s'abaissa.

— Tu me faisais penser à moi, dit-il. Tu n'avais pas choisi.

— Vous avez détruit ma vie ! s'écria Malone avec une grande rage.

— Je suis désolé.

Theodore jeta un dernier regard à Malone. Puis, lentement, il se détourna pour marcher droit devant lui.

— Vous êtes désolé… souffla Malone, désarçonné.

Il avait imaginé tous les dénouements possibles. Woodrow qui défendait ses actes, le suppliant à genoux de l'épargner ou même, au contraire, de pouvoir mourir par sa main. Mais certainement pas un homme qui préférait abandonner les armes.

— REGARDEZ-MOI !

Le tonnerre déchira le ciel. Theodore continua d'avancer, malgré le cri perçant de Malone. Le jeune Holloway n'acceptait pas cette fin. Il n'avait pas fait tout ce chemin et tous ces sacrifices pour laisser partir l'homme qui avait ruiné sa vie. Déterminé, il visa le dos de l'homme au costume bleu de son arme chargée de sa dernière balle.

— Je ne suis pas comme vous, cracha-t-il.

En un acte lâche, il tira une balle dans le dos de Theodore. Une seconde après, celui-ci s'affaissait pour s'étendre sur le sol humide. Face contre terre, une douce chaleur réconfortante l'enveloppa, malgré le froid. Une sensation de bien-être qu'il n'avait jamais ressentie. Il se vidait de son sang en grande quantité. Les morts et les vivants dansaient désormais dans ses souvenirs qui s'estompaient peu à peu, s'écoulant comme les grains de sable d'un sablier infini qu'on avait retourné pour ne plus jamais l'arrêter. L'heure de son jugement dernier était finalement arrivée. Il pouvait sentir son âme brûler du fait de son ignominie et de ses mauvaises décisions. Il invoqua un maigre espoir que le diable oublie son nom parmi les monstres vivant sur cette Terre, et qu'il puisse ainsi se soustraire aux flammes de l'enfer. Il avait eu cette peur, celle d'un non-croyant qui s'était repenti pour croire soudainement à l'Éternel. Un

Éternel qu'il avait tout du long méprisé, au profit de son aveuglement et de ses crimes. Entre la vie et la mort, dans cet intervalle d'incertitude, elle résidait peut-être ici, cette justice : payer le prix dans un royaume maudit pour avoir un jour emprunté le mauvais chemin. Y avait-il une raison à tout cela… Un dernier souvenir heureux l'accompagna. Il se revit enfant dans l'allée de sa maison, sur les genoux de son père, au volant de la voiture familiale. Rare souvenir de liberté, où rien de mal ne pouvait arriver. Puis tout doucement, comme une caresse, son regard se voila. Il rendit un dernier souffle et périt avec ce doute, trouver ou non la paix dans l'au-delà.

La respiration du meurtrier était saccadée. Il resta de longues secondes sous ce déluge de pluie devant le corps inerte de Theodore martelé par les gouttes. Malone ressentit une sensation de vide. Il y avait toujours cette douleur, mais celle-ci s'atténuait, le serment désormais tenu d'une glorieuse vengeance. Tout était enfin terminé. Le monde pouvait continuer de brûler et l'emmener dans ses brasiers. Maintenant, la mort n'avait plus cette importance qu'on lui avait autrefois enseignée. Elle n'était qu'une étape de plus. Son seul ennemi de toujours avait été le temps. Le seul qui avait eu une emprise sur ses actes et qui lui avait permis d'accomplir sa mission. Celle pour quoi il avait été envoyé et celle pour quoi le monde l'avait créé. Il fit volte-face et tourna le dos à l'homme responsable de son infamie pour s'évanouir dans la nuit sous la pluie torrentielle.

Après la fusillade, Lloyd était sorti précipitamment de l'usine. La pluie brouillait sa vision, mais il détecta une forme bleue recroquevillée sur le sol. Il se jeta sur elle, retourna le corps pour révéler le visage endormi de Theodore. Désemparé, il chercha la blessure et sentit, épouvanté, un épais liquide rougeâtre couler sur la paume de sa main.

— Je suis là, tiens bon, Ted.

Lloyd s'attela immédiatement aux gestes de premiers secours. Une main sur l'autre, il appuya de toutes ses forces sur la blessure pour retenir le sang qui, malgré tous ses efforts, glissait bien trop vite entre ses doigts. Peu de temps après, Antonin le rejoignit et découvrit avec horreur le corps, allongé au sol, de leur ami touché par balle.

— Que s'est-il passé ? s'écria-t-il.

— On lui a tiré dessus, répondit Lloyd, alors que le sang s'écoulait de plus en plus.

— Il… Il va s'en sortir, hein ? Il ne peut pas mourir, pas lui.

Lloyd ne répondit pas.

— Lloyd !

Lloyd contemplait, affligé, le visage inexpressif de Theodore. Il arrêta d'appuyer sur la blessure et regarda sans rien dire le corps inanimé de son ami. Il savait.

— Qu'est-ce que tu fais ? s'emporta Antonin. Continue ! Il va mourir si tu t'arrêtes !

— C'est inutile… souffla Lloyd.

Refusant d'abandonner, Antonin s'agenouilla près du corps et tenta à son tour de sauver Theodore. Un acharnement qui peina Lloyd. Il devait l'interrompre, le faire revenir à la réalité. Doucement, il posa une main sur l'épaule du jeune homme en plein déni et dit d'une voix blanche :

— Arrête, Tony.

— On peut le sauver. Faut… faut qu'on l'emmène se faire soigner, aide-moi à le transporter dans la voiture.

— Non ! On ne peut plus rien faire pour lui, répliqua le dandy d'un ton catégorique pour chasser les derniers espoirs du jeune homme.

Lloyd regarda Antonin d'un air attristé, les gouttes de pluie continuant de pleuvoir sur leur visage.

— C'est fini, il est parti.

Antonin ne pouvait pas y croire. Il continua de fixer hargneusement la blessure. Le sang s'était arrêté de couler. Ses mains encore sur la plaie, il s'efforça de poser ses yeux bleus désarmés sur le visage de Theodore. Il espérait encore un frémissement, un soulèvement de sa poitrine, rien qu'un souffle qui lui signifierait qu'il était revenu d'entre les morts. Rien. Pas un soupir, pas un battement. La figure du chasseur n'exprimait plus que la douceur et la pâleur de ceux qui étaient passés dans l'autre monde. On venait de lui prendre la seule personne qui lui avait tendu la main quand il en avait eu besoin. Son visage se décomposa. Brisé, il se leva, recula, saisit entre ses mains sa tête qu'il secoua frénétiquement, comme pour se réveiller d'un mauvais rêve. Il hurla sa rage, sa douleur, son désespoir. Le feu du ciel dévora ses cris, puis un silence vertigineux survint. Son regard s'obscurcit. Un étrange goût se répandit dans sa bouche. Ce n'était pas celui du sang, mais de la vengeance. Un désir, une soif meurtrière qui ne pourrait être étanchée que par la mort de l'être par qui toute cette histoire avait commencé et par qui elle devrait prendre fin. Ce revenant maudit était sa nouvelle Némésis. Il n'était pas son premier démon à qui il voulait faire subir la loi du talion, mais jusqu'à ce soir, son protecteur avait toujours détenu la clé des chaînes qui l'empêchaient de noircir un peu plus son âme déjà pervertie. Aujourd'hui, cette ombre, qui depuis toujours sommeillait en lui, était libérée de son joug. Elle ressuscitait sa conscience empoisonnée et corrompue par ses anciennes fêlures. Il devait se venger, même si cela impliquait d'y perdre la vie. Il avait choisi, et rien ne pourrait l'en détourner. C'était ainsi.

Enragé, il chercha autour de lui le coupable. Dans l'horizon indistinct, un homme s'éloignait paisiblement sous la pluie. Antonin le pourchassa. Lloyd lui demanda ce qu'il comptait faire, mais le bruit du tonnerre couvrit le son de sa voix. Il regarda son ami s'enfoncer dans les ténèbres et resta auprès de Theodore pour veiller sur son corps. Juste après, Archie, Clyde et Jim le rejoignirent, faisant face au drame qu'ils n'avaient pas su éviter. Ils entourèrent le chasseur mort et restèrent, la tête basse et les poings serrés, à le regarder sous la pluie. Ils avaient failli, leur frère était tombé.

Cinq minutes plus tard, Antonin atteignait un carrefour désert. Il s'arrêta au centre et pivota sur lui-même. La pluie était trop forte pour voir au-delà d'un mètre. Il désespéra de trouver quelqu'un, puis… une voix s'éleva.

— Donne ton arme, mon garçon.

Malone était revenu sur ses pas. Antonin reconnut le bruit d'enclenchement d'un pistolet. Dans un premier temps, il refusa d'obéir puis, quand le canon de l'arme s'enfonça violemment entre ses omoplates, il se plia à la requête. L'arme réquisitionnée, Malone retira le magasin pour s'en débarrasser au loin.

— À genoux.

Malone visa la tête d'Antonin qui courba l'échine. Genoux à terre, le chasseur attendit le coup de grâce qui le ferait rejoindre celui qui l'avait fait grandir. Il n'avait pas peur de mourir. Il avait jadis signé pour ce jour inéluctable. Il y eut un long silence, puis des mots :

— Il n'était pas ta famille.

Antonin serra puissamment les mâchoires à ces paroles mensongères. La tête dressée, il restait digne dans la défaite, au nom de son souvenir et de tout ce qu'il lui avait appris. Il espérait seulement que la souffrance ne s'éterniserait pas. Il voulait la mort heureuse et rapide des grands rois. De longues secondes passèrent sans que rien ne se produise. C'est là qu'il comprit qu'il était seul. Malone était parti sans vouloir faire une autre victime. Il l'avait épargné, comme il l'avait été autrefois. Cadeau ou poison, il avait laissé à Antonin le choix de répéter ou non l'histoire. Le jeune chasseur renversa la tête vers le ciel pluvieux et laissa les gouttes s'écraser sur son visage pour se mêler à ses larmes. La chance n'existait pas, seul le résultat comptait.

# CHAPITRE XV
## Le verre d'adieu

*New York, février 1959.*

Trois mois s'étaient écoulés après la révélation de la trahison de Richard et du dossier Marsh. Une réunion nationale des dirigeants des Entreprises avait été exigée pour clarifier la situation. Lloyd avait joué les porte-parole en présentant les preuves à la commission d'enquête qui s'était prononcée unanimement en faveur de la disculpation de Theodore. Le disparu avait même eu droit aux honneurs et au tableau des plus grands chasseurs. Un titre honorable et mensonger. Il n'était que le résultat d'un sacrifice destiné à sauver le peu de dignité du monstre qu'il pensait être par ses seules fautes. Encore une ineptie. Car pour être un monstre, il fallait des partisans et des détracteurs, tout aussi coupables de sa création que cette terre qui l'avait fait naître. Depuis le début, tout avait été réuni pour faire de lui ce qu'il était. Le destin s'en était mêlé, et il n'avait eu d'autre solution que de se plier à ses lois.

Il n'était ni un bourreau, ni une victime, ni un sauveur. Que restait-il après les louanges et les applaudissements ? Un silence de mort pour offrir à ses successeurs une remise en question illusoire. Être tombé, mais au nom de quoi ? Pour la gloire ? Les morts n'en profitaient pas. Il était inutile de prier pour leur salut, les vivants méritaient toutes leurs larmes. Eux seuls souffraient de ce monde sans pitié, les autres avaient déjà triomphé de l'éternité. Alors, à quoi bon avoir la couronne si la seule issue possible était un repos éternel ? L'honneur, la loyauté, la justice… Toutes ces batailles étaient perdues d'avance. Au diable les principes, pourquoi donc se plier aux règles de ce royaume où les aveugles étaient rois ? Si un choix était à faire, n'était-ce pas celui d'une histoire sans commencement ? D'une existence sans vérité propre ? D'un monde dont la lumière salvatrice accepterait l'imperfection de ses ténèbres assassines ? Un monde qui pardonnerait ses erreurs et ses horreurs pour un jour profiter de sa douce existence ? Rien qu'une utopie. Une fable de plus pour faire croire à ceux qui venaient au monde que celui-ci pouvait changer avec juste un peu d'espoir. Ou bien cela pouvait-il être vrai ? Fallait-il attendre la relève de vaillants défenseurs prêts à changer ce temps obscur vers un renouveau ? Espérer pour un jour vaincre, et offrir enfin à ces âmes célestes cette raison qui les avait fait exister ? Offrir à Lucifer un dernier verre, et partir affronter ses démons ? C'était en tout cas ce qu'il avait espéré, pour eux.

Nombreuses furent les personnes à venir assister à son enterrement : des amis, des collègues, des voisins. Tous étaient là pour témoigner de leur émotion et de leur attachement à ce personnage qui ne faisait plus partie de leur récit. Évidemment, la réelle raison de sa mort ne serait jamais dévoilée au grand public. On avait déclaré un banal accident de voiture qui ne lui avait laissé aucune chance. Lui, l'homme au costume bleu qui avait appris à conduire bien avant de se tenir debout ! Ce pieux mensonge ajouté à sa mort n'avait fait qu'accroître les blessures et la colère de ses amis. D'autant qu'il ne représentait pas l'unique injustice. D'autres étaient tombés avant lui, et d'autres lui succéderaient, pour les mêmes combats. Un héritage empoisonné, une histoire sans fin. L'heure était venue de jouer sans lui, il en avait fini avec cette comédie.

Le jour où on l'avait enterré, il y avait eu du soleil. Une belle embellie qui permit à chacun de manifester sa tristesse et d'offrir un dernier hommage au chasseur. Lloyd avait jeté une rose dans la tombe pour sa dernière révérence, puis il était allé consoler Spring en larmes. Archie lui avait souhaité de bonnes vacances, Clyde avait déposé une boîte de conserve de *baked beans* près de sa pierre tombale, Antonin l'avait remercié et Jim… Eh bien, il n'avait rien dit, parce que certains moments appelaient au silence et celui-ci en méritait une symphonie.

En dépit de tout ce qu'il s'était passé, la bande avait décidé de ne pas quitter l'Entreprise. Ils étaient nés pour ça, mais qui pouvait le comprendre ? Le bien, le mal, qu'importe. Le monde avait besoin de cet équilibre. Alors, si ce n'était pas Dieu, qui pouvait les empêcher de poser leur pierre à l'édifice ?

Comme après chaque drame, la vie avait repris son cours. Le quotidien et son lot d'inquiétudes avaient revivifié les sinistres consciences. S'ils devaient continuer d'être, alors ils continueraient de jouer leur rôle, et ce, jusqu'au dernier tiré de rideau.

Une fin d'après-midi, ils se rejoignirent à la salle de repos de l'Entreprise pour une partie de poker arrosée de gin-tonics. Une fois encore, Jim remporta la partie.

— Félicitations, Jim, congratula Lloyd, tu as admirablement dissimulé tes émotions sur cette partie.

— Pour ne pas dire sur les cinq autres, ronchonna Clyde.

— Commandement quatre, rester maître de soi en toutes circonstances.

— Je devine ce que tu vas manger ce soir, Clyde, se moqua Archie.

— La ferme, grommela l'Écossais, c'est déjà assez déprimant qu'on nous refuse une prime après tout c'qu'on a fait.

— Le comité ne semblait pas du même avis.

Un verre à la main, Clyde fulmina :

— C'est sûr qu'avec leur saleté de cul d'bureaucrate collé sur leur chaise, ils ne verront jamais les vrais problèmes. Les directeurs, ça vient, ça part, mais nous, on est toujours là. On corrige leurs conneries et voilà comment ils nous remercient. Continuez de travailler, faites comme s'il ne s'était rien passé, qu'ils disent. Teddy est mort pour l'Entreprise. Justice a été faite pour Shepherd, mais cette ordure de Holloway court toujours dans la nature.

— À l'évidence, ils ne veulent pas perdre leur temps à pourchasser des fantômes, déclara Lloyd en réunissant ses cartes. Autrement, nombre d'entre eux devraient balayer devant leur porte, et aucun ne souhaiterait dévoiler ses fautes au péril de sa place et au risque d'être mis au placard. Ted… n'a été qu'une victime dans cette affaire.

— Je suis d'accord, approuva Jim par des signes de mains. S'il devait y avoir un procès au sein même de l'Organisation, beaucoup d'employés et de directeurs seraient renvoyés.

— Un grand nettoyage porterait préjudice à leur réputation, poursuivit Archie, ce qui entraînerait inévitablement la dissolution de plusieurs Entreprises. Au moins, l'honneur de Teddy a été blanchi. C'est le nouveau directeur qui aurait plaidé sa cause devant les membres du comité.

— À quel prix… siffla Clyde.

Tous les regards dérivèrent sur la chaise vide de Theodore.

— Ce n'est que partie remise, dit Lloyd.

Il leva solennellement son verre pour trinquer en son honneur.

— Nous nous rencontrerons à nouveau.

À cette promesse, ils burent en silence une gorgée de *G and T*, mais ne laissèrent pas longtemps la tristesse les submerger. Ils avaient appris à apprivoiser la mort et à ne pas avoir peur de la vie. Demain, ils joueraient encore, et peut-être payeraient-ils l'addition le jour suivant.

— Une autre partie ? proposa Archie.

Clyde plaça un cigare dans sa bouche et déclara :

— Les gars, préparez-vous à cracher tout votre pognon. Ce soir, j'sens que j'suis en veine.

— Dit l'homme qui n'a plus que douze dollars de gains, le charria Archie.

— Je n'ai plus qu'à te souhaiter un bon appétit, mon pauvre Clyde, ajouta Lloyd. Il paraît que la pâtée pour chien avec de la sauce tomate est un vrai délice.

Clyde jeta des éclairs au dandy rieur.

— Jim, envoie les cartes, commanda-t-il d'un air déterminé.

La bande éclata de rire et débuta une nouvelle partie.

— Au fait, où est Tony ? demanda Archie en regardant son jeu. Il ne devait pas nous rejoindre après son contrat pour Boston ?

— Notre jeune ami m'a fait savoir qu'il avait besoin de changer d'air, répondit Lloyd.

Une teinte pourpre hachurée de zébrures safran venait de recouvrir entièrement le ciel de Manhattan qui se préparait tout doucement à revêtir sa robe noire pailletée. Le reflet du crépuscule ondulait sur le fleuve Hudson comme un serpent cherchant à échapper au charbon de la nuit. Sur la rive, Antonin demeurait assis, le dos courbé et les bras reposant sur ses cuisses, sur un banc du Washington Park. Depuis plusieurs minutes, le jeune homme fixait inlassablement, au creux de sa main, la pièce d'Entreprise de Theodore. Lloyd l'avait récupérée et lui en avait fait cadeau après l'enterrement. Elle était une partie de lui, une partie d'eux. Le symbole de liens solides, de promesses indéfectibles, mais aussi d'erreurs impardonnables. C'était tout ce qu'il restait de lui. Ça et un bagage de souvenirs qu'Antonin était condamné à ressasser avec, pour douloureuse pénitence, de se demander *ad vitam æternam* : et si…

Il y avait trois semaines de cela, ses amis et lui avaient enfin trouvé le courage nécessaire pour faire le tri de ses affaires. Certaines d'entre elles seraient transmises à des œuvres de charité ou bien à des proches qui souhaitaient garder un dernier souvenir de lui. En passant la porte de sa maison, la première chose qui les avait frappés avait été le silence. Le vide que laissait un être cher était encore plus palpable lorsque l'on se confrontait au silence du lieu où il avait vécu. Clyde avait eu l'idée de mettre en route un disque de Frank Sinatra pour estomper cette ambiance de veillée mortuaire. Puis, le cœur lourd, les cinq hommes s'étaient livrés à la pénible tâche. Chacun y était allé de sa petite anecdote à chaque découverte d'un objet du propriétaire. Des rires entrecoupés de silences douloureux avaient rythmé la séance de rangement. En triant le bureau de Theodore, Jim avait repéré une boîte en tissu rouge, glissée sous un meuble, sur laquelle était inscrit son prénom. Il avait affiché une expression de surprise en découvrant que celle-ci contenait tout un tas d'œuvres qu'il avait lui-même composées au fil des ans. Des dessins au fusain, des peintures, des caricatures, des portraits, des paysages. Quelques-unes étaient même de simples esquisses qu'il se souvenait pourtant avoir jetées à la poubelle. Il n'avait jamais imaginé que son ami les avait gardées pour en faire collection. Au salon, Archibald avait souri en dénichant dans un tiroir toutes les listes de bons points qu'il s'était amusé à créer pour les départager lors de classements de chasse, de compétitions sportives, ou pour les meilleures répliques lors de leurs chamailleries. Clyde avait trouvé des capsules de bières qu'ils avaient partagées lors de longues discussions, ainsi que tous les disques vinyle qu'il lui avait un jour conseillé d'écouter. Les yeux humides, Lloyd avait mis la main sur des photos de leur bande d'amis, prises avec son appareil photo lors des voyages pour leurs contrats de chasse, mais aussi les lettres émouvantes qu'ils s'étaient échangées lorsque les bombes déchiraient le ciel de Londres et de Normandie. Accompagné par la chanson *Blue Skies* du chanteur, Antonin avait monté pesamment les marches de l'escalier pour aller emballer les cartons de la chambre à coucher. Il avait abandonné sa veste sur le lit pour ne pas se salir et commencé par décrocher l'affiche *Le Port de l'angoisse* du mur. Sur une étagère, il était tombé sur un cadre photo montrant Theodore en tenue de l'armée britannique, posant avec d'autres soldats, partageant chaleureusement des cigarettes Craven A. Il l'avait d'abord contemplé tristement, puis pensivement. Il avait fini par le ranger avec délicatesse parmi d'autres affaires dans un carton qu'il avait refermé et transporté pour l'empiler sur un autre. Il avait ensuite ouvert l'armoire et avait retenu ses larmes en découvrant les costumes bleus. Il en avait effleuré un du bout des doigts et les avait retirés aussitôt, comme si le simple fait de le toucher allait le faire partir en lambeaux. Dans l'incapacité de les emballer, il avait renoncé à ce lourd fardeau pour le confier à Lloyd. En rabattant la porte de l'armoire, Antonin avait eu un pincement au cœur lorsqu'il avait vu la publicité pour la Riley Pathfinder. Quoi qu'on fasse, il y avait des rêves qui resteraient à jamais enfermés dans un placard.

Antonin ne détachait pas son regard de la pièce d'Entreprise quand tout à coup, un visiteur inattendu l'arracha à cette introspection. C'était un corbeau qui avait choisi de ne se poser nulle part ailleurs qu'à ses pieds. La tête penchée sur le côté, l'animal croassa comme s'il essayait de lui faire passer un message. Ses petits yeux, bien que ténébreux, étaient remplis d'une grande douceur. Un regard amical qui lui parut étrangement familier.

Antonin eut un mince sourire. Lentement, il sortit un papier froissé de sa veste et le déplia pour dévoiler l'affiche publicitaire pour la Riley Pathfinder. Il la regarda longuement, puis la fourra à nouveau dans sa poche avec un léger sourire sur les lèvres. Il se leva, fit quelques pas jusqu'à l'eau, ferma intensément ses yeux comme pour faire un vœu, arma son bras et lança la pièce le plus loin possible dans le fleuve. L'oiseau noir prit peur et à tire-d'aile, s'envola dans le ciel. Les mains dans les poches de son pantalon, Antonin regarda sereinement le volatile caresser les nuages et fendre le vent avec volupté. Il ressentit un nouveau souffle, comme si un poids venait de se libérer en lui. Un bien-être qu'il n'avait jamais éprouvé, celui de la liberté.

*Angleterre, mai 1959.*

Un beau matin de printemps, sur la côte sud de l'Angleterre, un bateau titanesque en provenance d'Amérique accosta sur les quais du port de Southampton. Des vagues se brisaient sur la coque du navire noir et blanc épuisé par sa longue traversée. À la proue était inscrit, sur sa pointe blanche, en grandes lettres noires : « QUEEN MARY ». Il s'agissait d'un paquebot transatlantique d'une longueur dépassant les trois cents mètres, un monstre des mers transportant à son bord plus de deux mille passagers de la première à la troisième classe. Il avait pour mission de traverser des étendues plus qu'impressionnantes pour le compte de personnes qui souhaitaient rallier l'Europe ou les États-Unis. Pour certaines d'entre elles, ce voyage était un aller sans retour. Il emportait avec lui des milliers d'histoires et de rêves, avec l'espoir de les voir se réaliser un jour prochain. Une épaisse fumée blanche jaillit des trois énormes cheminées noir et rouge dressées sur la partie centrale. Des mouettes rieuses tournaient en cercle au-dessus de l'embarcation pour l'accompagner dans ses dernières manœuvres d'amarrage. La corne de brume annonça son arrivée à toute la ville, ovationnée par des voyageurs heureux d'arriver à bon port. L'ancre jetée dans les profondeurs, ils descendirent en masse sur l'embarcadère et furent accueillis par une foule enthousiaste et un grand panneau : « Bienvenue en Angleterre ». Un jeune voyageur mit pied à terre et y déposa sa valise. Il fouilla la poche intérieure de sa veste, sortit un paquet de Craven A, en alluma une et expulsa de sa bouche une fumée grise. Dans la foule, il repéra un homme rondouillard, engoncé dans un large costume gris de qualité moyenne, probablement obtenu à la friperie du coin. Une courte cravate, couleur canari avec de drôles de motifs, décorait son cou rétréci. Il tenait maladroitement un cupcake dans une main, et dans l'autre une pancarte sur laquelle était noté : « A. NORTH ». Souriant, le jeune homme alla lui serrer la main avec entrain.

— Monsieur North, bienvenue à Southampton, l'accueillit l'homme fringant. Vous avez fait bon voyage ?

— C'était parfait, répondit Antonin.

— J'en suis heureux, monsieur.

L'homme relâcha sa pancarte et écrasa malencontreusement sa sucrerie, fourrée avec de la crème, sur sa cravate. Antonin eut un rire intérieur en regardant se démener le malhabile. Il songea que l'une de ses connaissances l'aurait déjà jeté à l'eau pour un tel choix de costume. Avec ses petits doigts boudinés, l'étourdi enleva, manchot, le surplus de crème sur le bout de tissu taché.

— Oh ! quel imbécile, geignit-il, c'est ma femme qui m'a acheté cette cravate.

— Ne vous inquiétez pas, le rassura Antonin, un peu de savon fera l'affaire.

— Vous vous y connaissez en taches ?

Cette réflexion fit malicieusement sourire le nouvel arrivant.

— On peut dire ça. Dans mon ancienne vie, j'étais démarcheur pour un pressing.

— Ça devait être passionnant.

— Plus que vous ne le croyez, précisa Antonin avec un mystérieux sourire en suivant les pas de l'homme avec sa valise.

Au bord de la route, ils s'arrêtèrent devant une belle voiture étincelante qui semblait tout droit sortie de chez un concessionnaire. Les rayons du soleil matinal la faisaient davantage briller et lui donnaient cette allure de diamant brut. Antonin la contempla avec une grande attention en passant sa main sur la carrosserie verte, un fin sourire aux lèvres.

— Exactement comme vous l'avez demandée ! Une Riley Pathfinder de 1957. Elle vous plaît ? s'enquit l'homme, la mine réjouie.

— Elle est splendide.

— Vous m'en voyez ravi. Toutefois monsieur, je suis curieux. Puis-je vous poser une question ?

— Je vous répondrai volontiers si vous me donnez votre nom.

— Oh, oui ! Suis-je bête, je ne me suis pas présenté. Mon nom est Fernbsy, Sidney Fernbsy.

Antonin attendit que Fernbsy pose sa question, mais celle-ci semblait déjà lui avoir quitté l'esprit.

— Votre question ? lui rappela Antonin.

— Oh… euh, oui, pardonnez-moi, dit Fernbsy avec un geste d'excuse. Je me demandais simplement pourquoi vous avez préféré choisir la Pathfinder et non pas la Two-Point-Six qui est le dernier modèle ?

— Un très bon ami me l'a conseillée. La Two-Point-Six ne l'intéressait pas. Il disait toujours que la Pathfinder serait sa dernière allégeance faite à Riley Motor.

— Eh bien, il a bon goût votre ami. Ce sont de bonnes voitures, puissantes, robustes ! Vous verrez. Elles peuvent atteindre une vitesse de pointe de…

— Cent soixante kilomètres heure.

— C'est exact, un connaisseur à ce que je vois.

Antonin resta absorbé par les courbes de la voiture jusqu'à ce que l'homme corpulent se mette à agiter les clés devant lui.

— Vous voulez la conduire ? Je jouerai les guides.

Il était inutile de le lui demander deux fois. Le jeune homme arbora un grand sourire et déroba les clés des mains de Fernbsy. Une fois son bagage rangé dans le coffre, les deux hommes prirent place dans le véhicule. Le conducteur mit le contact et écouta le moteur ronronner. Il exultait.

— Ça vous dérange si on fait un tour avant ? demanda-t-il à Fernbsy.

— Faites donc ! Comme je le dis toujours, personne n'est à nos trousses.

C'était un nouveau départ. Une nouvelle aventure vers l'inconnu qu'il affrontait sans crainte, car quelque part, il le savait : où qu'il aille, Theodore lui avait laissé assez de bagages pour s'en sortir. Le cri aigu d'une mouette lui fit passer la tête à travers la vitre ouverte de la Riley. Il leva son regard dans le ciel ensoleillé pour observer un instant l'oiseau au plumage blanc se laisser porter par les vents ascendants. À Dieu vat ! l'entendit-il dans son imaginaire lui crier tandis qu'il voguait sous le vaste plafond céleste. C'était le dernier message qu'il lui transmettrait. La suite lui appartenait. Il esquissa un sourire, puis s'engagea sur la route. À l'origine de ce récit, il y avait un homme en costume bleu avec un paquet de cigarettes Craven A qui, un jour dans un bar, en buvant un verre de gin-tonic, lui avait raconté que les fins n'existaient pas, car les souvenirs constituaient des chapitres permettant de relire l'histoire sans jamais mettre de point final…

# Remerciements

Je remercie ma famille ainsi que mes amis pour leur soutien contribuant à la réalisation et à l'aboutissement de cet ouvrage.

Je remercie tout particulièrement ma mère de m'avoir fait confiance tout au long de ce projet. Ton soutien dans mes choix a été primordial et m'a permis d'être ce que je suis. Ce livre n'aurait jamais pu voir le jour sans toi. Merci pour tout.

Ma chère Agathe, je te remercie pour ton aide précieuse et pour la création de la couverture de ce livre. Il n'y avait personne d'autre que toi pour concevoir ce dessin avec ce talent qui est le tient. Tes réalisations ont toujours été une inspiration et une motivation. Je resterai ta première fan et collectionneuse.

Théo, tu m'as soutenu dès le début de cette aventure. Tu m'as encouragée et cela même dans les moments les plus compliqués. Je te remercie infiniment pour ta grande patience, tes relectures multiples au point de connaître chaque ligne de ce roman par cœur. J'admire ton talent dans l'écriture, ton inspiration et cette aisance de jouer avec les mots pour créer des textes sublimes. Ce n'est que le début de l'histoire, mais j'ai déjà hâte de découvrir la suite de tes chapitres…

Je remercie tous ceux et celles qui liront ce roman et contribueront à le faire vivre.

# Table des matières

CHAPITRE I Les deux hommes en costume ................................ 7

CHAPITRE II La sixième chaise ................................ 23

CHAPITRE III L'Entreprise ................................ 41

CHAPITRE IV Le stagiaire ................................ 87

CHAPITRE V Porte-à-porte ................................ 161

CHAPITRE VI Tenue correcte exigée ................................ 191

CHAPITRE VII Renégat ................................ 215

CHAPITRE VIII Maître-chanteur ................................ 233

CHAPITRE IX Valse mortelle ................................ 253

CHAPITRE X Baptême par le feu ................................ 271

CHAPITRE XI Des cadavres dans le placard ................................ 293

CHAPITRE XII Marécage ................................ 315

CHAPITRE XIII Jour de paye ................................ 363

CHAPITRE XIV Disgrâce ................................ 391

CHAPITRE XV Le verre d'adieu ................................ 423

## Note de l'auteure

Si vous avez aimé cette histoire, vous pouvez dès à présent me suivre sur ma page instragram pour découvrir davantage mon univers :

theclashcity_livre

Un grand merci pour votre lecture ainsi que votre soutien pour ce premier ouvrage. Et si l'histoire le permet, peut-être nous rencontrerons nous de nouveau…